Sadie Matthews

Namiętność
po zmierzchu

Sadie Matthews jest autorką sześciu powieści poruszających tematykę kobiecą, opublikowanych pod innymi nazwiskami. We własnym dziele opisuje dekadencką ekscytującą ucieczkę od rzeczywistości oraz wielkie ludzkie dramaty. To jej pierwsza powieść dotycząca bardziej intymnej, intensywnej strony życia i związków międzyludzkich.

Autorka jest mężatką, mieszka w Londynie.

Sadie Matthews

Namiętność po zmierzchu

Z angielskiego przełożyła:
Patrycja Zarawska

hachette *literatura*

Wszystkie postacie przedstawione w tej publikacji są fikcyjne,
a jakiekolwiek podobieństwo do prawdziwych osób, żyjących
lub nieżyjących, jest przypadkowe.

Tytuł oryginału: *Fire After Dark*

Copyright © Sadie Matthews, 2012
The right of Sadie Matthews to be identified as the Author of the
Work has been asserted by her in accordance with the Copyright,
Designs and Patents Act 1988
Cover photograph © Fry Design Ltd/Getty Images
Copyright © for the Polish edition by Hachette Polska sp. z o.o.,
Warszawa 2013

Tłumaczenie: Patrycja Zarawska/Terka

Redaktor prowadzący: Małgorzata Dudek

Redakcja: Ewa Kosiba/Terka

Korekta: Joanna Łagoda/Terka

Projekt okładki: Paweł Pasternak

Zdjęcie na okładce: © Photographers Choice/Getty Images/
Flash Press Media

Skład i łamanie: Remigiusz Dąbrowski/Terka

Wydawca:
Hachette Polska sp. z o.o.
ul. Postępu 6, 02-676 Warszawa

www.hachette.com.pl

ISBN 978-83-7739-980-4

Dla

X.T.

Pierwszy tydzień

Rozdział pierwszy

Miasto zapiera mi dech w piersi, gdy się przesuwa za oknami taksówki niczym olbrzymie dekoracje sceniczne rozwijane w teatrze czyjąś niewidzialną ręką. Siedzę w samochodzie spokojna, odizolowana od tego, co dzieje się na ulicach. Tylko obserwuję. Ale na zewnątrz w gorące, lepkie lipcowe popołudnie Londyn tętni życiem: na jezdniach tłoczą się pojazdy, a na chodnikach ludzie. Przy zmianie świateł całe tłumy przechodzą na drugą stronę ulicy. Miliony ludzkich istnień przemieszczające się tego dnia w tym jednym miejscu. Skala tego wszystkiego jest przytłaczająca.

„Co ja zrobiłam?".

Gdy przejeżdżamy obok rozległej zielonej przestrzeni zajętej przez setki spragnionych słońca londyńczyków, zastanawiam się, czy to nie Hyde Park. Tato mi mówił, że Hyde Park jest większy niż Monako. Tylko pomyśleć: Monako może i jest małe, ale porównanie i tak robi wrażenie. Nieoczekiwanie przeszywa mnie dreszcz i uświadamiam sobie, że się boję. Dziwne, bo nie uważam się za osobę tchórzliwą.

„Każdy by się denerwował" – mówię sobie stanowczo. Po tym jednak, co się niedawno zdarzyło, nic dziwnego, że brakuje mi pewności siebie. Staram się opanować narastające w brzuchu znajome nieprzyjemne uczucie.

„Nie dziś. Za dużo mam innych rzeczy do ogarnięcia. Poza tym dosyć już rozmyślałam i płakałam. To właśnie z tego powodu tu jestem".

– Prawie na miejscu, złotko – odzywa się nagle jakiś głos i zdaję sobie sprawę, że to taksówkarz. Widzę, że spogląda na mnie w lusterku wstecznym. – Znam dobry skrót z tego punktu – mówi. – Można ominąć cały ten tłok na drodze.

– Dzięki – odpowiadam, choć przecież tego oczekuje się od londyńskiego taryfiarza. Bądź co bądź, słyną oni ze znajomości uliczek i to dlatego postanowiłam wykosztować się na kurs taksówką, zamiast się zmagać z metrem. Nie mam ze sobą dużego bagażu, ale nie napawała mnie radością perspektywa taszczenia w upale swoich rzeczy ruchomymi schodami, do pociągów i z powrotem. Zastanawiałam się, czy kierowca mnie ocenia, próbuje zgadnąć, co, u licha, mam wspólnego z tym prestiżowym adresem, skoro wyglądam tak młodo i... zwyczajnie. Po prostu dziewczyna w sukience o kwiatowym wzorze, w czerwonym rozpinanym sweterku i klapkach, z okularami przeciwsłonecznymi odsuniętymi za czoło oraz włosami niedbale związanymi w koński ogon, z którego na wszystkie strony uciekają kosmyki.

– Pierwszy raz w Londynie, co? – pyta, uśmiechając się do mnie w lusterku.

– Tak, zgadza się – odpowiadam.

To niezupełnie prawda. Byłam tu kiedyś w dzieciństwie na Boże Narodzenie, z rodzicami. W pamięci mam rozmazane wspomnienia wielkich, tętniących gwarem sklepów, jasno oświetlonych wystaw i Mikołaja w nylonowych spodniach, które szeleściły, gdy mu usiadłam na kolanach, a jego poliestrowa biała broda drapała mnie lekko w policzek. Nie miałam jednak ochoty wdawać się w dyskusje z taksówkarzem, poza tym miasto jest dla mnie zupełnie obce. Tak czy inaczej po raz pierwszy w życiu trafiłam tu sama.

– Jesteś sama, co? – pyta i czuję się trochę nieswojo, mimo że ten człowiek po prostu próbuje być miły.

– Nie, zatrzymam się u cioci – odpowiadam, znów kłamiąc.

Kiwa głową, zadowolony z tego, co usłyszał. Oddalamy się teraz od parku, taksówka śmiga zwinnie między autobusami i osobówkami, wyprzedza rowerzystów, szybko bierze zakręty i przemyka przez skrzyżowania na żółtym świetle. Wkrótce zostawiamy za sobą zatłoczone arterie i jedziemy wąskimi uliczkami, wzdłuż których ciągną się wysokie, wykończone cegłą i kamieniem rezydencje o wysokich oknach ozdobionych kaskadami kolorowo kwitnących kwiatów, lśniących drzwiach frontowych i błyszczących, pomalowanych na czarno żelaznych ogrodzeniach. Wszędzie tu czuć pieniądze, pachną nimi nie tylko drogie samochody zaparkowane przy chodniku, lecz także idealnie utrzymane budynki, czyste ulice i gosposie na chwilę ukazujące się w oknach, kiedy je przesłaniają przed nadmiarem słońca.

– Nieźle sobie żyje ta twoja ciocia – żartuje taksówkarz, gdy skręcamy w boczną uliczkę, a potem w kolejny zaułek. – Mieszkanie w tej okolicy pewnie trochę kosztuje.

Śmieję się, lecz nic nie mówię, bo nie wiem, co powiedzieć. Po jednej stronie ulicy widać maleńkie, ale piękne i zapewne drogie domki szeregowe, po drugiej zaś wznosi się duża kamienica, ciągnąca się niemal od przecznicy do przecznicy, mająca co najmniej sześć kondygnacji. Fasada w stylu art déco świadczy o tym, że budynek powstał w latach trzydziestych XX wieku; w szarej elewacji dominują wielkie przeszklone orzechowe drzwi. Kierowca zatrzymuje przed nimi auto i mówi:

– Jesteśmy na miejscu. Randolph Gardens.

Spoglądam na otaczający nas kamień i asfalt.

– A gdzie te ogrody[1]? – zastanawiam się głośno. Jedyna zieleń w zasięgu wzroku to dwa kosze z czerwonym i fioletowym geranium ustawione po bokach drzwi wejściowych.

---

[1] *Gardens* – ang. ogrody (wszystkie przypisy pochodzą od tłumaczki).

– Pewnie kiedyś tu były, lata temu – odzywa się taksówkarz. – Widzisz te szeregówki? Wyglądają na zaadaptowane starodawne stajnie. Założę się, że dawno temu w okolicy stało parę dworów miejskich. Właściciele się ich pozbyli, rozebrano je albo może zostały zbombardowane podczas wojny. Kto wie, czy nie zostały jakieś ogrody. – Zerka na taksometr. – Należy się dwanaście funtów siedemdziesiąt centów, złotko.

Nerwowo grzebię w portmonetce i podaję mu piętnaście funtów.

– Proszę zatrzymać resztę. – Mówiąc to, mam nadzieję, że dałam odpowiedni napiwek.

Kierowca nie okazuje zaskoczenia, więc suma pewnie była w porządku. Czeka chwilę, aż razem z bagażem wydostanę się z samochodu na chodnik, i zamyka za mną drzwi. Potem fachowo zawraca na wąskiej uliczce i z głośnym warczeniem silnika rusza ponownie na trasę.

Podnoszę wzrok, rozglądam się. A więc dotarłam. Oto mój nowy dom. Przynajmniej na jakiś czas.

Siwowłosy portier patrzy na mnie pytająco, gdy z dużą torbą wtaczam się przez drzwi i podchodzę do recepcji.

– Mam się zatrzymać w mieszkaniu Celii Reilly – wyjaśniam, opierając się pokusie, aby natychmiast otrzeć sobie pot z czoła. – Mówiła, że zostawi dla mnie klucz u pana.

– Nazwisko? – pada burkliwe pytanie.

– Beth. To znaczy Elizabeth. Elizabeth Villiers.

– Sprawdźmy… – mruczy pod wąsem, przeglądając leżącą na biurku teczkę. – A, tak. Jest. Panna E. Villiers. Pod nieobecność panny Reilly ma zająć numer 514. – Przewierca mnie badawczym, ale nie wrogim spojrzeniem. – Opieka do mieszkania na czas nieobecności lokatorki, tak?

– Tak. No, dokładnie mam się opiekować kotem. – Uśmiecham się do niego, ale on tego nie odwzajemnia.

– Tak, rzeczywiście, panna Reilly ma kota. Trudno sobie wyobrazić, dlaczego takie stworzenie godzi się żyć w zamknięciu, ale tak to już bywa. Oto klucze. – Podsuwa mi na blacie kopertę. – Proszę jeszcze o podpis w księdze meldunkowej.

Podpisuję posłusznie, po czym prowadzi mnie do windy, po drodze przedstawiając zasady obowiązujące lokatorów. Proponuje, że za kilka minut dostarczy mi bagaż na górę, ale odmawiam – dam sobie radę. Chwilę później jadę windą na piąte piętro, wpatrując się we własne odbicie – z lustra patrzy na mnie rozgrzane upałem, zaczerwienione oblicze. W przeciwieństwie do otoczenia nie jestem ani odrobinę wymuskana, a moja twarz w kształcie serca i okrągłe niebieskie oczy nigdy się nie upodobnią do eleganckich rysów o wysoko osadzonych kościach policzkowych, które tak podziwiam. Sięgające ramion niesforne ciemnoblond włosy nie zamienią się w gęste, bujne loki, o jakich nieustannie marzę. Moja czupryna wymaga wysiłku, a ja się zazwyczaj nie trudzę, związując ją niedbale z tyłu w koński ogon.

– Niezupełnie jak dama z Mayfair[2] – mówię głośno.

Gapiąc się na siebie, widzę ślady wszystkiego, co się ostatnio wydarzyło. Twarz stała się pociągła, w oczach pojawił się smutek, który chyba nigdy nie zniknie. Wydaję się nieco niższa, jakbym się ugięła pod ciężarem niedoli.

– Bądź dzielna – szepczę do siebie, starając się odnaleźć w zgaszonym spojrzeniu dawną iskrę.

Tak czy inaczej właśnie po to tu przyjechałam. Nie dlatego, że próbuję uciec – choć pewnie po części tak właśnie jest – ale dlatego, że chcę odszukać dawną siebie, tę pełną ożywionego ducha, odwagi i ciekawości świata.

„O ile tamta Beth nie uległa zupełnemu zniszczeniu".

---

[2] Mayfair – ekskluzywna dzielnica Londynu.

Nie chcę myśleć w ten sposób, ale ciężko mi z tym.

Numer 514 znajduje się w połowie wyłożonego dywanem korytarza. Klucz gładko obraca się w zamku i zaraz potem wchodzę do mieszkania. W pierwszej chwili zaskakuje mnie powitanie – ciche mruczenie, a po nim piskliwe „miau!" i miękkie, ciepłe futerko ocierające się o moje nogi. Aż podskakuję, gdy kociak przemyka mi między łydkami.

– Witaj! – wołam, spoglądając w dół na okolony wąsami czarny pyszczek z aureolą ciemnej sierści, zgniecionej podobnie jak poduszka, z której kot się podniósł. – Ty pewnie jesteś De Havilland.

Zwierzak znów miauczy, pokazując ostre białe zęby i różowy języczek.

Staram się rozejrzeć wokół siebie, podczas gdy kot mruczy jak szalony i ociera się o moje nogi. Najwyraźniej cieszy go moja obecność. Jestem w przedpokoju i już tutaj widzę, że Celia pozostała wierna estetyce budynku z lat trzydziestych. Podłoga jest wyłożona czarno-białymi płytkami, pośrodku leży kaszmirowy dywanik. Pod wielkim lustrem w stylu art déco, z dwiema geometrycznymi chromowanymi lampami po bokach, stoi czarny, lśniący stolik. Na blacie sporo miejsca zajmuje wielka biała misa z porcelany ze srebrnym brzegiem, a po jej obu stronach ustawiono wazony. Elegancja i stonowane piękno.

Właśnie tego się spodziewałam. Mój ojciec w irytująco niejasny sposób wyrażał się o mieszkaniu swojej matki chrzestnej (widział je kilka razy, kiedy odwiedzał Londyn), ale zawsze odnosiłam wrażenie, że lokum jest równie wspaniałe jak sama Celia. Jako nastolatka zaczęła karierę modelki i odniosła ogromny sukces, zarabiając mnóstwo pieniędzy, później jednak zrezygnowała z wybiegu i została dziennikarką mody. Wyszła za mąż i rozwiodła się, potem ponownie wzięła ślub i owdowiała. Nigdy nie miała dzieci i może dlatego udało jej się zachować młodzieńczy, tryskający energią wygląd. Nie sprawdzała się jako matka chrzestna, pojawiając się w życiu mojego ojca i znikając wedle własnego kaprysu. Nieraz całymi latami nie dawała znaku życia, aż nagle ni stąd, ni zowąd przybywała obładowana prezentami i ubrana zgodnie z najnowszą modą. Zasypywała chrześniaka całusami, usiłując nadrobić okres zaniedbania. Pamiętam, że spotkałam ją przy kilku okazjach. Byłam wtedy nieśmiałą dziewczynką o iksowatych nogach, w podkoszulku i szortach, z wiecznie rozczochranymi włosami. Nie mogłabym sobie nawet wyobrazić, że kiedyś będę taka zadbana i wymyślnie ubrana jak ta stojąca przede mną kobieta o krótko obciętych srebrzystych włosach, mająca na sobie zdumiewające ciuchy i niesamowitą biżuterię.

„Co ja mówię? Przecież teraz też nie mogę sobie nawet wyobrazić, że mogłabym być taka jak ona. Ani przez chwilę".

A jednak właśnie jestem w jej mieszkaniu, które przez pięć tygodni będzie tylko moje.

Propozycja przyszła zupełnie niespodziewanie. Nie zwróciłam uwagi na dzwoniący telefon; dotarło do mnie, że ktoś zadzwonił, dopiero wtedy, gdy tato odłożył słuchawkę i, cokolwiek zdezorientowany, zapytał:

– Beth, chciałabyś spędzić jakiś czas w Londynie? Celia wyjeżdża i szuka kogoś do opieki nad swoim kotem. Pomyślała, że może ty miałabyś ochotę pobyć trochę w jej mieszkaniu.

– W jej mieszkaniu? – powtórzyłam jak echo, podnosząc wzrok znad książki. – Ja?

– Tak. Zdaje się, że to w jakiejś szpanerskiej dzielnicy. Mayfair, Belgravia czy coś takiego. Nie byłem tam od dawna. – Uniósł brwi i posłał spojrzenie mamie. – Celia na pięć tygodni wynosi się do jakiejś leśnej samotni w Montanie. Podobno potrzebuje duchowej odnowy. Tak jak ty.

– Cóż, to dlatego trzyma się tak młodo – odparła mama, wycierając stół kuchenny. – Mało która siedemdziesięciodwuletnia kobieta mogłaby o tym choćby pomyśleć. – Wyprostowała się i z zadumą wlepiła wzrok w wyszorowany blat. – Myślę, że to fajnie brzmi. Sama miałabym na to ochotę.

Miała minę, jak gdyby rozważała inne ścieżki, którymi mogło się potoczyć jej życie. Ojciec najwyraźniej chciał powiedzieć coś drwiącego, lecz się powstrzymał, widząc wyraz twarzy mamy. Ucieszyłam się z tego. Mama po wyjściu za mąż porzuciła pracę zawodową i poświęciła się domowi, opiece nade mną i moimi braćmi. Sądzę, że miała prawo do swoich marzeń.

Tato zwrócił się do mnie:

– I co o tym myślisz, Beth? Jesteś zainteresowana?

Mama spojrzała na mnie i od razu zobaczyłam to w jej oczach. Chciała, żebym pojechała. Wiedziała, że to najlepsza możliwość, biorąc pod uwagę okoliczności.

– Powinnaś się wybrać – powiedziała cicho. – Lepiej, żebyś wyjechała po tym, co się wydarzyło.

Nie chciałam o tym rozmawiać.

– Nie mów – szepnęłam ze łzami w oczach. Otwarta rana nadal się jątrzyła.

Rodzice wymienili spojrzenia i tato bąknął:

– Może mama ma rację. Dobrze by ci zrobiło, gdybyś gdzieś wyszła, pokręciła się.

Przez ponad miesiąc prawie nie wychylałam nosa z domu. Przerażało mnie, że mogę ich zobaczyć we dwoje. Adama i Hannah. Myśl o tym wywoływała emocjonalną huśtawkę – żołądek nagle mi zjeżdżał w pięty, a w głowie tak buczało, jakbym za chwilę miała zemdleć.

– Może rzeczywiście… – powiedziałam niepewnie. – Zastanowię się nad tym.

Tego wieczoru nie podjęliśmy decyzji. W tamtym czasie trudno mi było nawet rano wstać z łóżka, a co dopiero zdecydować się na wyjazd do Londynu. Moja pewność siebie legła w gruzach, nie potrafiłam dokonać żadnego wyboru – nawet tego, co bym zjadła na obiad, nie wspominając już o przyjęciu propozycji Celii. Bądź co bądź, wybrałam Adama, zaufałam mu i proszę, jak to się skończyło. Następnego dnia mama zadzwoniła do Celii i omówiła z nią praktyczne aspekty sprawy, a wieczorem zatelefonowałam już sama. Na dźwięk jej silnego głosu, pełnego entuzjazmu i tryskającego energią, od razu poczułam się lepiej.

– Wyświadczysz mi przysługę, Beth – mówiła pewnym tonem – ale myślę, że sama też skorzystasz. Czas, żebyś się wydostała z tego ślepego zaułka i zobaczyła trochę świata.

Celia była niezależną kobietą. Kierowała swoim życiem tak, jak jej się podobało i skoro uważała, że ja też tak mogę, zapewne miała rację. Więc się zgodziłam. Mimo to, w miarę jak zbliżał się czas wyjazdu, traciłam przekonanie i zaczęłam się zastanawiać, czy nie dałoby się jakoś wycofać. Wiedziałam jednak, że muszę to zrobić. Gdybym mogła spakować się i wyjechać samotnie do któregoś z większych miast w świecie, wtedy może byłaby dla mnie jakaś nadzieja. Bardzo lubiłam małe miasteczko w hrabstwie Norfolk, gdzie dorastałam, ale jeśli nie umiem zrobić nic innego, jak tylko kulić się w domu, niezdolna stawić czoła światu tylko dlatego, że Adam mnie zranił, to z miejsca powinnam się poddać i wynieść. Co mnie właściwie tu trzyma? Niepełny etat w kawiarence, gdzie się zatrudniłam, mając piętnaście lat, z przerwą na studia, po której podjęłam tę samą pracę, zastanawiając się, co z sobą zrobić w życiu? Rodzice? Wręcz przeciwnie. Nie chcieliby, żebym wiecznie mieszkała w swoim starym pokoju i krzątała się po domu ze szczotką. Wiązali ze mną inne marzenia.

Prawda była taka, że wracałam tu z powodu Adama. Moi znajomi z uniwersytetu podróżowali po świecie, a po skończeniu studiów dostali ekscytującą pracę albo przeprowadzili się do innych krajów. Słuchałam o tych wszystkich przygodach, wierząc, że moja przyszłość czeka na mnie w domu. Ośrodkiem mojego świata był Adam

– jedyny człowiek, jakiego kiedykolwiek kochałam. Nie istniało dla mnie nic innego, chciałam tylko być z nim. Adam, gdy tylko skończył szkołę, pracował w firmie budowlanej swego ojca, która – jak się spodziewał – kiedyś będzie należała do niego, a perspektywa spędzenia reszty życia w miejscu, gdzie się wychował, najwyraźniej nie mąciła mu szczęścia. Nie miałam pojęcia, czy dla mnie to będzie dobre, ale wiedziałam, że kocham Adama i w związku z tym powinnam powściągnąć na jakiś czas własne pragnienia związane z podróżami i poznawaniem świata, żebyśmy mogli być razem.

Tylko że teraz nie miałam żadnego wyboru.

De Havilland parska gniewnie u moich stóp i trąca mnie łagodnie, żeby przypomnieć o swoim istnieniu.

– Przepraszam, kotku – mówię usprawiedliwiająco i odstawiam torbę. – Jesteś głodny?

Kot wije się wokół moich kostek, kiedy próbuję znaleźć kuchnię; otwieram drzwi zabudowanej szafy, a potem toalety. Wreszcie na drugim końcu przedpokoju odkrywam maleńką kuchnię, w której kocie miski leżą porządnie ułożone pod oknem. Są wylizane do czysta, a De Havilland najwyraźniej domaga się kolejnego posiłku. Na białym dwuosobowym stoliku jadalnym widzę kilka paczek kocich ciasteczek i stertę papieru. Na wierzchniej kartce dużymi, niedbałymi literami napisano:

Witaj, Kochanie!
Udało Ci się. Świetnie. Tu jest karma dla De Havillanda. Dawaj mu jeść dwa razy dziennie – po prostu kładź w miseczce ciasteczka, jakbyś układała koktajlowe przekąski. Szczęściarz z tego kociska. De H. potrzebuje świeżej, czystej wody. Pozostałe instrukcje są w notatkach pod spodem, ale – Kochanie – naprawdę nie ma reguł. Baw się dobrze.

Do zobaczenia za pięć tygodni.

C

Pod spodem na stosiku leżą zadrukowane kartki z niezbędnymi informacjami o kociej kuwecie, działaniu urządzeń domowych, o tym, gdzie znajduje się bojler, a gdzie apteczka, oraz do kogo się zwrócić w razie problemów. Najwyraźniej pierwszą przystanią jest urzędujący na dole portier – mój pierwszy port. Hej, jeśli żartuję w myślach, choćby słabo, to może wyprawa do miasta faktycznie już działa.

De Havilland miauczy natarczywie, wpatrując się we mnie ciemnożółtymi oczyma, a jego różowy języczek drży przy tym z irytacją.

– Zaraz będzie obiadek – zapewniam go.

Kiedy szczęśliwy kot wreszcie je, a jego miska na wodę jest pełna, rozglądam się po mieszkaniu. Podziwiam czarno-białą łazienkę z chromowanym i bakelitowym wyposażeniem, a potem wspaniałą sypialnię: srebrzyste łóżko z kolumienkami, puszystą jak śnieg pościel i piętrzące się białe poduszki oraz ozdobną tapetę o chińskim wzorze, na którym kolorowo upierzone papugi spoglądają na siebie w gęstwinie gałęzi kwitnących wiśni. Nad kominkiem wisi wielkie zwierciadło w posrebrzanej ramie, pod oknem stoi starodawna toaletka z lustrem, a obok niej – fotel obity fioletowym pluszem.

– Jak tu pięknie – wzdycham głośno. Może tutaj uda mi się przejąć trochę szyku Celii i znaleźć wreszcie swój styl.

Idąc do salonu, uświadamiam sobie, że jest lepiej, niż mogłam sobie wymarzyć. W wyobraźni widziałam eleganckie miejsce odzwierciedlające życie zamożnej, niezależnej kobiety, ale zastałam coś innego. Nie spotkałam nigdy dotąd takiego mieszkania. Salon okazuje się dużym pokojem utrzymanym w spokojnych tonacjach bladej zieleni i kamienia, z czarnymi, białymi i srebrnymi akcentami. Kształt mebli wspaniale przywołuje epokę lat trzydziestych – niskie fotele o dużych, obłych podłokietnikach, spora sofa ze stertą białych poduszek, śmiała, czysta linia podłogowej lampy oraz ostre krawędzie nowoczesnego stolika kawowego z lśniącej czarnej laki. Na przeciwległej ścianie dominuje ogromna, wbudowana na stałe biała biblioteczka pełna książek i bibelotów, wśród których rzucają się w oczy piękne nefrytowe przedmioty i chińskie rzeźby. Długa ściana naprzeciwko okna jest pomalowana na chłodny seledynowy kolor i ozdobiona płycinami z laki, w której srebrzą się delikatnie wyżłobione wierzby, a ich połyskliwa powierzchnia stwarza niemal lustrzany efekt. Pomiędzy nimi wiszą lampy ścienne z mlecznobiałego szkła, na parkietowej podłodze zaś leży wielki staroświecki dywan z pasiastym wzorem naśladującym skórę zebry.

Jestem oczarowana tym eleganckim mieszkaniem. Podoba mi się wszystko, co widzę, od kryształowych wazonów podtrzymujących grube, ciemne łodygi i jasnokremowe kielichy lilii po imbirowe chińskie donice ustawione po bokach lśniącego chromem kominka, nad którym wisi potężne, poważnie wyglądające współczesne dzieło sztuki. Po bliższych oględzinach rozpoznaję pędzel Patricka Herona: wielkie plamy kolorów – szkarłatu, cynobru, umbry i spopielałego oranżu – wspaniały, dramatyczny chaos barw w tej oazie spokojnej zieleni i bieli.

Gapię się na wszystkie strony z otwartymi ustami. Dotąd nie miałam pojęcia, że ludzie tworzą tego rodzaju pokoje, by w nich mieszkać – pełne pięknych przedmiotów i nienagannie utrzymane. Nie przypomina to domu w sensie przytulnego, wygodnego miejsca, zawsze zagraconego stertami rzeczy, których należałoby się pozbyć.

Mój wzrok przykuwa okno rozciągające się na całą szerokość pokoju. Są w nim zainstalowane starego typu żaluzje, które normalnie trąciłyby myszką, ale tu wyglądają jak najbardziej na miejscu. Jeżeli nie liczyć żaluzji, w oknie zupełnie nic nie wisi, co mnie zaskakuje, bo przecież wychodzi ono prosto na kolejną kamienicę. Zerkam na zewnątrz. Tak, bardzo mała odległość dzieli ten dom od sąsiedniego budynku.

„Dziwne. Tak blisko siebie? Czemu je zbudowano w ten sposób?".

Wyglądam przez okno, próbując się zorientować w terenie. I zaczynam rozumieć. Budynek wzniesiono na planie litery U wokół rozległego ogrodu. Czy to jest część Randolph Gardens? Rozciąga się poniżej i po lewej – spory zieleniec z rabatami jaskrawych kwiatów, obrzeżony drzewami i innymi roślinami, bujnymi o tej porze roku. Widać żwirowe ścieżki, kort tenisowy, ławeczki i fontannę, a także przystrzyżony trawnik, na którym siedzi kilkoro ludzi, wygrzewających się w popołudniowym słońcu. Skwer jest z trzech stron otoczony budynkiem, tak że większość mieszkańców ma widok na ogród. Jednak w literze U zostawiono wąski korytarz łączący ogród z ulicą biegnącą od frontu budynku, dlatego okna mieszkań po jednej stronie korytarza spoglądają dokładnie w okna po przeciwnej stronie. Kondygnacji jest siedem – mieszkanie Celii znajduje się na piątym piętrze, dokładnie naprzeciwko sąsiedniego, bliżej, niż gdyby było oddzielone ulicą.

„Czy przez to mieszkanie było tańsze?" – rozmyślam bez szczególnego celu, spoglądając na przeciwległe okno. Nic dziwnego, że ściany pomalowano na blade kolory i powieszono na nich srebrzyste płyciny, skoro dociera tutaj zdecydowanie niewiele dziennego światła. „Lecz mimo to lokalizację ma świetną. To wciąż Mayfair".

Ostatni promień słońca zsunął się z tego skrzydła budynku i pokój zatonął w ciepłej ciemności. Idę do jednej z lamp, by ją włączyć, i mój wzrok pada na pałający złotym blaskiem kwadrat za oknem. To w mieszkaniu naprzeciwko zapalono światło, przez co wnętrze stało się jasno oświetlone niczym ekran w małym kinie lub scena w teatrze. Wszystko widzę jak na dłoni i z zapartym tchem zatrzymuję się na moment. W pokoju dokładnie naprzeciw salonu Celii stoi jakiś mężczyzna. Może nie ma w tym nic niezwykłego, ale moją uwagę zwraca fakt, że jest ubrany tylko w ciemne spodnie. Uświadamiam sobie, że sterczę jak słup soli, podczas gdy on rozmawia przez telefon, przechadzając się leniwie po salonie i bezwiednie eksponując swój imponujący tors. Wprawdzie nie widzę zbyt wyraźnie rysów jego twarzy, lecz stwierdzam, że jest również przystojny; ma gęste czarne włosy, symetryczną twarz i mocno nakreślone ciemne brwi. Dostrzegam też szerokie barki, muskularne ramiona, świetnie zarysowaną linię klatki piersiowej i mięśni oraz to, że jest opalony, jakby dopiero wrócił z ciepłych krajów.

Gapię się i czuję niezręcznie. Czy on wie, że go widzę, jak chodzi w swoim mieszkaniu półnagi? Domyślam się jednak, że skoro tutaj mieszkanie jest pogrążone w mroku, nie ma sposobu, aby zauważył, że ktoś go stąd obserwuje. Trochę się więc rozluźniam i po prostu patrzę. Mężczyzna jest tak dobrze i pięknie zbudowany, że wydaje się prawie nierealny. Jakbym oglądała aktora w telewizji poruszającego się naprzeciwko na planie – wspaniały widok, którym można się delektować z niewielkiej odległości. Nagle wybucham śmiechem. Celia naprawdę ma wszystko: mieszkanie z takim widokiem musi dodawać życiu uroku.

Patrzę jeszcze przez pewien czas, jak mężczyzna chodzi w swoim pokoju z telefonem przy uchu, a potem odwraca się i znika z planu.

„Może poszedł coś na siebie włożyć" – myślę z lekkim rozczarowaniem. Teraz, gdy go już nie ma, włączam lampę i pokój zalewa miękkie brzoskwiniowe światło. Salon znowu wygląda pięknie. De Havilland przyczłapał miękko i teraz wskakuje na sofę, spoglądając na mnie z nadzieją. Podchodzę i siadam obok niego, a on wdrapuje mi się na kolana, mrucząc głośno. Okręca się kilka razy w miejscu i sadowi wygodnie. Gładzę jego miękkie futerko, zanurzam palce w sierści i znajduję przyjemność w dotykaniu ciepłego ciałka.

Uświadamiam sobie, że wciąż mam przed oczami tamtego mężczyznę z pokoju naprzeciwko. Wyglądał zaskakująco atrakcyjnie i poruszał się z cudownym, niewymuszonym wdziękiem, niesamowicie swobodnie. Był sam, ale bynajmniej nie wyglądał na samotnika. Może rozmawiał przez telefon ze swoją dziewczyną. Albo może to dzwonił ktoś inny, a dziewczyna czeka na niego w sypialni, a on właśnie tam poszedł, żeby zdjąć resztę ubrań, położyć się koło niej i przycisnąć usta do jej ust. Ona otworzy dla niego ramiona, przyciągnie go blisko do siebie, otoczy go rękami, położy dłonie na gładkich plecach...

„Przestań. Tylko wszystko pogarszasz".

Spuszczam głowę. Adam ostro wdziera się w moje myśli, widzę go takiego, jaki był dawniej, kiedy się do mnie szeroko uśmiechał. To jego uśmiech zawsze mnie tak ujmował, to dlatego straciłam dla niego głowę od pierwszego wejrzenia. Uśmiech był trochę krzywy i wywoływał dołeczki na policzkach, podczas gdy niebieskie oczy iskrzyły się radością. Zakochaliśmy się w sobie latem, gdy miałam siedemnaście lat. W te długie, leniwe dni, bez szkoły, liczyliśmy się dla siebie tylko my dwoje. Spotykałam się z nim w ruinach starego opactwa. Całe godziny spędzaliśmy na pieszczotach, rozmowach i całowaniu. Wciąż nie mieliśmy siebie dość. Adam był chudym nastolatkiem, po prostu chłopakiem, a ja już się przyzwyczajałam do tego, że kiedy idę ulicą, mężczyźni spoglądają na mój biust. Rok później przespaliśmy się ze sobą. Dla nas obojga był to pierwszy raz – niezgrabne, nerwowe przeżycie, lecz mimo to piękne, ponieważ byliśmy w sobie zakochani. Potem szło nam coraz lepiej i nie umiałabym sobie wyobrazić, by robić to z kimś innym. Z kim mogłoby być tak słodko i cudownie, jeśli nie z Adamem? Uwielbiałam, gdy mnie całował i obejmował, mówiąc, że kocha mnie najbardziej na świecie. Nie spojrzałabym nawet na innego mężczyznę.

„Nie rób sobie tego, Beth! Nie rozpamiętuj. Nie pozwól, żeby cię nadal ranił".

Nie chcę tego obrazu, ale i tak wwierca mi się w myśli. Widzę go tak samo, jak zobaczyłam tamtej okropnej nocy. Pilnowałam dzieci u sąsiadów i miałam tam zostać dobrze po północy, ale sąsiedzi wrócili wcześniej, ponieważ ją mocno rozbolała głowa. Byłam więc wolna już o dziesiątej i uradowana pomyślałam, że zrobię niespodziankę Adamowi. Mieszkał u swojego brata Jimmy'ego, płacąc mu niski czynsz za pokój. Jimmy właśnie wyjechał i Adam planował spotkanie kumpli przy piwie i filmie. Wydawał się rozczarowany, gdy oznajmiłam, że nie przyjdę, więc teraz pewnie się ucieszy, kiedy się mimo wszystko zjawię.

Wspomnienie jest tak żywe, jakbym przechodziła to wszystko od nowa. Idę przez ciemny dom, zaskoczona, że nikogo w nim nie ma, zastanawiając się, gdzie też podziali się chłopcy. Telewizor jest wyłączony, nikt się nie wyleguje na kanapie, nie słychać otwierania puszek z piwem ani docinków rzucanych pod adresem filmu. Moje zaskoczenie powoli ustępuje. Już rozumiem. Pewnie Adam źle się poczuł i poszedł prosto do łóżka. Idę korytarzem w stronę jego sypialni; dobrze znam drogę, tak samo jak we własnym domu.

Naciskam klamkę, mówiąc cichutko: „Adam?" na wypadek, gdyby spał. Tak czy inaczej wejdę, a jeśli śpi, popatrzę na kochaną twarz, pomyślę, o czym śni, może go delikatnie pocałuję, przytulę się do niego…

Otwieram drzwi. Świeci się lampka – ta, którą dla nastroju lubi przykrywać czerwonym szalem, kiedy się kochamy. Światło płonie ciemnym szkarłatem, więc Adam pewnie nie śpi. Mrugam w półmroku. Kołdra burzy się i faluje. Co tu się dzieje?

– Adam? – mówię znów, ale znacznie głośniej. Kołdra nieruchomieje, kształt się pod nią zmienia, nakrycie odsuwa się i widzę…

Bolesne wspomnienie odbiera mi oddech, zaciskam mocno oczy, jakby to mogło zablokować obrazy w głowie. Jak stary film, którego nie umiem zatrzymać. Tym razem mocno wciskam w myślach „stop" i przenoszę De Havillanda ze swoich kolan na sofę. Przypominając sobie tamtą chwilę, wciąż się rozklejam, zapadam w sobie. Właśnie dlatego tutaj przyjechałam, by wziąć się w garść, i powinnam zacząć od zaraz.

Burczy mi w brzuchu i uświadamiam sobie, że jestem głodna. Przechodzę więc do kuchni, żeby poszukać czegoś do jedzenia. Lodówka Celii jest prawie pusta, notuję zatem w pamięci, by rano przede wszystkim zrobić zakupy spożywcze. Przeszukując szafki, znajduję jakieś krakersy i puszkę sardynek – na dziś wystarczy. Jestem tak głodna, że smakują wybornie. Myjąc po sobie talerz, nagle zaczynam ziewać. Spoglądam na zegarek – jest jeszcze wcześnie, nie ma nawet dziewiątej, ale i tak czuję się wyczerpana. To był długi dzień. Fakt, że obudziłam się dzisiaj w domu w swoim starym pokoju, wydaje się teraz prawie nierealny.

Postanawiam posłuchać swego ciała, które wyraźnie ma już ochotę spać. Poza tym chciałabym wypróbować to zadziwiające łóżko. Wracam do salonu, by zgasić światło. Sięgam do wyłącznika i w tym momencie zauważam, że tamten mężczyzna znowu jest w swoim salonie. Ciemne spodnie, które miał na sobie poprzednio, ustąpiły miejsca ręcznikowi owiniętemu wokół bioder, czarne włosy są mokre i zaczesane do tyłu. Mężczyzna stoi pośrodku pokoju blisko okna i patrzy wprost do mojego mieszkania. Właściwie ze zmarszczonym czołem wpatruje się we mnie, a ja gapię się dokładnie na niego. Nasze spojrzenia krzyżują się na chwilę, chociaż z powodu odległości nie jesteśmy w stanie odczytać niuansów kryjących się we wzroku.

Wtem niemal mimowolnie przesuwam palcem po włączniku i lampa posłusznie gaśnie, a pokój pogrąża się w ciemności. Zdaję sobie sprawę, że on nie może mnie teraz zobaczyć, podczas gdy jego salon jest wciąż jasno oświetlony i tym lepiej wszystko w nim widzę, że spoglądam z mroku. Mężczyzna robi krok w stronę okna, opiera się o parapet i patrzy intensywnie, starając się coś wyśledzić. Stoję bez ruchu, prawie nie oddycham. Nie wiem, czemu wydaje się to takie ważne, żeby mnie nie widział, nie mogę się jednak oprzeć impulsowi, by pozostać w ukryciu. On jeszcze przez jakiś czas wytęża wzrok, wciąż ze zmarszczonym czołem, i ja też patrzę, nieruchoma, nadal podziwiając kształt jego ciała, a zwłaszcza świetnie zarysowane bicepsy, kiedy opiera się na rękach.

Przestaje wyglądać przez okno i wraca w głąb swojego pokoju. Korzystam z okazji i wyślizguję się z salonu na korytarz, zamykając za sobą drzwi. Tu nie ma okien, nikt mnie nie zobaczy. Oddycham z wielką ulgą.

– Po co było to wszystko? – pytam głośno i dźwięk własnego głosu uspokaja mnie. Śmieję się. – Okej, dosyć tego. Facet jeszcze sobie pomyśli, że jestem jakimś czubkiem, jeżeli zobaczy, jak sterczę w ciemności, bawiąc się w posągi, ile razy on choćby spojrzy w okno. Spać.

W porę przypominam sobie o De Havillandzie i uchylam drzwi od salonu, żeby kot mógł sobie wyjść, kiedy mu przyjdzie ochota. Jego kuweta stoi w kuchni i zwierzak musi mieć do niej dostęp, zatem otwieram również drzwi kuchenne. Miałam zgasić światło w korytarzu, ale waham się przez chwilę i zostawiam włączone.

Wiem, że to dziecinne wierzyć, że światło odstrasza potwory, a także włamywaczy i zabójców, ale jestem tu sama w obcym miejscu, w wielkim mieście i myślę, że tę jedną noc mogę spędzić przy włączonej lampie.

Ostatecznie, wtulona w puchową pościel Celii i taka senna, że ledwie mogę utrzymać otwarte powieki, nie potrafię się zmusić do zgaszenia lampki nocnej. Śpię całą noc przy jej łagodnym blasku, ale ze zmęczenia nawet tego nie zauważam.

Rozdział drugi

ej, przepraszam, możesz mi powiedzieć, gdzie znajdę Lie Cester[3] Square?

– Słucham? – mówię skołowana, mrugając w silnym porannym słońcu. Niebo jest czysto błękitne, jedynie w oddali widać delikatne obłoczki.

– Lie Cester Square – powtarza kobieta cierpliwie. Akcent ma amerykański, na głowie kapelusz, na nosie duże, ciemne okulary przeciwsłoneczne. Od razu widać, że to turystka: ubrana jest w czerwoną koszulkę polo, luźne spodnie i tenisówki, z obowiązkowym plecaczkiem i trzymanym w dłoni przewodnikiem. Jej mąż, w niemal identycznym stroju, stoi za nią i się nie odzywa.

– Lie Cester? – odpowiadam jak echo, nie rozumiejąc. Przeszłam właśnie z Randolph Gardens na Oxford Street, jedną z głównych londyńskich arterii handlowych, i idę nią teraz, przyglądając się wystawom i popatrując na tłum ludzi kłębiący się na chodnikach nawet o tej stosunkowo wczesnej porze. Trudno uwierzyć, że ten zgiełk i feeria komercji znajdują się w odległości zaledwie pięciominutowego spaceru od mieszkania Celii.

– Ja... nie jestem pewna.

– Patrz, tu. – Kobieta podsuwa mi swoją mapę. – Chcemy zobaczyć pomnik Charliego Chaplina.

---

[3] Lie Cester – wym. „laj sester"; można by próbować to zrozumieć (ang. *lie* – kłamać), ale jak się zaraz okaże, chodzi właśnie o nieporozumienie.

– O, Leicester[4] Square, oczywiście…

– Lester? – powtarza zdumiona, po czym zwraca się do męża:
– Wymawiają to „lester", kochanie. Naprawdę, wszędzie czają się
pułapki, jakby ich było mało.

Mam jej właśnie powiedzieć, że sama jestem turystką, ale
schlebia mi trochę, że uznała mnie za obeznaną w terenie. Pewnie wyglądam na miejscową. Biorę mapę, spoglądam uważnie
i mówię:

– Myślę, że możecie państwo dotrzeć tam pieszo. Proszę spojrzeć. Jeżeli pójdziecie do Oxford Circus, a potem przez Regent
Street do Piccadilly Circus i skręcicie w lewo, będziecie mieć prostą drogę do Leicester Square.

Kobieta uśmiecha się do mnie promiennie.

– Och, ogromnie dziękuję, to miło z twojej strony. Trochę się
zgubiliśmy. Duży tu ruch, prawda? Ale bardzo nam się podoba!

Odpowiadam uśmiechem.

– Nie ma za co. Miłego pobytu.

Patrzę za nimi, mając nadzieję, że bez problemu znajdą drogę do Leicester Square i że pomnik Chaplina ich nie rozczaruje.
Może jest wart obejrzenia i sama powinnam go zobaczyć?

Wyławiam z torebki swój przewodnik i wertuję go, podczas
gdy ludzie mijają mnie z jednej i drugiej strony. Wszędzie dokoła wznoszą się wielkie domy towarowe i sklepy dużych sieci: Gap,
Disney, sprzedaż telefonów komórkowych, butiki z modą, dro-
gerie, jubilerzy, salony z dizajnerskim szkłem. Wzdłuż szerokich
chodników ciągną się stoiska z pamiątkami, torbami, bibelotami
i przekąskami: a to owoce, a to orzeszki w karmelu, wafle, zimne napoje.

Mam w planach zwiedzenie Wallace Collection – pobliskie-
go muzeum, które wystawia niezwykle dużo dzieł sztuki baroku

---

[4] Leicester – wym. „lester".

i mebli z tamtej epoki. Potem może zjem gdzieś lunch i zobaczę, co przyniesie popołudnie. Czuję się wolna: nie muszę nikomu odpowiadać, nikogo uszczęśliwiać, przez cały dzień mogę robić to, na co mi przyjdzie ochota. Londyn ma więcej do zaoferowania, niż potrafiłabym skorzystać, ale zamierzam odwiedzić wszystkie ważne miejsca, szczególnie te najbliżej usytuowane: National Gallery, National Portrait Gallery i British Museum. Jestem magistrem historii sztuki i dosłownie ślinka mi cieknie na myśl, co mogę tu zobaczyć.

Pogoda jest piękna, a ja czuję się niemal radośnie. Wokół kręci się przytłaczająco dużo ludzi, ale widzę w tym też coś wyzwalającego. W rodzinnym miasteczku nie mogę się nigdzie ruszyć, żeby nie spotkać kogoś znajomego, i to był jeden z powodów, dla których nie umiałam się odważyć, by wyjść z domu – wiedziałam, że wszyscy będą mówić o Adamie i o mnie, o tym, co się stało. Na pewno wiedzą nawet, jakie słowa padły podczas naszej ostatniej, pełnej łez rozmowy, gdy Adam wyznał mi, że sypia z Hannah od wielu miesięcy – zaczęli, zanim jeszcze wróciłam z uniwersytetu. To także przypuszczalnie było przedmiotem gorących plotek. A ja, naiwna, przyjechałam ze studiów niczego nieświadoma. Myślałam, że wciąż jesteśmy z Adamem bratnimi duszami, że świata poza sobą nie widzimy. Pewnie w miasteczku wszyscy się ze mnie śmiali, zastanawiając się, czy w końcu odkryję prawdę, a jeśli tak – co się wtedy wydarzy.

Cóż, teraz już wiedzą.

Ale tu nikt mnie nie zna. Nikt z mijających mnie ludzi nie ma najmniejszego pojęcia o moim upokorzeniu ani o złamanym sercu, o tym, że zostałam zdradzona przez człowieka, którego kochałam. Uśmiecham się i wdycham świeże letnie powietrze. Obok mnie przejeżdża piętrowy czerwony autobus i przypominam sobie, że jestem w Londynie, wspaniałym mieście, które rozciąga się przede mną, czekając, aż odkryję jego cuda.

Ruszam więc przed siebie, czując lekkość, jakiej nie zaznałam od tygodni.

Jest późne popołudnie, gdy wreszcie wracam na Randolph Gardens. Ciężka torba z zakupami spożywczymi wrzyna mi się w dłoń, a ja marzę o czymś zimnym do picia i zrzuceniu butów. Czuję się wyczerpana, ale zadowolona ze wszystkiego, co dziś osiągnęłam. Udało mi się znaleźć Wallace Collection i spędzić tam bardzo miły poranek, wśród rokokowych dzieł sztuki i mebli wystawionych w pięknym budynku z okresu regencji. Upajałam się różowo-białą wspaniałością Bouchera oraz cudownymi kwiecistymi baśniami Fragonarda i wzdychałam przed portretem Madame Pompadour odzianej w wystawną suknię. Podziwiałam znakomite rzeźby, ozdoby i meble, a na dłużej zatrzymała mnie kolekcja miniatur w galerii.

Lunch zjadłam w pobliskiej kawiarni. Głód pomógł mi pokonać nieśmiałość związaną z tym, że posilałam się sama, a potem postanowiłam sprawdzić, dokąd trafię, jeśli po prostu pójdę, gdzie nogi poniosą. W końcu znalazłam się wśród zieleni i stwierdziłam, że to Regent's Park. Spacerowałam tam przez kilka godzin, przemierzając wypielęgnowane rozaria, dróżki wytyczone wśród rozległych trawników i swobodnie rosnących drzew oraz ścieżki wijące się nad stawami, obok placów zabaw i boisk. Nagle ku swemu zaskoczeniu usłyszałam trąbienie słoni i zobaczyłam w oddali plamiastą szyję i niewielką głowę żyrafy. Ze śmiechem zdałam sobie sprawę, że zawędrowałam w okolice zoo. Potem zawróciłam w kierunku domu i natknęłam się na bardzo elegancką ulicę. Mijałam szykowne butiki i sklepy z wyposażeniem domu, a bankomaty i supermarkety podpowiedziały mi, że mogłabym się tu zaopatrzyć w jedzenie i inne niezbędne rzeczy. W drodze powrotnej tylko kilka razy zatrzymałam się, żeby zajrzeć do mapy, toteż czułam się niemal jak prawdziwa londynka. Kobieta, która mnie rano pytała o drogę, nie miała pojęcia, że znam miasto tak samo słabo jak ona, lecz teraz jestem już bardziej zaprawiona i podekscytowana perspektywą jutrzejszego zwiedzania. A co najlepsze, wcale dziś nie myślałam o Adamie. No, prawie wcale. Kiedy mi się przypomniał, wydawał się tak odległy i niepasujący do tutejszego życia, że moc, jaką jeszcze niedawno miał nade mną, jakoś się rozmyła.

– Witaj, De Havilland! – mówię radośnie do znajomego ciemnego kształtu czekającego za drzwiami. Zadowolony z mojej obecności, mruczy jak nakręcony, ociera się o moje nogi, przyciska się do łydek, nie pozwalając mi wejść do środka.

– Miałeś dobry dzień? Ja miałam! Co my tu mamy? Patrz, byłam na zakupach, mogę ugotować obiad. Wiem, wiem, nie ma w tym nic szczególnego. Założę się, że nie wiedziałeś, że umiem gotować, ale tak się składa, że nieźle sobie radzę i dziś wieczorem zjemy pyszny opiekany filet z tuńczyka po azjatycku, z ryżem i warzywami z patelni, choć pewnie Celia nie ma woka, więc przyrządzę potrawę w tym, co się znajdzie.

Zagaduję tak do zwierzaka, ciesząc się z jego towarzystwa i patrząc w jego ciemnożółte oczy. Jasne, to tylko kot, ale jestem zadowolona z jego obecności. Bez niego cała ta przygoda byłaby znacznie bardziej zniechęcająca.

Po obiedzie, który wyszedł idealny, mimo że bez woka, idę do salonu, zastanawiając się, czy pokaże się mężczyzna z naprzeciwka, lecz jego mieszkanie jest ciemne.

Podchodzę do biblioteczki, żeby obejrzeć jej zawartość. Oprócz rozmaitych powieści, poezji i książek historycznych Celia ma wspaniały zbiór pozycji o modzie: od historii znanych marek, przez biografie sławnych projektantów, po wielkie albumy z fotografiami. Kilka z nich biorę z półek, siadam na podłodze i zaczynam kartkować, podziwiając niesamowite zdjęcia XX-wiecznej mody. Przewracając duże, błyszczące strony jednego z albumów, zatrzymuję się nagle, przykuta wizerunkiem modelki na zdjęciu.

Fotografia pochodzi z lat sześćdziesiątych, a przedstawia dziewczynę niezwykłej urody, o dużych oczach i tak pomalowanych powiekach, by całość przypominała kocie ślepia. Modelka przygryza usta, wyglądając przez to na bardzo wrażliwą, co kontrastuje z wypielęgnowaną urodą, starannie ufryzowanymi ciemnymi włosami i zdumiewającą koronkową sukienką mini, którą dziewczyna ma na sobie.

Wodząc palcem po jej twarzy, uświadamiam sobie, że znam tę kobietę. Zerkam na stojące na stoliku fotografie w ramkach. Tak, nie ma mowy o pomyłce. To Celia we własnej osobie, zdjęcie modelki zrobione w najwcześniejszych dniach jej kariery. Szybko przewracam kartki – są tu jeszcze trzy inne fotki Celii, każda z ulotnym nastrojem towarzyszącym kreacji. Na jednym zdjęciu czarne loki są przycięte krótko, tuż przy głowie, a figlarny, chłopięcy styl sprawia, że modelka wygląda jeszcze młodziej.

„Dziwne – rozmyślam zaintrygowana. – Zawsze wyobrażałam ją sobie jako silną kobietę, ale na tych fotografiach sprawia wrażenie tak... może nie dokładnie słabej... kruchej, jak sądzę. Jak gdyby życie właśnie wymierzyło jej jakiś cios. Jakby znalazła się w wielkim, złym świecie i sama stawiała mu czoło".

Ale wyszła z tego, prawda? Inne zdjęcia ustawione dookoła w salonie pokazują Celię w różnych etapach życia i wydaje się, że z czasem owa kruchość stawała się coraz mniej widoczna. Celia po trzydziestce, promieniejąca i uśmiechnięta, jest zdecydowanie silniejsza, bardziej pewna siebie i lepiej przygotowana do zmagań z rzeczywistością. Po czterdziestce wygląda na obytą w świecie i pełną wiedzy, po pięćdziesiątce roztacza blask i zdradza wielkie doświadczenie, a wszystko to przed epoką botoksu i wypełniaczy zmarszczek, gdy wiek kobiety ujawniał się, czy tego sobie życzyła, czy nie. Celia zawsze dobrze się prezentuje w swoim wieku.

„Może się zorientowała, że ciosy przychodzą tak czy owak. Trzeba umieć sobie z nimi poradzić, podnieść się i ruszać dalej".

W tej chwili ciszę przerywa przenikliwy dźwięk i aż podskakuję z wrażenia, zanim sobie uświadomię, że dzwoni mój telefon. Odbieram – to rodzice, chcą wiedzieć, jak się miewam i co porabiam.

– Świetnie, mamo, naprawdę. Mieszkanie jest cudowne. Miałam uroczy dzień, nie mogłoby być lepiej.

– Dobrze się odżywiasz? – niepokoi się mama.

– Oczywiście.

– Wystarczy ci pieniędzy? – pyta tato. Domyślam się, że siedzi w saloniku, podczas gdy mama jest w kuchni.

– Na pewno, tato, nie musicie się martwić.

Zdałam im z wszystkiego relację, i to w najdrobniejszych szczegółach, powiedziałam o planach na jutro, po czym zapewniłam, że jestem najzupełniej bezpieczna i umiem o siebie zadbać. Pożegnaliśmy się i oto tkwię w dziwnej, dzwoniącej ciszy, która zapadła, gdy ożywiona rozmowa dobiegła końca.

Wstaję i podchodzę do okna, próbując jakoś przytłumić narastającą w środku samotność. Cieszę się, że rodzice zadzwonili, ale niechcący z powrotem mnie zdołowali. Wciąż czuję się tak, jakbym z całej mocy walczyła z czarną rozpaczą, w której się pogrążyłam tego wieczoru, kiedy znalazłam Adama z Hannah. Nadludzkim wysiłkiem wydostaję się i oddalam bodaj o kilka kroków, ale najlżejsze dotknięcie posyła mnie z powrotem w otchłań.

Mieszkanie naprzeciwko wciąż tonie w ciemności. Gdzie jest mężczyzna, którego widziałam wczoraj? Zdaję sobie sprawę, że nieświadomie wypatrywałam kolejnego podobnego spotkania – chciałam tu przyjść i zobaczyć go znowu. Właściwie przez cały dzień przewijał się w moich myślach, choć specjalnie sobie tego nie uświadamiałam. Jego półnaga postać, sposób, w jaki się poruszał z wdziękiem po swoim salonie, a potem patrzył wprost na mnie – wszystko to mam wciąż przed oczami. Nie przypominał nikogo, z kim się do tej pory zetknęłam, przynajmniej w realnym życiu.

Adam nie jest szczególnie wysoki i chociaż praca, którą wykonuje w firmie budowlanej swego ojca, dodaje mu siły, to jednak raczej nadała mu masywną sylwetkę, niż go urzeźbiła. Właściwie w trakcie naszej znajomości stawał się coraz bardziej nabity, przysadzisty, może z powodu wysokoenergetycznej, tłustej diety – niekończących się smażonych dań i sycących śniadań na gorąco. A po pracy nic go tak nie rozluźniało, jak kilka piw i późna wycieczka do sklepu z chipsami. Kiedy go zobaczyłam tamtej nocy, jak się uniósł na łokciu i spojrzał na mnie ze zgrozą, a przestraszona twarz Hannah mignęła na poduszce pod nim, w pierwszej chwili pomyślałam: „Ależ on jest gruby". Jego biały tors wyglądał jak nalany tłuszczem, goły brzuch zwisał luźno nad Hannah, która pasowała do niego z tymi wielkimi piersiami, szerokim bladym brzuchem i dobrze widocznymi rozłożystymi biodrami.

– Beth! – sapnął, a przez jego twarz przemknęły zmieszanie, poczucie winy, zakłopotanie i, nie do wiary, rozdrażnienie. – Co ty, u diabła, tutaj robisz? Miałaś pilnować dzieci!

Hannah nie odezwała się, ale widziałam, jak początkowa konsternacja malująca się na jej twarzy ustępuje miejsca nieprzyjemnie wyzywającemu spojrzeniu. Oczy jej płonęły, gdy na mnie patrzyła, jakby się szykowała do walki. Przyłapana na gorącym uczynku, była gotowa zmierzyć się ze mną. Zamiast odegrać rolę szelmowskiej uwodzicielki, zamierzała zmienić obsadę w historii o prawdziwej miłości Romea i Julii, przydzielając mi kwestię głupiej prostaczki, która stanęła na drodze bohaterom. Jej nagość miała być powodem do dumy, a nie wstydu. „Tak – zdawała się mówić. – Pieprzymy się, szalejemy za sobą, nie możemy się temu oprzeć. A więc co tutaj robisz, do cholery?".

Nie pytajcie, jak to wszystko dotarło do mnie w ciągu kilku sekund, od momentu gdy weszłam, do chwili kiedy sobie uświadomiłam, co widzę. Kobieca intuicja brzmi może jak frazes, ale to nie oznacza, że jej nie ma. Wiedziałam też, że wszystko, w co wierzyłam jeszcze przed minutą, teraz jest definitywnie martwe, a ten okropny ból, który czuję, to moje serce – szarpane i rozrywane na kawałki.

W końcu zdołałam coś wykrztusić. Spojrzałam błagalnie na Adama i powiedziałam tylko:

– Czemu? Czemu…?

Wzdycham ciężko. Najwyraźniej nie potrafię się powstrzymać od rozpamiętywania tej żałosnej sceny. Jak od tego uciec? Kiedy to się skończy? Prawda jest taka, że to mnie wykańcza. Na ogół nie mówi się o tym, jak bardzo smutek potrafi być wyczerpujący.

Mieszkanie naprzeciwko nadal jest pogrążone w ciemności. Domyślam się, że tamtego mężczyzny nie ma w domu. Zapewne prowadzi bujne życie, pochłania go mnóstwo ekscytujących rzeczy, bywa w świecie z kobietami jego pokroju – pięknymi, o klasycznej urodzie, bardzo zadbanymi.

– Mam ochotę na lody – postanawiam nagle. Odwracam się od okna i mówię do zwiniętego na sofie De Havillanda: – Wychodzę na chwilę. Może nawet na dłużej.

Chwytam klucze i już mnie nie ma.

Na zewnątrz opuszcza mnie część pewności siebie, której nabrałam za dnia – jak powietrze wolno uciekające z przebitej dętki.

Dokoła wznoszą się wysokie, odpychające budynki. Nie mam pojęcia, gdzie jestem ani dokąd mam się skierować. Zamierzałam zapytać portiera, ale gdy wychodziłam, recepcja była pusta, ruszyłam więc w stronę głównych ulic. Jasne, pełno tu sklepów, lecz w żadnym z nich nie ma nic, czego bym potrzebowała, a zresztą tak czy siak większość jest już zamknięta, przed wystawami zaciągnięto kraty. Za szkłem pysznią się perskie dywany, wielkie porcelanowe wazy, żyrandole albo markowe ciuchy. Gdzie można kupić lody? Idę w nieokreślonym kierunku w ciepły letni wieczór, próbując sobie przypomnieć, skąd przyszłam. Mijam bary i restauracje, wszystkie bardziej eleganckie od tych, które widywałam do tej pory, strzeżone przez ochroniarzy w czarnych marynarkach i z kolczykami w uszach. Za starannie przystrzyżonymi żywopłotami siedzą ludzie w okularach przeciwsłonecznych, na stolikach chłodzi się szampan w kubełkach, na białych talerzach leżą porzucone apetycznie wyglądające kęsy, a w powietrzu unosi się trudna do pomylenia z czym innym aura zamożności.

Zaczynam drżeć gdzieś w środku. Co ja tu robię? Co natchnęło mnie myślą, że dam sobie radę w takim świecie? Chyba oszalałam. To śmieszne. Nie należę do takich sfer i nigdy nie będę. Chce mi się płakać.

Wtem dostrzegam barwną markizę i z ulgą śpieszę w jej stronę. Kilka minut później wynurzam się z narożnego sklepu z okrągłym pudełkiem bardzo drogich lodów w torbie. Czuję się znacznie szczęśliwsza. Teraz pozostaje już tylko znaleźć drogę powrotną.

Dociera do mnie, że nie widziałam w mieszkaniu Celii telewizora. Ani komputera, jeśli już o tym mowa. Mam z sobą swój wysłużony laptop, ale Bóg raczy wiedzieć, czy jest tam łącze internetowe. Pewnie nie. Nie wiem, czy potrafię jeść lody, nie oglądając czegoś na ekranie, ale chyba będę musiała jakoś przetrwać. Smak na tym nie ucierpi, prawda?

Skręcam za róg w Randolph Gardens i nie wiem za bardzo, jak mi się to udaje, ale po chwili wpadam na chodniku na jakiegoś człowieka. Zapewne szedł przede mną i nagle przystanął, a ja tego nie zauważyłam i po prostu maszerowałam dalej, aż stuknęłam nosem w jego plecy.

– Och! – wykrzykuję i cofam się, tracąc równowagę. Potykam się na chodniku i wpadam do rynienki odpływowej, upuszczając torbę z lodami, która przetacza się po trotuarze i ląduje w zakurzonym odpływie, zapchanym śmieciami i opadłymi liśćmi.

– Przepraszam – mówi przechodzień, odwracając się do mnie, i uświadamiam sobie, że patrzę prosto w przystojną twarz mężczyzny, którego obserwowałam z mieszkania Celii.

– Nic ci się nie stało? – pyta.

Czuję, że się czerwienię.

– Nie, wszystko w porządku – odpowiadam z zapartym tchem.

– To moja wina. Naprawdę. Powinnam uważać, jak chodzę.

Z bliska jest zupełnie zniewalający, ledwie mogę na niego patrzeć. Zamiast na twarzy, skupiam wzrok na pięknie skrojonym ciemnym garniturze i bukiecie białych piwonii, który trzyma w ręce. „Dziwna rzecz – myślę. – To moje ulubione kwiaty".

– Podniosę twoje zakupy – proponuje niskim, głębokim głosem, a jego akcent świadczy o dobrym wykształceniu i obyciu. Robi krok w stronę rynsztoka, jakby chciał z niego wydobyć moje lody.

– Nie, nie – mówię szybko i oblewam się jeszcze mocniejszym rumieńcem. – Sama to zrobię.

Schylamy się równocześnie i każde z nas wyciąga rękę w tym samym momencie. Jego dłoń ląduje dokładnie na mojej, ciepła i ciężka. Odsuwam się z mimowolnym wzdrygnięciem i od razu potykam. Natychmiast łapie mnie za rękę silnym chwytem, ratując przed upadkiem na twarz.

– W porządku? – pyta, gdy usiłuję odzyskać równowagę. Nie puszcza mnie, a moje policzki płoną z zakłopotania.

– Tak… proszę… – mówię słabo, świadoma tylko żelaznych palców, które mnie podtrzymują, zaciśnięte wokół mojego ramienia. – Może mnie pan puścić.

Rozluźnia chwyt i sięgam po reklamówkę z wyraźnie widocznym opakowaniem lodów. Do torby przywarły kawałki starych liści. Przecieram dłonią twarz i czuję na niej drobiny ulicznego pyłu. Pewnie wyglądam jak straszydło.

– Pogoda w sam raz na lody. – Nieznajomy uśmiecha się.

Nieśmiało podnoszę wzrok. Czy słyszę w jego głosie droczącą się nutkę? Przypuszczam, że jestem dla niego przypadkową dziewczyną z rynsztoka, ze smugą brudu na twarzy, trzymającą lody jak zachłanny dzieciak. On jednak jest kimś innym. Oczy ma ciemne, prawie czarne, ale przede wszystkim zwracam uwagę na brwi – mocno zarysowane czarne linie z czymś nieuchwytnie diabelskim w kształcie. Ma nos z wgłębieniem u nasady, co – ciekawa sprawa – tylko dodaje mu perfekcji. Pełne, zmysłowe usta akurat w tym momencie rozchylają się w uśmiechu i ukazują proste, białe zęby.

Jedyne, co mi przychodzi do skołowanej głowy, to: „Wow!". Jedyne, co potrafię zrobić – kiwnąć głową. Jestem kompletnie oniemiała.

– Zatem dobrej nocy. I smacznych lodów.

Odwraca się i szybko zmierza w stronę schodów wiodących do kamienicy, po czym znika we frontowych drzwiach.

Patrzę za nim, wciąż stojąc w rynsztoku – między palcami u nóg wyczuwam kratkę odpływu. Biorę głęboki, rozpaczliwie upragniony wdech. Gdy spojrzał na mnie, przestałam oddychać. Czuję się naprawdę dziwnie, trochę przytłoczona, lekko szumi mi w głowie.

Wolno wchodzę do budynku i podążam do mieszkania Celii. W środku kieruję się prosto do salonu. Naprzeciwko pali się teraz światło i widzę go całkiem wyraźnie. Biorę z kuchni łyżeczkę, wracam, po czym przysuwam krzesło do okna – na tyle blisko, żeby dobrze widzieć, ale samej nie być na widoku. Otwieram lody i przyglądam się, jak mężczyzna krąży po swoim mieszkaniu, to wchodząc, to wychodząc z salonu. Zdjął marynarkę i krawat, zostając w niebieskiej koszuli i ciemnych spodniach. Wygląda naturalnie i bardzo seksownie, koszula podkreśla jego szerokie barki, a spodnie – szczupłą męską sylwetkę. Jakby był ubrany do sesji zdjęciowej jakiegoś magazynu dla panów. Zauważam, że w salonie stoi stół jadalniany i krzesła. To ma sens. Jeśli te mieszkania są identycznie rozplanowane, zapewne kuchnia – jak u Celii – przypomina wąski kambuz na statku. Najwyraźniej Celia nie zawraca sobie głowy posiłkami i wystarcza jej dwuosobowy stolik w ciasnej kuchence, ale temu człowiekowi widocznie zależy na większym komforcie.

Zastanawiam się, czy on gotuje. Kim jest? Czym się zajmuje? Muszę mu nadać imię. „Mężczyzna" nie brzmi wystarczająco wymownie. Jak go powinnam nazwać? Zapewne „pan coś tam", ponieważ nie przedstawiliśmy się sobie, a imiona są zwykle szczególnie powiązane z osobą. Głupio by było myśleć o nim Sebastian czy Teodor, a potem dowiedzieć się, że ma na imię Reg, Norm albo jakoś inaczej. Nie, potrzebuję czegoś tajemniczego i elastycznego, żeby mogło zawierać w sobie wszelkie możliwości…

„Pan R".

Tak, o to właśnie chodzi. Będę go nazywać Panem R.

Od Randolph Gardens. Nawet do niego pasuje.

Pan R wraca do swojego salonu, niosąc kubełek z lodem i dwa kieliszki. Z kubełka obiecująco wystaje szyjka butelki w złotej folii. Dwa kieliszki, a więc mój sąsiad zza szyby spodziewa się towarzystwa, o ile nie zamierza pić sam na dwie ręce. Nie widać tamtych kwiatów. Rozsiadam się na krześle, krzyżuję nogi jak dzieciak i otwieram lody. Nabieram pełną łyżeczkę i powoli delektuję się smakiem. Smakołyk rozpuszcza mi się na języku, słodka, zimna strużka spływa do gardła. Wanilia bez dodatków, tak jak lubię.

Pan R pojawia się znowu, przez jakiś czas go nie było. Tymczasem zjadłam ze ćwierć zawartości pojemniczka, a De Havilland umościł się między moimi kolanami i natychmiast zapadł w mruczącą drzemkę. Pan R najwyraźniej wziął prysznic i zmienił ubranie. Teraz ma na sobie luźne lniane spodnie i niebieski T-shirt, w których wygląda – nie muszę chyba mówić – fantastycznie. No i nie jest sam.

Na jej widok prawie zapiera mi dech w piersi, a w duchu przewracam oczami nad własną miernotą. „I co, nie może mieć dziewczyny? Przecież nie wie nawet, kim jesteś! Gapiłaś się na niego przez dwa wieczory i myślisz, że z jakiegoś powodu należy do ciebie?".

O mało nie wybucham śmiechem nad własnym szaleństwem, bo faktycznie dziwna intymność związana z zaglądaniem do jego mieszkania sprawiła, że poczułam z nim więź. Oczywiście to tylko moja wyobraźnia, ale i tak nie umiem się z tego otrząsnąć. Pochylam się do przodu, żeby lepiej widzieć jego dziewczynę.

„Okej, tak jak myślałam. Błądzę bardzo, bardzo daleko od rzeczywistości, jeśli mi się wydaje, że kiedykolwiek mogłabym rywalizować z kimś takim jak ona".

Dziewczyną? To kobieta. Dorosła, w pełni dojrzała kobieta, z tego gatunku, w porównaniu z którym wyglądam na niechlujną, niewyrobioną małolatę. Jest wysoka i smukła, promienieje tego rodzaju elegancją, której nie można się wyuczyć. Ma na sobie blade lniane spodnium, pod marynarką biały T-shirt. Ciemne włosy są ścięte na falistego pazia, czerwona szminka dodaje jej stylu, nie jest wyzywająca. Widać, że towarzyszka Pana R jest świetnie zbudowana i pełna wdzięku, jakby zeszła prosto ze stron paryskiego „Vogue". To ten rodzaj kobiety, która nigdy nie pokaże się ludziom niezadbana, z plamami potu pod pachami czy kucykiem zwisającym smętnie z tyłu głowy. Nie wpada w rynsztoki ani nie paraduje po ulicy ze smugą brudu na twarzy.

To dla takich kobiet są białe piwonie i szampan w dzielnicy Mayfair. Założę się, że nigdy nie jadła lodów, mając za jedyne towarzystwo kota, ponieważ jej chłopak wolał posuwać inną.

Na samą myśl o Hannah (o Boże, nigdy nie uda mi się zapomnieć, jak leży tam naga, z gołymi piersiami na wierzchu i sterczącymi ciemnymi sutkami, z brzuchem mokrym od potu) lody ścinają mi się w ustach. Odstawiam opakowanie, co denerwuje

De Havillanda, bo muszę się przy tym przechylić. Kot wyciąga pazury i zatapia je lekko w mojej gołej nodze – tylko na tyle, żeby mi dać znać, jak bardzo nie podoba mu się mój ruch.

– Au, ty paskudne kocisko – mówię, ale nie ze złością. Ukłucie jego ostrych pazurków nie jest bolesne, a dzięki nim wracam do teraźniejszości. – Nie rób tak. Przepraszam. Już ci nie będę przeszkadzać. Chcę sobie teraz popatrzeć.

Pan R wyjmuje butelkę z kubełka. Kobieta bierze ze stołu kieliszki i trzyma je w rękach. Śmieje się i mówi coś do Pana R, podczas gdy on odwija folię z szyjki butelki i zaczyna poluzowywać drucik przytrzymujący korek. Też się śmieje. Ona bez wątpienia jest dowcipna i inteligenta, tak samo jak piękna i stylowa. Dlaczego niektórzy ludzie dostają wszystkie wspaniałe dary dobrych wróżek? To nie fair.

Dziwnie się tak obserwuje, nic nie słysząc. Mam wizję, ale bez dźwięku. Nachodzi mnie chęć, by poszukać pilota i sprawdzić, czy przypadkiem nie wyłączyłam głosu.

Korek odskakuje bezgłośnie, z butelki wydobywa się kaskada białej piany. Kobieta podsuwa kieliszki i Pan R nalewa do nich trunek, czekając, aż piana osiądzie i zamieni się w złocisty płyn. Odstawia butelkę, bierze kieliszek i każde z nich unosi lekko swoje szkło przed skosztowaniem. Jaki toast wznieśli? Co chcą uczcić?

W wyobraźni słyszę, jak on mówi: „Twoje zdrowie, kochanie". Założę się, że na dźwięk jego głosu przeszywa ją dreszcz, zwłaszcza gdy chodzi o coś intymnego, seksownego. Tak bardzo chciałabym należeć do ich świata, że muszę walczyć ze sobą, by nie podskoczyć, pomachać, a gdy mnie zauważą i otworzą okno, zapytać, czy mogłabym się do nich przyłączyć. Wyglądają tak szczęśliwie, spokojnie, dorośle. Patrzę, jak piją i rozmawiają, przenoszą się na sofę, siadają, dalej rozmawiają, a potem Pan R wychodzi z pokoju, zostawiając kobietę samą. Ona odbiera swój telefon; mówiąc i słuchając, opiera plecy o sofę. Nagle twarz jej się zmienia. Ma teraz niemiły, okrutny i dumny wyraz. Przemawia do komórki prędko i chyba głośno. Po szybkim wygłoszeniu tyrady rozłącza się zamaszystym dotknięciem ekranu i odrzuca głowę.

Do pokoju wraca Pan R z dwoma półmiskami. Na pewno ją słyszał – ewidentnie mówiła głośno, jeśli nawet nie krzyczała – ale oboje zachowują się normalnie, uśmiechając się do siebie swobodnie. Ona wstaje z sofy i podchodzi do stołu, by rzucić okiem na jedzenie, on znowu wychodzi i po sekundzie wraca z kolejnymi dwoma talerzami. Nie widzę, co na nich jest, ale skoro są aż cztery, pewnie można wybierać. Para siada do stołu, a ja patrzę niemal z tęsknotą, marząc, aby w jakiś sposób się tam dostać. Niekoniecznie do nich dwojga, ale stać się częścią tego świata, znacznie bardziej stylowego i szykownego niż moja własna szara egzystencja.

Zmierzch gęstnieje i pokój, w który się wpatruję, staje się przez to jaśniejszy. Wtem Pan R wstaje, podchodzi do okna i wygląda przez nie. Wstrzymuję oddech. Patrzy prosto na mnie, na pewno mnie widzi…

Co teraz zrobi?

Nagle mój widok znika. Opada biała żaluzja, miękko, lecz raptownie, odcinając mnie od jasno oświetlonej sceny.

Wypuszczam wstrzymywany oddech. Czuję się osamotniona. Nie ma ich. To nie ja wyłączyłam obraz, to oni wyłączyli mnie. Za miękką zasłoną ich pełne czaru życie toczy się dalej, a ja jestem tu zostawiona samej sobie.

Nie mogę uwierzyć, jak bardzo dokucza mi teraz samotność. Przytulam się do De Havillanda, napawając się jego ciepłem i szukając pocieszenia w spokojnym śnie, którym pulsuje jego ciałko. Ale i tak chce mi się płakać.

Rozdział trzeci

Następnego dnia śpię do późna, co do mnie niepodobne. Kiedy odsłaniam żaluzję, niebo jest nieskazitelnie błękitne, a świat tonie w powodzi ciepłego słońca. Spędzam leniwie poranek na nieśpiesznych pracach domowych. Wreszcie kończę się rozpakowywać, sprzątam kuchnię i siadam przy starym radiu tranzystorowym. Zamierzałam się wybrać do National Gallery, a potem przespacerować się do Westminster Abbey, ale przedpołudnie jakoś przeciekło mi przez palce. W porze lunchu robię sobie kanapkę, biorę jabłko i postanawiam znaleźć drogę do widocznego w dole zieleńca.

Portier jest bardzo miły i pokazuje mi, jak dotrzeć do ogrodu przez tylne drzwi. Jedyna droga prowadzi przez samą kamienicę, toteż wstęp na skwer mają wyłącznie jej mieszkańcy. Idę więc ocienioną żwirową dróżką, strzelając wzrokiem w górę w stronę okien Celii, a także tych naprzeciwko, ale wkrótce wychodzę na słońce. Budynek okala rozległą zieloną przestrzeń przekształconą we wspaniały ogród, a właściwie miniaturowy park. Są tu zadbane rabatki i fontanna, wśród których posadzono inne rośliny i ustawiono ławki, a obok rozciąga się trawnik z nieprzystrzyżoną trawą, przypominającą łąkę. Dalej znajdują się dwa korty tenisowe, dobrze utrzymane i najwyraźniej często wykorzystywane. Na jednym z nich właśnie grają jakieś dwie panie.

Biorę koc, który znalazłam w szafie u Celii, i rozkładam go na chłodnej trawie niedaleko kortów. Odgłos uderzeń piłki i odzywające się od czasu do czasu okrzyki: „Przepraszam!" brzmią uspokajająco, rozsiadam się więc w cieniu ze swoim prowiantem i książką. Słońce przesuwa się wolno przez trawnik, najpierw dosięga moich palców u stóp, potem grzeje mnie w łydki. Gdy dociera do ud, jestem już po jedzeniu i leżę sennie na kocu, na wpół czytając książkę, na wpół drzemiąc. Ledwie przyjmuję do wiadomości, że tamte dwie panie zeszły z kortu, a ich delikatne odbijanie ustąpiło miejsca innym, silnym uderzeniom oraz męskim stęknięciom i okrzykom.

– Dobrze… wyprowadź ten forhend! Podejdź do siatki! Wolej, wolej, wolej! Świetnie, dobra robota.

To trener wykrzykuje wskazówki do ucznia. Głos z trudem przedostaje się do mojej świadomości. Zajmuje mnie głównie intensywność światła za przymkniętymi powiekami oraz ciepło promieni słonecznych i nawet nie zauważam, kiedy odgłosy milkną. Pierwsze, co do mnie dochodzi, to cień, który przesłania mi słońce, i związany z nim lekki chłód. Otwieram oczy, mrugając, i uświadamiam sobie, że ktoś nade mną stoi. Chwilę trwa, zanim udaje mi się skupić wzrok. Ktokolwiek to jest, lśni jak anioł i wreszcie zdaję sobie sprawę, że to z powodu białego ubrania. Tenisowego stroju.

„O Boże… To on! Pan R".

W tym momencie potrafię się tylko gapić. Stwierdzam, że wilgotne włosy ma zaczesane do tyłu. „Teraz jest jeszcze bardziej pociągający" – przemyka mi przez myśl.

– Witaj ponownie – mówi z uśmiechem.

– Cześć – odpowiadam bez tchu, jakbym to ja przed chwilą grała w tenisa, nie on.

– Jesteś dziewczyną, którą widziałem wczoraj, prawda?

Gramolę się rozpaczliwie do pozycji siedzącej, nie chcąc podczas wymiany grzeczności leżeć płasko, lecz nawet na siedząco czuję się niezręcznie, gdy mój rozmówca góruje nade mną.

– Tak – odpowiadam z trudem.

Kuca koło mnie, tak że nasze twarze znajdują się na tym samym poziomie. Teraz widzę jego zdumiewające oczy z bliska. Patrzą na mnie spod mocno zarysowanych czarnych brwi, tak jakby ich właściciel potrafił w ten sposób dowiedzieć się o mnie wszystkiego. Mówi:

– I zatrzymałaś się w mieszkaniu Celii. Właśnie sobie skojarzyłem, widziałem cię tam wieczorem dwa dni temu. – Jego uśmiech gaśnie, a mina wyraża troskę. – Czy coś się stało z Celią? Dobrze się czuje?

Głos ma niski, melodyjny. Wyłapuję nieznaczną nutkę obcego akcentu, ale nie umiem go rozpoznać. Może to wyjaśnia te czarne włosy i ciemną karnację. Gdy się porusza, od jego rozgrzanego ciała bije fala ciepła. Czuć zapach potu, soli i wysiłku.

– Tak, Celia dobrze się miewa – zapewniam. – Wyjechała na jakiś czas, a ja zajmuję się jej mieszkaniem.

– O, w porządku. – Twarz mu się rozjaśnia. – Trochę się martwiłem. To znaczy, ona trzyma się zadziwiająco dobrze jak na swój wiek, ale… no, cieszę się, że nic jej nie jest.

– Z Celią… wszystko okej – kończę koślawo.

„No, dalej, odezwij się, zrób wrażenie!". Ale przed oczami staje mi tamta wymuskana kobieta, która gościła u niego poprzedniego wieczoru. Siedząc na swoim kocyku, zamroczona drzemką, daleka jestem od tamtego ideału.

– Dobrze. – Posyła mi kolejny oszałamiający uśmiech. – Mam nadzieję, że pobyt ci się uda. Daj znać, jeśli będę mógł w czymś pomóc.

– Okej – mówię, zastanawiając się, czy w ogóle umiałabym się na coś takiego odważyć.

– Nie żartuję. Nie bój się prosić.

– Tak… dzięki…

– Zatem do widzenia. – Podnosi się, patrzy na mnie przez dłuższą chwilę, prawie jakby sądził, że powiem coś jeszcze, po czym odwraca się.

– Cześć.

„Czy to wszystko, na co mnie stać?" – Chce mi się głośno wyć.

– „Beth, miałaś zrobić na nim wrażenie. Wydusiłaś z siebie niewiele więcej niż tamta ławka w parku. Więcej skrzącego dowcipu ma w sobie fontanna".

Ale tak prawdę mówiąc, czego się niby spodziewałam? Że mężczyzna jego pokroju będzie mną zainteresowany? Nie potrafię nawet utrzymać przy sobie chłopaka, a ten – przypominam sama sobie – i tak jest zajęty.

Potem, gdy się oddala, zmierzając do budynku po skończonej lekcji tenisa, nagle się zatrzymuje, odwraca i znów na mnie patrzy. Tylko przez kilka sekund, ale wystarczająco długo, abym poczuła przyjemny dreszcz w całym ciele. Czy to moja wyobraźnia, czy rzeczywiście jego spojrzenie oznaczało coś więcej niż przyjazne pożegnanie? Jego bliskość robi na mnie bardzo silne wrażenie. Znika senność, a pulsujące dookoła letnim rytmem życie sprawia, że czuję się lżej. Zaciskam palce stóp na chłodnej trawie i patrzę, jak Pan R znika w drzwiach kamienicy. Potem spoglądam na kort tenisowy, gdzie trener zbiera piłki.

„Szczęściary z tych piłeczek, skoro Pan R je stukał – myślę i śmieję się. – Okej, zadurzyłam się. Nawet mi się to podoba. Dodaje odrobinę smaku tym wakacjom. A przecież nie zaszkodzi, prawda?".

Tamta króciutka rozmowa rozświetla mi cały dzień. Po południu wychodzę na spacer i odkrywam splendor Piccadilly z jego imponującymi sławnymi instytucjami: Ritzem, Fortnum & Mason[5], Królewską Akademią. Przemierzam St. James's Street, mijając staroświeckie sklepy: modystkę, winiarza, trafikę. Wędruję pośród

---

[5] Fortnum & Mason – luksusowe delikatesy w Londynie przy ulicy Piccadilly.

okazałych, zwieńczonych blankami budynków i w ten sposób trafiam na szeroki, przestronny Mall. Na jednym końcu widzę pałac Buckingham, przed sobą zaś – sielsko wyglądający park. Znalazłam się w turystycznym centrum Londynu, w obliczu dostojnej czerwono-biało-niebieskiej monarchii. To ogromne miasto ma tak wiele różnych aspektów; ten jest zaledwie jednym z wielu.

Idę przez park, patrząc na bawiące się dookoła dzieci – karmiące kaczki, huśtające się na huśtawkach. A potem odkrywam kolejne oblicze Londynu, Houses of Parliament – ciemne neogotyckie gmachy, najeżone sterczynami, usytuowane nieopodal prastarego, bladego majestatu Westminster Abbey, do którego miałam dotrzeć dziś rano. Wokół opactwa kręci się mnóstwo turystów, wielu stoi w kolejce, by zwiedzić kościół. Postanawiam, że nie dołączę do nich. Przyglądam się przez chwilę i zastanawiam, co oni zrobili z tym miejscem, po czym ruszam do domu tą samą drogą, którą przyszłam.

Wieczorem ta kobieta znów się pojawia.

Żaluzje są podciągnięte i tak jak poprzednio wyraźnie widzę salon. Zasiadam do kolacji na krześle przy oknie i patrzę, jak Pan R i jego przyjaciółka odgrywają dla mnie swój niemy film. Siedzą przy stole i jedzą apetycznie wyglądający posiłek, rozmawiając przy tym i śmiejąc się. Jestem przygotowana na to samo co wczoraj – nagłe opadnięcie żaluzji akurat w momencie, gdy mogłoby się zrobić interesująco – lecz nieoczekiwanie dzieje się coś innego. Wstają od stołu, kobieta wkłada żakiet i po chwili oboje wychodzą z salonu, a Pan R po drodze gasi światło.

„Dokąd idą? O co chodzi?".

Zaskakuje mnie nagła zmiana oczekiwanego biegu wydarzeń. Wiedziona szalonym impulsem zrywam się z miejsca, strącam z kolan śpiącego De Havillanda i biegnę do szafy w przedpokoju. Wcześniej zauważyłam, że Celia ma tam sporą kolekcję najróżniejszych kapeluszy i wierzchnich okryć, chwytam więc staroświecki trencz Burberry i wybiegam z mieszkania. Łapię windę na swoim piętrze i chwilę później w zaimprowizowanym przebraniu, z rozpuszczonymi włosami i podniesionym kołnierzem, wkraczam do holu na dole akurat w tym momencie, gdy drzwi wejściowe zamykają się, a Pan R ze swoją przyjaciółką schodzą po schodkach na ulicę.

„Co ja wyprawiam? Szpieguję ich?". Jestem podekscytowana, a jednocześnie przerażona własnym zachowaniem. A jeśli mnie zobaczą? Jeżeli on mnie rozpozna i zapyta, czemu ich, u licha, śledzę? Będę umiała zablefować? Kto wie, zresztą i tak za późno, żeby się wycofać. To szaleństwo, ale skoro je rozpoczęłam, zamierzam ciągnąć dalej. Chcę wiedzieć, dokąd oni idą. Czuję się dziwnie, tak jakbym teraz była częścią ich życia, a oni częścią mojego. Poza tym przypuszczalnie zaraz wezwą taksówkę i z warczeniem silnika znikną mi z oczu, a ja poczłapię z powrotem do mieszkania i spróbuję odzyskać zdrowy rozsądek.

Ale nie.

Nie wołają taksówki, tylko zmierzają dokądś bocznymi uliczkami, rozmawiając cicho, tak że nie mogę rozróżnić słów. Najwyraźniej dobrze znają drogę, w przeciwieństwie do mnie.

„Jeżeli ich zgubię, sama będę w kłopocie. Mapa została w mieszkaniu, a ja nie mam najmniejszego pojęcia, gdzie jestem".

Ciemność jeszcze bardziej utrudnia orientację. Poza tym nie bardzo mogę się rozglądać za charakterystycznymi obiektami na ulicy, jako że staram się nie tracić z oczu śledzonych postaci, a przy tym nie zbliżać się do nich zanadto. Czaję się więc za nimi z nadzieją, że to właściwy dystans. Nie wiem, czy wtapiam się w otoczenie, czy raczej jestem widoczna jak słup na pustyni. Oby tylko nagle się nie odwrócili…

Tymczasem idą, wysokie obcasy kobiety stukają donośnie na chodniku. Przyjaciółka Pana R dzisiaj ma na sobie ciemną suknię, a na niej świetnie skrojony żakiet, podczas gdy on pozostał w biznesowym garniturze, w ten ciepły wieczór nie potrzebując płaszcza ani marynarki. Prawdę mówiąc, to ja wyglądam dziwnie w długim okryciu, zważywszy, że większość ludzi dokoła jest ubrana w T-shirty lub inne lekkie bluzki.

„Nieważne. Jakby się kto pytał, wystarczy, że będę udawać typową brytyjską ekscentryczkę".

Nikt jednak nie pyta, zatem pozostaję sobą. Ludzie nie zwracają na mnie uwagi. Na tym polega uwodzicielski urok tego miasta. Mogę być kimkolwiek lub czymkolwiek zechcę. Jakaż różnica w porównaniu z moim miasteczkiem, gdzie zmiana koloru włosów może wzbudzić ożywioną debatę, w której weźmie udział ogół mieszkańców.

Przemierzamy ciemne ulice, a potem wychodzimy na ruchliwą arterię pełną śmigających samochodów osobowych, autobusów i taksówek. Idziemy na drugą stronę i wkraczamy w elegancki, przeznaczony tylko dla pieszych zaułek z niezwykłymi butikami, barami i pubami, wokół których młodzi ludzie stoją na chodniku, pijąc i paląc. Denerwuję się, że zgubię Pana R i jego towarzyszkę, gdy się będą przeciskali przez tłum, ale poruszają się równym krokiem, najwyraźniej nieświadomi, że ktoś podąża ich śladem. Zmierzamy w kierunku innej części miasta i wkrótce widzę bary o odmiennym charakterze. Przed niektórymi widnieją emblematy z tęczą – rozpoznaję ten znak, to lokale dla gejów. Inne mają w wejściach dyskretnie powieszone zasłony. Zauważam, że przed migotliwymi neonowymi bramami stoją kobiety w minispódniczkach.

„Dzielnica czerwonych latarni? – nie dowierzam. – To do niej się kierują?".

Mijamy kilka obskurnie wyglądających sklepików i kiedy już zachodzę w głowę, co się, u licha, dzieje, wynurzamy się z tego zakątka wprost na ruchliwą ulicę. Dokoła roztacza się dziwna mieszanina biznesu i zabawy – widać wysokie budynki związane z mass mediami: filmem, telewizją, reklamą i marketingiem, a wokół nich niezliczone bary i restauracje. Wszędzie jest pełno ludzi – jedni są ubrani w niedbałe codzienne stroje, inni w drogie kreacje jak spod igły. Bywalcy posilają się najróżniejszego rodzaju jadłem w rozmaitych restauracjach albo piją wino, piwo czy koktajle przy stolikach wystawionych na chodniki. W powietrzu unosi się osobliwy aromat letniego wieczoru zmieszany z wonią spalin i papierosowym dymem, a także z zapachami potraw dolatującymi z setek restauracji. To miejsce tętni życiem, które nie straci impetu aż do wczesnych godzin porannych, gdy teatry dawno już wypuszczą ostatnich widzów i nawet puby będą zamknięte[6].

Widzę jednak, że dzieje się tu coś więcej. Pierwszą wskazówkę dostrzegam, mijając sex shop – jeden z tych ugrzecznionych, w których na pozór sprzedaje się głównie pierzaste boa, czekoladki w kształcie kuszących części ciała i pikantną bieliznę na wieczory panieńskie. Mimo że mają na składzie spory wybór jaskrawo kolorowych wibratorów, zdają się traktować seks jedynie jako powiązany z pożądaniem żart. Wkrótce jednak zauważam drugi sklep, proponujący całkiem inny asortyment. Na podświetlonej wystawie manekiny mają na nogach lśniące plastikowe buty na niebotycznie wysokich obcasach, zapinane na zamek albo ozdobione koronkami. Wyżej widać siatkowe pończochy, koronkowe majtki bez kroku, pasy do pończoch i skórzane staniki, niektóre nabijane ćwiekami lub kolcami, a wszystkie z otworami na sutki. Manekiny mają na głowach skórzane czapki lub maski na twarzy, a w dłonie wepchnięto im pejcze. Zerkając do wnętrza, widzę na wieszakach kompletne stroje i bieliznę. Przez chwilę kusi mnie, by tam wejść.

---

[6] Większość pubów w Wielkiej Brytanii, mimo liberalizacji przepisów, nawet w weekendy jest czynna najwyżej do pierwszej w nocy.

Jeszcze się nie otrząsnęłam z wrażenia, gdy mijam inny sklep, tym razem księgarnię. W oknie wystawiono artystycznie wyglądające czarno-białe tomy, bezwstydnie poświęcone nagiemu ludzkiemu ciału – ciału z różnego rodzaju dodatkami związanymi z seksem, ciału zamkniętemu w objęciach innego ciała...

Pan R ze swoją przyjaciółką wciąż idą przede mną, a na chodnikach jest tłoczno. Staram się nie tracić ich z oczu, ale i tak zauważam, że przechodzę koło kolejnego sex shopu, pięknie prezentującego się z anielskimi skrzydłami nad wejściem, ostrzegającego jednak, że każdy, kto chce wejść, musi mieć ukończone osiemnaście lat i nie gorszyć się na widok towaru dla dorosłych.

„Już wiem, gdzie się znalazłam. To musi być Soho".

Nie jestem aż tak niewinna, żeby nigdy nie słyszeć o słynnej londyńskiej dzielnicy czerwonych latarni. Wiem, że jej dawne obskurne speluny należą już do historii. Na pierwszy rzut oka nie ma tu nic sprośnego, nic podejrzanego. Za sprawą pieniędzy okolica nabrała powabu, przyciągając wszelkiego rodzaju osoby i proponując rozrywkę na miarę każdego gustu. Nikomu najwyraźniej nie przeszkadzają wyeksponowane na wystawach seksualne zabawki.

Tak czy owak wśród tego wszystkiego czuję się jak ciemna wieśniaczka. Prawda jest taka, że nigdy w życiu nie widziałam takich rzeczy wystawionych na widok publiczny. Gdy byłam z Adamem, krępowaliśmy się przy ludziach choćby się trzymać za ręce, a nawet będąc tylko we dwoje, raczej nie mówiliśmy o tym, co ze sobą robimy. Nie mogę sobie wyobrazić, że weszlibyśmy do któregoś z tych sklepów i po prostu wybrali coś dla siebie, ogłaszając w ten sposób światu, że uprawiamy seks, wkładamy frywolne stroje albo używamy zabawek i gadżetów. Mam tutaj na myśli, że czekoladowa farbka do ciała to jednak coś zupełnie innego niż wielki, pulsujący wibrator. Już widzę, jak stoję przy kasie, pokazuję wybraną seksualną zabawkę i płacę za nią, nie umierając ze wstydu. Bądź co bądź, wiadomo, do czego taki gadżet służy, i myśl o tym, że ktoś obcy dowie się o moich planach, byłaby dla mnie nie do zniesienia.

Wtem Pan R ostro skręca w lewo i przecinamy ciemny placyk, potem jest jeszcze jedna droga i kolejny róg, aż trafiamy w uliczkę oświetloną pomarańczowym światłem tylko jednej latarni. Jakby się cofnąć w czasie; wysokie budynki z okresu regencji wynurzają się znad żelaznych ogrodzeń; przy każdym metalowe schody prowadzą do sutereny. Trudno powiedzieć, czy są to prywatne domy, hotele czy biura. Eleganckie okna w większości kryją się za zamkniętymi okiennicami albo żaluzjami, spod których co najwyżej widać złotą linię palącego się wewnątrz światła.

Idąca przede mną para kieruje się prosto do jednego z domów o fasadzie z ciemnej, brązowoczerwonej cegły. Obydwoje schodzą po schodach, słychać odgłos kroków na metalowych stopniach, chwilę później drzwi się otwierają i moi znajomi znikają w środku. Gdy jestem już pewna, że na dobre weszli, podchodzę do ogrodzenia i spoglądam pod nie. W dole widnieją dwa duże okna. Nie są niczym zasłonięte, ponieważ znajdują się poniżej poziomu ulicy, widzę więc, że wewnątrz w przyćmionym świetle poruszają się jakieś postacie. Co to za miejsce? Bar? Prywatny dom?

Nie mam pojęcia, a nieśmiałość nie pozwala mi na dalsze śledztwo. Nagle niski głos mówi: „Przepraszam", i omija mnie jakiś człowiek w eleganckim garniturze. Zstępuje pewnym krokiem po schodach i wchodzi przez drzwi do sutereny. Cofam się, czując się głupio. Nie mogę już dalej śledzić swoich znajomych, a nie uśmiecha mi się czekanie tu na nich. Muszę sama znaleźć drogę powrotną. Mam wrażenie, że Oxford Street jest gdzieś blisko i jeśli ją zlokalizuję, dam radę dotrzeć stamtąd do domu.

„Zachowujesz się naprawdę dziwnie" – strofuję się surowo. Ale nie umiem nic na to poradzić. Czuję, że gdzieś tu bardzo blisko kryje się świat przygody, do którego tak bardzo chciałabym należeć. Dla mnie jest zamknięty, ale dla Pana R i jego przyjaciółki otwarty. Tuż pod moim nosem wiodą oni życie tysiąc razy bardziej ekscytujące od mojego, od wszystkiego, czego zaznałam w swojej spokojnej, prowincjonalnej egzystencji. Powinnam ich zostawić, jednak nie potrafię. Tak jakbym się natknęła na błyszczącą nitkę i nie mogła się powstrzymać, by jej nie pociągnąć, bez względu na to, jak bardzo namotam sobie w życiu.

Zdejmuję płaszcz.

„Czas wracać do domu".

Idę z powrotem drogą, którą przyszłam, spoglądając na tabliczki z nazwami ulic. Wreszcie rozpoznaję jedną, którą wcześniej widziałam na swojej mapie. Podążam nią, mając nadzieję, że zaprowadzi mnie na Oxford Street, gdy nagle zauważam sklep – nadal otwarty, podobnie jak kilka pobliskich kafejek i restauracji. Wygląda jak księgarnia z ładnymi bibelotami. Pchnięta impulsem, wchodzę do środka.

Wita mnie uśmiechnięta siwowłosa kobieta, ale gdy zaczynam się rozglądać, pozostawia mnie samej sobie. Już widzę czemu – książki mają najróżniejszą tematykę, ale przeważają wśród nich erotyczne: pikantne powieści, ryciny i wiersze. Przechadzam się, zerkając na tytuły i opierając się chęci zajrzenia za okładki. Nie mogę, nie przy kimś obcym, kto widzi, co mnie interesuje. Odsuwam się więc od książek i oglądam wiszące na ścianach piękne szkice. Wtem zapiera mi dech w piersi i płonę rumieńcem, rzucając na boki ukradkowe spojrzenia w obawie, że mnie dostrzeżono. Wszystkie te obrazki przedstawiają seks. Ciała są bezgłowe, artysta skupił się tylko na tułowiach i sposobie, w jaki się z sobą łączą: kobieta siedzi okrakiem na mężczyźnie, grzbiet ma wygięty w łuk, jej dłonie spoczywają na jego piersi; inna klęczy na tapczanie, a mężczyzna, ogarnięty namiętnością, wchodzi w nią od tyłu.

Czuję, że płonę. Gdziekolwiek spojrzę, widzę coś nowego: dłonie trzymające wielkiego wzwiedzionego członka; kobietę pochyloną niczym w akcie wiary; najintymniejsze części kobiecego ciała otwarte zapraszająco, palce rozchylające ich wargi; kobietę i dwa potężne penisy, jeden penetrujący ją od przodu, a drugi od tyłu...

„O Boże? Co to ma znaczyć?".

Toczę dokoła wzrokiem w poszukiwaniu czegoś, na czym można by bezpiecznie zawiesić oko, i przesuwam się w stronę przeszklonej orzechowej serwantki z pięknymi przedmiotami na półkach. Widzę rzeźbiony marmur i nefryt, kryształy, elegancką skórę, aksamit.

I znów tracę oddech. Jakaż ze mnie głupia istota. Patrzę na najrozmaitsze piękne seksualne zabawki. Każda jest opatrzona etykietą z odręcznym podpisem:

Nefrytowy penis 545 £
Kryształowy korek analny 230 £
Marmurowe kulki dopochwowe 200 £ za 3 sztuki
Sznur onyksowych pereł miłości 400 £

Na półce niżej widnieje kolekcja zgrabnych skórzanych biczyków oraz starodawna laska z rzeźbionym uchwytem, który po bliższych oględzinach okazuje się długim stojącym członkiem z jądrami tkwiącymi u jego podstawy.

Na samym dole znajdują się metalowe sprzęty, które wprawiają mnie w osłupienie – do czasu, gdy przeczytam podpisy. Są to klipsy do sutków oraz przyrządy do ściskania najbardziej wrażliwych części ciała. Obok nich leżą kajdanki oprawione w czarną skórę z białym futerkiem, a także cieniuteńkie linki wyplecione z różnokolorowych włókien.

– Czy szuka pani czegoś szczególnego? – Słyszę głos.

Sprzedawczyni stoi tuż obok mnie. Wygląda przyjaźnie, lecz ja natychmiast popadam w zmieszanie.

– Och... nie, dziękuję... Po prostu oglądam.

– W porządku. – Patrzy na mnie, jakby doskonale rozumiała moje zakłopotanie, i od razu czuję się nieco swobodniej. Wskazuje gestem półki po przeciwnej stronie pomieszczenia.

– Tam są jeszcze inne rzeczy, gdyby te były dla pani nieco zbyt kosztowne. Tutaj wystawiamy nasze prawdziwe dzieła sztuki. Tamte mają bardziej przystępne ceny.

Prowadzi mnie do wskazanych półek. Jest tu ogromny wybór gumowych i lateksowych zabawek. Niektóre są niczym ogromne rakiety z najrozmaitszymi wypustkami, inne gładkie i smukłe, jak choćby stylowe, jaskrawozielone, niebieskie i różowe „długopisy".

– Zapewne słyszała już pani o niektórych z nich – mówi sprzedawczyni, podczas gdy ja tylko patrzę. – Te cienkie służą raczej do penetracji analnej. Tradycyjne dopochwowe to tamte większe. Ten na przykład – podnosi jeden monstrualnych rozmiarów – cieszy się sporym powodzeniem, to nasz bestseller.

Gapię się i bezwiednie głośno wciągam powietrze. Jest taki długi i gruby. Czy naprawdę ma się zmieścić... tam w środku? Nigdy nie używałam zabawek seksualnych, nawet nie wyobrażałam sobie tego, i teraz nie pojmuję, jak taki kolos mógłby pasować do kogokolwiek, nie wspominając o mnie. Kochałam się w życiu tylko z jednym mężczyzną, całkiem nieźle wyposażonym, ale z pewnością nie miał takiego rozmiaru.

Kobieta wskazuje na jedną z większych wypustek sztucznego penisa.

– To do stymulowania łechtaczki. Można zostawić w tej pozycji albo... – Dotyka przycisku u podstawy i małe, podobne do kciuka nabrzmienie zaczyna się miarowo poruszać. Brzęczy przy tym i błyska wewnętrznym światełkiem, jakby tańczyło we własnej dyskotece. Sprzedawczyni uśmiecha się do mnie. – Prawdziwa przyjemność. Jeden z powodów, dla których tak dobrze się sprzedaje. A proszę spojrzeć na to. – Naciska inny guzik i całe prącie zaczyna wibrować, duży wewnętrzny pierścień przesuwa się w górę i w dół, stwarzając wędrującą falę. Urządzenie buczy rytmicznie niskim odgłosem, który przypomina mi mruczenie De Havillanda, wzbudzając miłe skojarzenia. Wydaje się dziwnie żywe, zwłaszcza przez te światełka w środku, jakby niezwykła, nadzwyczaj gęsta meduza. Niemal przełykam ślinę na ten widok. Po chwili kobieta wyłącza pulsującego potwora i odkłada go na miejsce. – Mamy też mnóstwo innych – mówi. – Proszę pytać, jeśli będzie pani potrzebowała wyjaśnień. Jestem tu, żeby pomóc.

– Dziękuję. – Wpatruję się w zbiór wibratorów i czuję, że narasta we mnie nieznane podekscytowanie. Ludzie to robią. Normalni ludzie. Nie zboczone wariatki ani nimfomanki, tylko zwykłe kobiety mające potrzeby seksualne. Prawda jest taka, że seks to jedna z rzeczy, do których ostatnio tęsknię. Straciłam nie tylko przyjaciela i mężczyznę, któremu oddałam serce, lecz także kochanka, który mnie pieścił, całował, tulił. Człowieka, który mnie pożądał, pragnął dotykać moich piersi, przesuwać dłońmi po moich biodrach, chciał poznać moje intymne zakątki i drażnił je językiem, palcami, penisem. Teraz Adama już nie ma, ale moje ciało wciąż domaga się jego uwagi. Gdy nocą wypłakuję się w poduszkę, roniąc łzy nad jego zdradą, rozpaczam również nad utratą fizycznej miłości i rozkoszy, którą z sobą niosła, a także nad tym, że teraz zamiast mnie dostaje ją ktoś inny. Czy te przedmioty – brzęczyki przykładane do wrażliwych okolic, grube, zasilane bateriami prącia z wypustką do masowania punktu G – mogą być rozwiązaniem?

„Mogłabyś sobie któryś kupić. Nikogo innego nie ma w sklepie. Sprzedawczyni jest miła, a zresztą i tak nigdy więcej jej nie zobaczysz. Nie interesuje jej, co z tym zamierzasz zrobić…".

Jeśli jakieś miejsce nadaje się do wypróbowania i eksperymentów, na pewno jest nim chwilowo opuszczone mieszkanie Celii.

Wtem przypominam sobie, że wyszłam z domu bez pieniędzy. Nie mogę niczego kupić. Wszystkie apetyczne, kuszące myśli znikają i nagle czuję, że chcę wrócić do domu.

– Dziękuję! – wołam do ekspedientki, odwracam się, wciskam ręce głęboko do kieszeni i pośpiesznie wychodzę, żegnana dźwiękiem dzwonka u drzwi.

Skupiam się na odnalezieniu drogi do Randolph Gardens, ale nawet kiedy maszeruję już bardziej ruchliwymi ulicami, mam świadomość, że coś się zmieniło. Czuję się podekscytowana w jakiś inny, mrowiący sposób, świadoma nawet łaskocącego policzki powiewu wiatru. Pod płaszczem płonę, rozpalona pragnieniem…

Rozdział czwarty

Następnego dnia wciąż coś się we mnie dzieje. To raczej zmysłowe wrażenie, jak gdybym miała ochotę poocierać się o pościel lub stanąć nago w otwartym oknie i poczuć na skórze powiew wiatru. Przez chwilę, gdy leżę w łóżku, przesuwam rękami po brzuchu aż do kępki miękkich włosów między nogami. Końcem jednego palca delikatnie gładzę mały, ale niezwykle wrażliwy punkt lekko wystający spomiędzy warg sromowych. Efekt jest elektryzujący. Guziczek natychmiast budzi się do życia, nabrzmiewa pod palcem, jakby błagał o zainteresowanie, a z okolic brzucha na całe ciało promieniuje przyjemne uczucie.

Przypominam sobie tamten pulsujący wibrator z kusząco wysuniętym masującym małym kciukiem umieszczonym dokładnie we właściwym miejscu. Przez głowę przepływają mi obrazki widziane poprzedniej nocy. Ciężko przełykam ślinę i biorę głęboki wdech. Między nogami rozlewa mi się gorąca wilgoć. Widzę Pana R najpierw w stroju tenisowym, mokrego od potu, a potem z nagim torsem, owiniętego w pasie ręcznikiem. Zanurzam palec głębiej w ciepłą szparkę, a ciało odpowiada drgnieniem. Łechtaczka sterczy teraz sztywno, dając o sobie znać, każde zakończenie nerwowe pragnie dalszych pieszczot.

„Czy powinnam?".

Oczywiście wcześniej nieraz doprowadzałam się do orgazmu. Długie miesiące na uczelni bez Adama nauczyły mnie sporo w kwestii tej samotnej czynności. Ale aż do poprzedniej nocy

nie potrafiłam o tym nawet myśleć. Nie mogłabym się sama pieścić. Czułam się tak bardzo odrzucona, że nie umiałam się zatracić w przyjemności.

„Ale teraz? Czy mogłabym...?".

Śmigam opuszkiem palca po nabrzmiałej łechtaczce i tym razem przeszywa mnie dreszcz. Moje ciało ogromnie tego pragnie,
błaga mnie, żebym popuściła wodze. Pocieram znów i znów,
wzdychając od intensywności zalewającego mnie uczucia.

Wtem staje się. Znowu mam przed oczami ten przeklęty widok: Adam odwraca się do mnie twarzą, odsłania leżącą pod nim
Hannah. Widzę jego sflaczały brzuch z kępką skłębionych brą-
zowych włosów pod spodem, widzę też rozłożone nogi Hannah
i trójkąt mokrych, przygniecionych włosów. Ponownie dostrzegam – ze zgrozą tylko trochę przytłumioną upływem czasu – sposób, w jaki są złączeni, jego ciemnoczerwony penis nurkujący głęboko między jej błyszczącymi, krwistymi wargami.

Pożądanie, które mnie przepełniało, natychmiast znika...

„Czemu, u diabła, muszę wciąż to widzieć? Dlaczego, do cholery, nie mogę zapomnieć?". Czy ta scena zawsze będzie mnie
prześladować? Obraz ich dyszącej, zwierzęcej żądzy zabija we
mnie wszelkie podniecenie. Wizja jego penisa wciśniętego w ciało Hannah sprawia, że moje własne pobudzenie zanika.

Znowu dotykam łechtaczki, a ona z nadzieją pęcznieje pod
palcem. Niedobrze. Ciało domaga się swoich praw, ale duch został zdławiony. Szybko wstaję z łóżka i zmywam moje podniecenie pod prysznicem.

Mimo że nie potrafię zaspokoić swego ciała najwyraźniej gorąco pragnącego orgazmu, nie umiem się otrząsnąć z wrażenia
zmysłowości. Zaplanowałam sobie bardzo interesujący dzień, ze
zwiedzaniem muzeów i galerii. Zamierzałam ubrać się wygodnie, włożyć adidasy i wziąć ze sobą prowiant, żeby nie musieć

przepłacać w jakiejś turystycznej kawiarni za lunch. Dziś jednak jakoś nie mam chęci na kulturalne atrakcje. W wyobraźni przewijają mi się domy handlowe przy Oxford Street. Jeszcze kilka dni temu, kiedy przyjechałam, czułabym się zbyt onieśmielona, by choćby rozważać samotne odwiedzenie takich miejsc, ale teraz coś się zmieniło.

Zaraduję do De Havillanda, robię sobie kawę i nasypuję płatków śniadaniowych do miski. W odpowiedzi kocur atakuje tapicerowaną drapaczkę, którą Celia zainstalowała dla niego na drzwiach szafki, i przez kilka minut – podczas gdy zanudzam go swoją paplaniną – radośnie drze pazurami zabawkę na strzępy.

– Czy myślisz, że Londyn rzeczywiście przywróci mi śmiałość? – pytam, a on zawzięcie szarpie swój drapak. – Pewnie nie uwierzysz, ale kiedyś byłam odważna. Wybrałam się sama na studia, zupełnie nikogo tam nie znając, i zaprzyjaźniłam się z masą ludzi.

Z zadumą wspominam Laurę, moją najlepszą koleżankę na uczelni. Teraz ostatnie miesiące wolności spędza, podróżując po Ameryce Południowej, a po powrocie zacznie pracę w Londynie w firmie konsultingowej. Obiecała, że będzie do mnie wysyłać mejle, gdy tylko znajdzie gdzieś internet, ale ja od dłuższego czasu nie odbierałam poczty. Dziwne – nawet za bardzo o tym nie myślałam. Zazwyczaj jestem przyklejona do laptopa, buszuję po sieci, zbierając plotki i nowinki. Teraz sprzęt leży porzucony w torbie w sypialni, a ja zupełnie o nim zapomniałam.

Dziś sprawdzę, czy mam połączenie, albo przynajmniej zabiorę laptopa gdzieś, gdzie znajdę zasięg. W dzisiejszych czasach niemal każda kawiarnia oferuje Wi-Fi.

Ubierając się, rozmyślam, jak Laura przyjmie wiadomość o moim rozstaniu z Adamem. Pewnie okaże mi współczucie; wiem też jednak, że w głębi serca będzie zadowolona. Ze względu na mnie próbowała polubić Adama, ale gdy się raz spotkali, kiedy przyjechał mnie odwiedzić w akademiku, nie zrobił na niej dobrego wrażenia. Widziałam to w jej oczach podczas ich rozmowy – ledwie powstrzymywała rozdrażnienie. Potem starała się powstrzymać od uwag, ale w końcu spytała:

– Nie sądzisz, że jest trochę… trochę nudny, Beth? Cały czas mówił tylko o sobie, ani razu o tobie!

Rzecz jasna, broniłam go. To prawda, że Adam potrafił być nieco egoistyczny i ponosiło go, gdy poruszył swój temat, ale mnie kochał, tego byłam pewna.

– Martwię się tylko, że może nie kocha cię zbyt mocno. Po prostu cię ma – powiedziała z troską. – Nie wiem, czy on na ciebie zasługuje, Beth, to wszystko. Ale jeżeli jesteś z nim szczęśliwa, to dobrze.

Laura nigdy więcej nie wspominała o tym, co naprawdę myśli o Adamie, ale kiedy zaczął się mną interesować pewien student trzeciego roku, nalegała, żebym spędziła z nim trochę czasu i zobaczyła, co z tego wyniknie. Oczywiście nie zrobiłam tego, byłam dziewczyną Adama.

Na myśl o Laurze tęsknię za jakimkolwiek towarzystwem. Przez jakiś czas byłam sama i potrzebuję rozmowy, zrozumienia. Natychmiast zmieniam plany. Cóż, samotne spacerowanie po galeriach może poczekać do następnego dnia.

– Och, świetnie na tobie wygląda, po prostu cudownie!

Jestem pewna, że to typowa gadka, którą sprzedawczyni ma dla każdego klienta. Niewątpliwie wszyscy się prezentują wspaniale w ubraniach tej marki, ale w spojrzeniu ekspedientki dostrzegam coś szczerego, co sprawia, że jej wierzę.

Poza tym, jeżeli lustro nie kłamie, ta sukienka naprawdę zaskakująco dobrze na mnie leży. Na wieszaku wyglądała jak zwykły ciuszek, no i nawet jeśli to rzeczywiście tylko zwykła mała czarna, najwyraźniej wydobywa na światło dzienne moje ukryte wdzięki, doskonale układa się na biuście, talii i biodrach, idealnie gładko kończąc się na linii kolan. Tkanina to jedwab z domieszką czegoś, co przylega do ciała, ale jest solidne, w dodatku z lekkim połyskiem.

– Musisz ją kupić – szepcze sprzedawczyni tuż za moim ramieniem. – To znaczy, pasuje do ciebie znakomicie. – Uśmiecha się do mnie w lustrze. – To na jakąś specjalną okazję?

– Na przyjęcie – kłamię bez zastanowienia. – Dziś wieczór.

– Dziś wieczór? – Oczy jej się rozszerzają. Wyczuwa ciekawą historię, skoro dziewczyna kupuje sobie kreację tuż przed imprezą. – Czy jesteś umówiona na wizaż?

Przyglądam się swemu odbiciu. Sukienka jest taka ładna. Czuję się w niej zdumiewająco – seksownie i szykownie. Brak fryzury, makijażu i butów na pewno to rujnują. A wizaż, metamorfoza? Ile takie coś może kosztować?

Zawsze byłam osobą roztropną, ostrożnie traktującą wydatki. Nie szastam pieniędzmi i nigdy nie robiłam zakupów dla rozrywki. W przeciwieństwie do większości koleżanek ukończyłam studia bez długów, z rozsądnymi oszczędnościami.

„Czemu by trochę nie odpuścić? – pyta głos w mojej głowie. – Zaszaleć tylko ten jeden raz?".

– Chyba mogłabym się umówić – mówię powoli.

Ekspedientka aż klaszcze w dłonie z radości. Najwyraźniej bardzo jej to odpowiada.

– Oo, chętnie pomogę. Przede wszystkim musisz kupić tę sukienkę. Wiem, co mówię. Wyglądasz w niej pięknie. Możesz ją tutaj zostawić, przypilnuję. Wszystko, czego ci trzeba, jest na miejscu: gabinet kosmetyczny, spa, kuracje…

– Bez przesady… – protestuję słabo.

– … salon fryzjerski, manikiurzystka. – Oczy jej błyszczą, jakby już sobie wyobrażała przekształcenie mojego niedoskonałego wizerunku w formę wartą tej sukienki. Wtem przybiera zatroskaną minę. – Mogą mieć wypełniony grafik. Wykonam kilka telefonów. Na pewno uda mi się coś dla ciebie załatwić.

Nie jestem jej w stanie powstrzymać. Śpieszy do swego kontuaru i już gdzieś dzwoni. Daję jej znać gestami, że nie chcę żadnych zabiegów upiększających, ale zbywa mnie machnięciem ręki i zamawia mi kosmetyczkę.

– Będziesz zachwycona – zapewnia, wybierając kolejny numer telefonu. – Masz wspaniałą skórę, ale wygląda na nieco przesuszoną. Używasz kremu na noc? Powinnaś, znam świetny krem, który naprawdę głęboko nawilża i poprawia uwodnienie podnaskórkowe.

Zanim zdążę zareagować, łączy się z salonem fryzjerskim i rezerwuje dla mnie strzyżenie z modelowaniem. Jej wzrok prześlizguje się po moich włosach, gdy mówi do słuchawki:

– Myślę, że pomogłyby delikatne pasemka, jeśli macie czas.

Po chwili jestem już umówiona w kilku miejscach – pierwsze spotkanie mam za kilka minut.

Moja sprzedawczyni ewidentnie jest w swoim żywiole i ma mnóstwo czasu. Stawia kogoś za ladą w swoim zastępstwie i prowadzi mnie na parter, gdzie mieszczą się salony piękności. Wszystko odbywa się w tak radosnym nastroju, że daję się ponieść fali entuzjazmu. Przekazana w ręce Rhody w gabinecie kosmetycznym, poddaję się zupełnie. Po chwili leżę wyciągnięta w fotelu, a Rhoda masuje mi twarz, nakładając jakąś gliniastą miksturę. Oczy przykrywa mi chłodnymi płatkami i zostawia, żeby kosmetyk zadziałał. To cudownie relaksujące doświadczenie. Zawsze myślałam, że tego rodzaju zabiegi są nie dla mnie, jednak gdy delikatne palce ścierają mi z twarzy maseczkę, a potem wklepują balsamy i kremy, w myśli kołaczą mi się pytania: „Dlaczego nie dla mnie? Czemu nie miałabym sobie na to pozwolić?".

– Gotowe! – ogłasza Rhoda, wręczając mi plik darmowych próbek. – Wyglądasz świetnie.

Sięgając po pieniądze (tak, trzeba płacić, załatwiono mi zabieg, ale nie na koszt firmy), zerkam w lustro. Promienieję jak gwiazda. A może to tylko wyobraźnia? Co mi tam. Samo przeżycie jest zdumiewające.

– Teraz masz wizytę u fryzjera – informuje Rhoda. – Na najwyższym piętrze.

Krótka przejażdżka windą i zanim zdążę się rozejrzeć, siedzę w wysokim fotelu, z czarną nylonową peleryną zapiętą na szyi, a przede mną leży stos najświeższych pism kobiecych. Szczupły młody mężczyzna w czarnym T-shircie, z nieprawdopodobną grzywą jasnych włosów nad czołem, wyjaśnia mi, co można zrobić z moimi włosami. Kiedyś eksperymentowałam z różnym strzyżeniem i kolorami, ale w ciągu ostatnich miesięcy nie zawracałam sobie tym głowy. Efekt jest żałosny: od suchych, słomkowych końcówek po ciemne mysie odrosty, a z dawnych prób ułożenia jakiejś fryzury pozostały już tylko zapuszczone kudły.

Cedric bierze mnie w swoje ręce. Z łatwością świadczącą o dużej wprawie nakłada mi na włosy farbę z plastikowych miseczek, zawija pasemka w metalową folię, po czym zostawia mnie z kolorowym czasopismem pod grzejącym obrotowym neonowym dyskiem. Po upływie pół godziny fryzjer przekazuje mnie dziewczynie, która cudownie delikatnymi dłońmi naciera czymś i spłukuje moje włosy. Potem wmasowuje mi w skórę głowy jakieś specyfiki, a wreszcie zastępuje je czymś, od czego włosy robią się idealnie gładkie i pachną kokosem.

Powraca Cedric, szczękają nożyczki. Pora na strzyżenie i czesanie. Fryzjer zagaduje do mnie, podnosząc długie ciemne pasma i przycinając je na końcach. Patrzę na siebie w lustrze i zastanawiam się, co mnie jeszcze czeka. Strzyżenie dobiega końca. Cedric spryskuje mi czymś włosy, bierze do ręki suszarkę i pyta:

– Jak bardzo nadzwyczajna okazja?

Spoglądam na swoje odbicie i mówię:

– Bardzo.

W myślach jestem umówiona z Panem R na późny obiad. Dziś wieczorem nie chce tamtej kobiety, z którą go widywałam. Dzisiaj spotka się ze mną i aż go zatka.

– Czy jesteś tą dziewczyną z mieszkania Celii? – zapyta zdziwiony, nie wierząc własnym oczom. – Tą dziewuszką z piątego piętra naprzeciwko? Ależ ty... ty...

Zatracam się w radosnym marzeniu, a wokół mojej głowy buczy suszarka, rozgrzewając mi końce uszu do czerwoności i niemal parząc skórę pod włosami. Teraz Cedric intensywnie pracuje najeżoną szczotką – nakręca mi ciasno włosy, dmucha w nie gorącym powietrzem, a następnie uwalnia szczotkę obrotowym ruchem, pozostawiając luźne loki. Gdy się w ten sposób uporał z całą moją głową, mam wokół twarzy aureolę złocistych, mieniących się refleksami fal. Fryzjer psika sobie na dłoń trochę lakieru, zaciera ręce, po czym wciera mi go we włosy, wygładza je, zgarnia do tyłu i uwalnia. Efektem jest długa fryzura na pazia z grzywką łukowato opadającą na twarz, kusząco przesłaniającą jedno oko. Kolor – bogate, lśniące złoto.

– Podoba ci się? – pyta Cedric. Odsuwa się, przechyla głowę i krytycznie przygląda się swemu dziełu.

– Jest... piękna – mówię lekko zdławionym głosem. Pamiętam, jak wyglądałam jeszcze niedawno, gdy popatrzyłam w sypialniane lustro po napadzie płaczu za Adamem. Ujrzałam wtedy zaniedbaną dziewczynę o wiotkich włosach, z napuchniętymi oczami i matową cerą, niemającą nic ze swej dawnej iskry. Teraz wydaje się ona bardzo daleka; z ulgą widzę, że się wyniosła.

Cedric uśmiecha się.

– Jestem pod wrażeniem, kotku. Wiedziałem, że mogę coś dla ciebie zrobić. Teraz... zdaje się, że czekają na ciebie na parterze. Jesteś umówiona na makijaż i manikiur.

„Wszystko jedno. Nie obchodzi mnie, ile to kosztuje" – myślę beztrosko, wręczając kasjerce kartę płatniczą. Wszyscy są dla mnie tacy mili. Wcale nie muszą, ale są. Cholernie fantastyczne uczucie.

Gdy winda zawozi mnie na parter, odnoszę wrażenie, że jestem traktowana po królewsku. Ktoś czeka, żeby mnie zaprowadzić do stanowiska makijażystki, które mi zarezerwowano. Zaczyna się kolejna sesja. Do pracy nade mną bierze się młoda dziewczyna; nawilża mi skórę, nakłada serum i spryskuje mi twarz zjonizowanym płynem, a następnie rusza do akcji z fluidami, podkładami i korektorami. Przez cały czas mruczy pochwały pod adresem mojej skóry, oczu, powiek, ust. Staram się, jak mogę, aby nie uwierzyć, że jakimś cudem zamieniłam się w najpiękniejszą kobietę pod słońcem, lecz mimo zachowania zdrowego sceptycyzmu jest to kuszące uczucie.

Okolice brwi, powieki, policzki i usta – każda część twarzy otrzymuje odpowiedni kolor. Nabieram blasku i błyszczę. W końcu, gdy wszystko, co się tylko dało, zostało pomalowane, dziewczyna prostuje się z uśmiechem i podając mi lusterko, oznajmia:

– Gotowe!

Zapiera mi dech w piersi. Zaraz mówię sobie: „To ich praca, żeby cię zrobić na bóstwo i zachęcić do kupna oferowanych przez nich kosmetyków. Ci ludzie są artystami makijażu".

Trzeba przyznać, że wyglądam jak jeszcze nigdy w życiu. Niebieskie oczy są podkreślone w sposób, jakiego nie udałoby mi się osiągnąć za pomocą mojego poczciwego czarnego ołówka. Spod długich, ciemnych rzęs zalotnie błyskają tęczówki. Policzki pociągnięto złotawym różem, a usta – zachęcającym kolorem wilgotnej wiśni. Czuję się, jakbym właśnie zeszła z lśniących stron jakiegoś magazynu mody.

Kupuję wiele z kosmetyków, które mi dziś nałożono na twarz – co niewątpliwie było zamiarem makijażystki – a potem wędruję do następnego stanowiska, gdzie moje paznokcie stają się wyraziście czerwone, a ożywiona dziewczyna z East Endu opowiada mi o kłopotach ze swoim chłopakiem. Szczerze mówiąc, słucham jej jednym uchem. Rozmyślam o Panu R i zatracam się w świecie fantazji, gdzie zmierzam ku niemu przez restaurację, a on wstaje z miejsca i szczęka mu opada ze zdziwienia. Potem idziemy do niego i on nie może się oprzeć, bierze mnie w ramiona i...

– Zrobione, moja droga! – oznajmia manikiurzystka z zadowoleniem. – Teraz przez dwadzieścia minut poczekaj, aż wyschnie, dobrze?

Zanim mnie wypuszczą ze swoich rąk, została jeszcze jedna rzecz do zrobienia. Muszę sobie kupić buty, pasujące do mojej nowej czarnej sukienki. Moja karta płatnicza rozgrzała się już do czerwoności, ale skoro zaszłam tak daleko, nie mogę się wycofać. Szybki wypad do działu obuwniczego i zaopatruję się w wysokie czarne szpilki o szpiczastych noskach, aż wreszcie, już po wszystkim, melduję się z powrotem u swojej „asystentki".

– Och! – woła ekspedientka, klasnąwszy w ręce. – Wyglądasz... zdumiewająco! Naprawdę nigdy bym nie pomyślała, że możesz się tak odmienić. Szczerze, to autentyczna metamorfoza.

Ma rację. Wiem o tym. Po włożeniu sukienki i butów, z nowym uczesaniem i makijażem... No cóż, powraca moja pewność siebie. Może jest jakieś życie po Adamie. Może mógłby mnie pokochać ktoś inny, pragnąć mojego ciała, pożądać... Rzecz jasna, Pan R to mrzonka, ale ktoś by przecież mógł.

– Dziękuję – mówię z dogłębną szczerością. – Byłaś dla mnie taka miła. Bardzo to doceniam.

– Nie gadaj głupstw. Zasługujesz na to. – Pochyla się ku mnie z konspiracyjnym uśmiechem. – A teraz idź, baw się na przyjęciu i niech wszyscy padną z wrażenia!

Wychodzę z domu towarowego, mając poczucie, że cały świat na mnie patrzy, podziwia moją nową sukienkę i atrakcyjne uczesanie. Trzy dni temu przyjechałam do Londynu spocona i w opłakanym stanie. A teraz spójrzcie: mam nadzieję, że Celia byłaby ze mnie dumna.

Przypadkowo trafiam na niewielki placyk ukryty w zaułku trochę w bok od głównej ulicy i postanawiam zjeść coś w którejś z mieszczących się tu restauracji. Zabiegi upiększające w sumie trwały kilka dobrych godzin. Tak bardzo zgłodniałam, że nie będzie mi przeszkadzać, jeżeli zasiądę przy stoliku w samotności. Pochłaniając pyszny makaron, przypominam sobie, że kiedy przyjechałam, byłam zbyt przerażona, by choć pomyśleć o czymś takim jak posiłek na mieście bez towarzystwa. I patrzcie, oto siedzę sama i nic się nie dzieje. Nikt mnie nie nagabuje, kelner nie zadziera nosa, nie drwi ani nie odmawia obsługi. Jestem traktowana ze spokojnym szacunkiem i to całkiem miłe uczucie.

Po obiedzie, mimo że jest już późne popołudnie, jakoś nie mam jeszcze ochoty na powrót do domu. Ruszam na północ, znów w stronę szykownej dzielnicy, którą odkryłam pierwszego dnia, gdy się wybrałam na zakupy spożywcze. Oczywiście, nie spotykam tu Pana R; to małe marzenie istnieje tylko w mojej wyobraźni, nie chcę jednak, by ta ulotna, przyjemna fantazja dobiegła końca. Nastrój chwili sprawia, że na widok wywieszonego w witrynie ogłoszenia mam odwagę wejść do środka. Wnętrze zajmuje duża, dobrze oświetlona galeria o podłodze wyłożonej jasnym drewnem. Na ścianach pysznią się dzieła sztuki współczesnej. Od razu przyciągają moją uwagę, jako że część mojej pracy magisterskiej skupiała się na rozwoju ekspresjonizmu i sztuki w dwudziestoleciu międzywojennym. Wystawione tutaj obrazy wyglądają, jakby powstały pod bezpośrednim wpływem tamtego okresu.

W oknie wystawowym na białej kartce starannym ręcznym pismem wykaligrafowano:

Zatrudnię doświadczoną asystentkę do galerii.
Praca tymczasowa. Informacji udzielę osobiście.

Patrzę przez chwilę na ogłoszenie, widząc w szybie swoje niewyraźne odbicie. Przybyłam do Londynu z zamiarem rozejrzenia się za jakąś pracą na lato, żeby mieć zajęcie i być może zrobić pierwsze kroki na nowej ścieżce. Bądź co bądź, nie mogę do końca życia tkwić w kawiarence w rodzinnym mieście, a tak wielu znajomych przenosi się do stolicy, aby rozpocząć kolejny etap, po studiach. Miałoby to sens, gdybym i ja spróbowała poszukać tutaj przyszłości dla siebie. Czuję, że wiele przegapiłam, nie łapiąc się do pierwszej partii szczęśliwców, ale może nie jest jeszcze za późno. Laura już pytała, czy nie chciałabym zamieszkać z nią w Londynie i wspólnie płacić czynsz, ale nie mogłabym sobie na to pozwolić, nie mając zatrudnienia, a poza tym i tak zamierzałam zostać z Adamem.

Widzę jakiś ruch we wnętrzu galerii i przechwytuję spojrzenie wysokiego mężczyzny o wysoko osadzonych kościach policzkowych i orlim nosie. Ma na sobie ciemny garnitur i coś robi koło biurka ustawionego w połowie pomieszczenia. Czy mnie widział?

Postanawiam oddalić się i zapomnieć, lecz coś mnie powstrzymuje. Jestem dziś tak zadbana, jak nigdy dotąd. Jeśli z takim wyglądem nie zrobię dobrego wrażenia na przyszłym pracodawcy, nie uda mi się to nigdy. I zanim zdaję sobie sprawę z tego, co robię, popycham drzwi i wchodzę pewnym krokiem do środka, zmierzając prosto w stronę tamtego mężczyzny. Wysokie obcasy wystukują rytm kroków. On odwraca się, by na mnie spojrzeć, i widzę, że ma krótkie jasnosiwe włosy, po bokach przechodzące w szpakowaty zarost, a na czubku głowy odsłaniające zgrabną tonsurę. Zielone oczy kryją się za ciężkimi powiekami, pod wydatnym nosem zaś biegną wąskie usta i rysuje się kształtny podbródek. Na nosie opierają się okulary w złoconej oprawce – tak dyskretne, że ledwie widoczne. Dłonie poruszają się z niezwykłym wdziękiem, a cała postać emanuje elegancją i kulturą osobistą.

Gdy się zbliżam, człowiek z galerii nic nie mówi, tylko pytająco unosi brwi.

– Widziałam ogłoszenie na wystawie – odzywam się najbardziej pewnym siebie tonem, na jaki mnie stać. – Czy jest aktualne? Chciałabym zgłosić swoją kandydaturę.

Brwi nieznajomego wędrują jeszcze wyżej, podczas gdy spojrzenie ocenia moją sukienkę, buty i makijaż.

– Tak, nadal szukam asystentki, ale mam umówionych na dziś kilka rozmów i… – Uśmiecha się w sympatyczny, lecz zdystansowany sposób. – Obawiam się, że poszukuję kogoś z doświadczeniem.

Ewidentnie ani mu przez myśl nie przejdzie, że mogłabym się nadawać. Może ten image w rzeczywistości działa na moją niekorzyść. Facet sądzi, że jestem malowaną lalą, której w głowie tylko szminka, a o sztuce ma blade pojęcie. Denerwuje mnie to. Mężczyzna w dzisiejszych czasach powinien wiedzieć, że nie ocenia się kobiety po samym wyglądzie. Bądź co bądź, niespodzianki zdarzają się na każdym kroku.

Czuję, że powraca część mojej dawnej wiary w siebie.

– Jeśli potrzebne jest doświadczenie w obsłudze klientów – mówię – kilka lat pracowałam w podobnym charakterze w branży detalicznej. – To niezupełnie prawda. Czy kelnerowanie w kawiarni to branża detaliczna? Ale sprzedawaliśmy bibeloty, pocztówki i porcelanowe różności, więc może się liczy. Dlatego ciągnę dalej, nie wypadając z rytmu: – A jeśli chodzi o znajomość przedmiotu, jestem magistrem historii sztuki i specjalizuję się w nurtach wczesnych lat XX wieku. Interesują mnie zwłaszcza fowizm i kubizm sprzed pierwszej wojny światowej. Na podstawie wystawionych w galerii prac widzę, że pana być może również zajmują te kierunki. Ten artysta najwyraźniej pozostaje pod wpływem postekspresjonizmu oraz Grupy Bloomsbury. Bardzo mi się podobają te proste formy, stonowane odcienie, naiwność ujęcia. Tamten obraz przedstawiający krzesło i kwiaty w wazonie mógłby być oryginałem Duncana Granta.

Właściciel galerii patrzy na mnie uważnie, na jego wąskich ustach błąka się uśmiech, a po chwili mężczyzna wybucha śmiechem.

– Muszę przyznać, że bardzo entuzjastycznie podchodzi pani do tematu. Historyk sztuki, tak? To dobra kwalifikacja. Proszę usiąść, porozmawiamy. Mogę zaproponować kawę lub herbatę?

– Świetnie, proszę. – Posyłam mu promienny uśmiech i siadam we wskazanym miejscu.

Dobrze się z nim rozmawia, jest czarujący, ma nienaganne maniery, dzięki czemu w ogóle nie odczuwam nerwowego napięcia zwykle towarzyszącego rozmowie kwalifikacyjnej. Bardziej przypomina to przyjemną pogawędkę z uprzejmym nauczycielem, tyle że ten człowiek ma o niebo więcej stylu i ogłady niż którykolwiek z moich dawnych belfrów. Znakomicie mu idzie wyciąganie ze mnie informacji – niepostrzeżenie dla samej siebie opowiadam mu o swoich studiach, o uczelnianym życiu, moich ulubionych artystach i o tym, czemu mnie zawsze ciągnęło do sztuki, mimo że sama jestem plastycznym beztalenciem.

– Świat potrzebuje ludzi, którzy uwielbiają pewne rzeczy, tak samo jak tych, którzy je wytwarzają – zauważa mój rozmówca. – Na przykład teatr nie składa się wyłącznie z aktorów i reżyserów. Obok nich są agenci, producenci, menadżerowie i finansiści, którzy pozwalają działać całej tej instytucji. Książek nie zawdzięczamy tylko pisarzom, lecz także wydawcom i redaktorom oraz kochającym literaturę księgarzom. Ze sztuką jest tak samo. Nie trzeba umieć malować jak Renoir, żeby docenić jego kunszt. Ważnym elementem jest również promowanie artystów oraz sprzedawanie i kupowanie ich prac.

Czuję się zachwycona perspektywą objęcia pracy w świecie sztuki i przypuszczam, że on widzi mój entuzjazm, ponieważ spogląda na mnie sponad okularów i mówi nie bez życzliwości:

– We wszystkich tych kręgach jest jednak bardzo trudno o pracę z powodu ostrej konkurencji. Ważne, żeby się dostać choć za próg, zrobić pierwsze kroki. Na moje ogłoszenie odpowiedziało kilkanaście osób. Ludzie wiedzą, że to doskonała okazja do zdobycia doświadczenia.

Pewnie wyglądam, jakby ze mnie uszło powietrze, bo uśmiecha się i dodaje:

– Ale podobasz mi się, Beth. Wykazujesz ogromny podziw dla tej dziedziny i sporo wiesz na jej temat. Tak się składa, że znam jednego z twoich nauczycieli akademickich, należy do grona moich starych przyjaciół, jestem zatem pewien, że masz znakomite podstawy w zakresie sztuki współczesnej. Powiem ci coś. Spotkam się dziś jeszcze z kilkoma kandydatami, ale na pewno będę mieć w pamięci naszą rozmowę. – Robi poważną minę. – Muszę podkreślić, że praca ma charakter tymczasowy. Mój pełnoetatowy asystent nieoczekiwanie trafił do szpitala. Zostanie tam przez kilka tygodni, ale gdy wyzdrowieje, wróci na swoje stanowisko.

Kiwam głową.

– Rozumiem.

Nie powiedziałam mu, że sama jestem tymczasową londynką. Mogłabym to zmienić, gdybym dostała tę pracę, na co się raczej nie zanosi.

Wręcza mi wizytówkę w kolorze kości słoniowej z granatowym miedziorytem, który głosi:

James McAndrew
Galeria Riding House

Niżej widnieją dane kontaktowe. Podaję mu numer swojej komórki i adres mejlowy – zapisuje je sobie w notesie na biurku. Jego odręczne pismo, podobnie jak on sam, jest wyważone, eleganckie i nieco staroświeckie.

– Będę w kontakcie – mówi James z jednym z tych swoich mądrych uśmiechów i po chwili znów stoję na ulicy, teraz w radosnym nastroju.

Uśmiecham się szeroko do swojego odbicia w mijanych wystawach sklepowych, wciąż nie mogąc się przyzwyczaić do falistych blond włosów i zaokrągleń figury uwypuklonych przez czarną sukienkę. Jeśli nawet nie dostanę tej pracy i tak jestem zadowolona, że się odważyłam tam wejść z ulicy i zrobić wszystko, co było w mojej mocy. Postanawiam, że bez względu na to, jak się potoczą wypadki, wstąpię kiedyś do Jamesa i poproszę o radę w kwestii tego, co powinnam dalej robić, by znaleźć zatrudnienie w świecie sztuki.

Spoglądam na zegarek i z zaskoczeniem stwierdzam, że jest już późno. Zmierzam prosto do domu. Zadziwiające, ile czasu mogą zabrać zakupy i robienie się na bóstwo…

Mieszkanie znajdujące się naprzeciwko jest ciemne. Gapię się na nie przez dłuższą chwilę w nadziei, że nagle rozbłyśnie światło i ukaże się Pan R. Rozpaczliwie pragnę go ujrzeć. Przez cały dzień kołatał mi się po głowie i wciąż tam tkwi, jakby to on był tym, kto w tajemnicy śledzi mnie od rana do wieczora. Dziś jestem gotowa na spotkanie z nim. Zanim poszłam do salonu, by sprawdzić, co się dzieje naprzeciwko, odświeżyłam sobie makijaż, przeczesałam palcami włosy i wygładziłam sukienkę na biodrach. Teraz, po krytycznym zerknięciu w lustro, czuję się jak wyrafinowana, seksowna dama, bo zrobiłam maleńki kroczek w stronę elegancji, jaką prezentuje jego przyjaciółka.

„Jak gdyby on mógł to zobaczyć!".

Toteż gdy jego mieszkanie wciąż pozostaje pogrążone w ciemności, odczuwam ukłucie rozczarowania. Okno naprzeciwko nadal jest nieprzeniknione, gdy w samotności jem kolację, a potem siedzę. Puste mieszkania mają w sobie coś bardzo smutnego, zwłaszcza kiedy o zmroku zapadają w senne odrętwienie i nie ma w środku nikogo, kto by je pobudził do życia. Nic w ich wnętrzu nie ma znaczenia, o ile ktoś w nich nie mieszka, nie używa ich, nie opiekuje się nimi. De Havilland jest na mnie zły, bo nie pozwalam mu siedzieć u siebie na kolanach, ale nie chcę, aby nowa sukienka pokryła się kocią sierścią. Nadąsany idzie sobie na sofę, zwija się w kłębek tyłem do mnie i pokazuje, że nic go nie obchodzę.

Wówczas dojrzewa we mnie pewien plan, który w nieokreślony sposób, bez specjalnego udziału mojej świadomości, chodził mi po głowie przez cały dzień.

Rozdział piąty

„Beth Villiers – szpiegostwo artystyczne".

Nie. Może... „Beth Villiers, Mata Hari z Mayfair". Śmieję się z siebie. Znowu wychodzę w swoich szpilkach. Moje stopy powinny jęczeć od tego, ale trzymają się dobrze. Idę w długim płaszczu Celii, powtarzając sobie w myślach z góry ułożone kwestie.

„O, co za zbieg okoliczności, że spotykamy się tutaj! Tak, jestem umówiona ze znajomym, nazywa się James. James McAndrew. Prowadzi w pobliżu galerię sztuki i zaproponował mi drinka w tym barze. Nie mam pojęcia, czemu tak się spóźnia. Chciałbyś zamówić mi coś do picia? Czemu nie, dziękuję, miło z twojej strony. Ta sukienka? Pasuje mi? Jesteś bardzo uprzejmy...".

Gdy docieram do świateł i tętniącego życiem Soho, w mojej wyobraźni Pan R świetnie się bawi w towarzystwie Beth. Bardzo dobrze zapamiętałam drogę. Umiem teraz dokładnie przejść po własnych śladach. Przypominam sobie nawet, jakie wystawy sklepowe widziałam wczoraj wieczorem, a także twarze mijanych osób. Zapewne dlatego policja stara się jak najszybciej zorganizować dla naocznych świadków wizję lokalną przestępstwa, zanim czas zatrze zapamiętane obrazy.

Skręcam w ciemną, dyskretną boczną uliczkę obrzeżoną domami w stylu regencji. Śmieszna lokalizacja dla baru. Trzeba wiedzieć, gdzie się znajduje, żeby do niego trafić, w dodatku nie wygląda na lokal, do którego się wchodzi z ulicy, tym bardziej że kryje się w suterenie.

Stojąc przy żelaznym ogrodzeniu, biorę głęboki wdech. Zbieram w sobie całą śmiałość, jaką udało mi się dzisiaj w sobie odbudować.

„Zrobię to. Wykorzystam ten dzień do końca. Nie wystraszę się".

Schodzę po metalowych schodach, odgłos moich kroków zdradza więcej pewności siebie, niż jej faktycznie mam. Na dole mogę zajrzeć przez okna, lecz wnętrze jest zbyt słabo oświetlone. Rozróżniam postacie ludzi siedzących przy stolikach, na których płoną świece. Inne kształty poruszają się po pomieszczeniu. Patrzę na drzwi wejściowe. Są lśniąco czarne, z białym napisem THE ASYLUM[7].

„Za późno, żeby się teraz wycofać. Miejmy nadzieję, że w środku nie czeka na mnie banda wariatów".

Drżę z obawy, ręce mi się trzęsą, kiedy otwieram drzwi. Są ciężkie, ale niezamknięte nawet na klamkę, wystarczy popchnąć, aby ustąpiły wolno. Wchodzę do małego holu. Na łańcuchu wisi latarnia w kształcie gwiazdy, rozsiewająca przytłumione światło. W ramce widnieje krótka wydrukowana informacja: „Porzućcie wszelką nadzieję, wy, którzy wchodzicie"[8].

„Co to za miejsce?".

Przesuwam się kilka kroków w głąb. Nie ma nikogo, kto by mnie zatrzymał, choć stoi tu krzesło i stół z oprawioną w skórę, otwartą księgą oraz srebrnym piórem na staroświeckiej podstawce z kałamarzem. Widzę też czarną metalową kasetkę ze złotym napisem: „The Asylum".

Wejście do baru stoi otworem, idę więc powoli, mrugając oczami, by je przyzwyczaić do półmroku. Goście siedzący przy stolikach są wyrafinowani, bardzo eleganccy, słychać słaby

---

[7] *Asylum* – ang. 1. azyl, 2. szpital dla umysłowo chorych.

[8] Napis nad bramą do piekieł w *Boskiej Komedii* Dantego.

pomruk toczonych rozmów. W blasku świec błyszczą kieliszki z winem, szampanem i koktajlami. Mój wzrok wędruje dalej, na tył pomieszczenia, gdzie dostrzegam rząd klatek zwieszających się na łańcuchach z sufitu. W każdej z nich ktoś siedzi. Wytężam wzrok w mroku.

„Czy widzę to, co widzę?".

Patrzę na kobietę ubraną tylko w czarną bieliznę. Nadgarstki ma spięte kajdankami połączonymi długim łańcuchem, na nogach – wysokie, cienkie szpilki ze skórzanymi paskami krzyżującymi się wysoko na łydce. Jej twarz częściowo kryje się pod maską pobłyskującą metalowymi wstawkami, włosy są ciasno związane. Kobieta zaciska dłonie na prętach swej klatki, porusza się lekko, zmysłowo, rozkładając ręce i nogi, na ile pozwala ograniczona przestrzeń. Pozostałe klatki wyglądają podobnie – skąpo ubrane kobiety o zakrytych twarzach, wszystkie zakute w taki czy inny sposób. Jest także jeden mężczyzna o nagim torsie, ubrany w obcisłe skórzane szorty. Na szyi ma kolczastą obrożę przykutą do sufitu klatki. Nie porusza się, wzrok wbija w podłogę.

Patrzę, wciąż próbując objąć umysłem ten widok, a tymczasem do jednej z klatek podchodzi jakiś człowiek w eleganckim garniturze. Siedząca w środku dziewczyna prostuje się, żeby można ją było obejrzeć. Mężczyzna pochyla się i mruczy coś do niej, ona potakuje, a potem zniża się przed nim w geście posłuszeństwa. On znów coś mówi przez pręty klatki, ona kiwa głową. Chwilę później mężczyzna otwiera klatkę i wyciąga dziewczynę, ciągnąc za łańcuch skuwający jej ręce. Ona podąża za nim bez oporu, dając się prowadzić między stolikami.

„Co się dzieje? Czy to jakiś burdel? Naprawdę Pan R przesiaduje ze swoją dziewczyną w takim miejscu?".

– Co tutaj robisz? Kim jesteś? – nagle rozlega się ostry, agresywny głos.

Aż podskakuję na widok jego właściciela. Na pozór wygląda normalnie – niezbyt wysoki, ubrany na czarno – ale jest przerażający. Głowę ma ogoloną na łyso, a pół twarzy i czaszki wytatuowane w wijący się, prymitywny wzór. Dziwaczny, okropny efekt. Rozwścieczone, groźne oczy patrzą na mnie ze złością. W dodatku są tak wyblakłe, że prawie białe.

– Jak się tutaj dostałaś? – domaga się odpowiedzi.

Kilkoro ludzi w pobliżu odwraca się w moją stronę, ale najwyraźniej nie wzbudzam ich zainteresowania. Może są przyzwyczajeni do takich scen przy wejściu.

– Ja... ja... drzwi były otwarte... – dukam, płonąc rumieńcem. Czuję, że ręce znów mi się trzęsą. – Myślałam...

– To prywatny klub, tylko dla członków – wyjaśnia sykiem. – Dla ciebie wstęp stanowczo wzbroniony. A teraz wynoś się do diabła i przestań wtykać nos w nie swoje sprawy.

Zostałam potraktowana jak nieznośne dziecko, upokorzone przed dorosłymi. Kulę się pod groźnym spojrzeniem, czując się beznadziejnie głupio.

Zdobywam się na wysiłek, by wyminąć wytatuowanego osobnika, i potykając się, wychodzę przez mały hol na zewnątrz. Wspinam się po schodach na ulicę ze łzami w oczach, roztrzęsiona i przejęta zgrozą po tym, co się wydarzyło.

„Co to miało być? Jak mogłam myśleć, że potrafię znaleźć dla siebie miejsce w tym okropnym mieście? Czemu wydałam fortunę, żeby udawać prawdziwą kobietę, podczas gdy jestem tak głupia?".

Wszystko jest takie beznadziejne. Adam miał rację, że mnie rzucił. Nigdy nie uda mi się zostać tym, kim chciałabym być. Zaczynam gorzko płakać, wdzięczna losowi za to, że tak mało jest o tej porze przechodniów. Grzebię w kieszeni płaszcza w nadziei na znalezienie paczki chusteczek higienicznych, a po moich policzkach już toczą się łzy. Siąkam mocno nosem i ocieram oczy wierzchem dłoni. Kilka niemiłych słów i oto jestem w rozsypce, bardziej samotna niż kiedykolwiek.

– Hej, co się stało?

Podnoszę wzrok, ale oślepiają mnie łzy. Głos brzmi jednak znajomo. Na pewno już go kiedyś słyszałam.

– Płaczesz. Może ci jakoś pomóc? Zgubiłaś się?

Patrzę i widzę go – jego twarz rozświetloną blaskiem ulicznej latarni, zatroskane oczy. Uświadamiam sobie, kogo spotkałam, i mój żołądek wykonuje zamaszyste salto, po czym opada w stronę pięt. Pan R zmienia wyraz twarzy: jednocześnie marszczy czoło i śmieje się, wyraźnie zdezorientowany.

– Hej, jesteś dziewczyną z mieszkania Celii. Co tu, u licha, robisz?

– Ja… ja… – Mrugam oczami. Stoi niewiarygodnie blisko i ta bliskość na chwilę odbiera mi zdolność racjonalnego myślenia. Potrafię się jedynie zachwycać jego pięknymi oczami, tak intensywnie spoglądającymi spod czarnych brwi. Te idealne usta… Ciekawe, jak to jest, gdy cię całują? Mam ochotę wyciągnąć rękę i pogładzić jego twarz, poczuć pod palcami szorstki ciemny zarost.

– Zgubiłaś się? – Ma zatroskaną minę.

Kiwam głową, starając się więcej nie siąkać.

– Wyszłam na spacer – udaje mi się wykrztusić. „O Boże, żebym tylko nie dostała czkawki, proszę…". – Pewnie zaszłam dalej, niż mi się zdawało.

– Hej. – Jego ciemne oczy lśnią w świetle latarni. – Nie płacz już. Wszystko w porządku. Zaprowadzę cię do domu.

– Ale… – już mam zapytać, czy się nie wybiera do tamtego klubu, gdy przychodzi mi na myśl, że zdradziłabym swoje szpiegowanie. – Nie jesteś zajęty? Nie chcę ci zepsuć wieczoru.

– Nie bądź niemądra – mówi prawie opryskliwie. – Nie zostawię cię tutaj samej. Powiedziałem, że cię zabiorę do domu.

Martwi mnie, że go rozdrażniłam. Tymczasem on wyjmuje z kieszeni telefon, wstukuje wiadomość i wysyła ją, nie patrząc w moją stronę. Minę ma dziwnie surową.

– No, załatwione – oznajmia. – Wracajmy tam, gdzie będziesz bezpieczna.

Łzy mi obeschły, gdy tylko ku swemu zdumieniu uświadomiłam sobie, że idę ulicami Soho z Panem R u boku. On ma na sobie jeden ze swoich nieskazitelnych biznesowych garniturów, a gdy tak kroczy obok mnie, domyślam się, że musi mieć około stu dziewięćdziesięciu centymetrów wzrostu, zatem góruje nade mną z moimi stu siedemdziesięcioma centymetrami. Idzie gładko, uważając, żebym mogła za nim nadążyć. Czuję się, jakbym była balonem wypełnionym helem – jeszcze chwila, a zacznę się unosić nad ziemią.

Przeciskamy się przez grupkę nastoletnich turystów stojących przed jakimś barem szybkiej obsługi. Pan R kładzie mi rękę na plecach w okolicy krzyża i prowadzi mnie delikatnie. Gdy wynurzamy się po drugiej stronie tłumu, ledwie mogę mówić z podniecenia wywołanego jego dotykiem. Kiedy cofa dłoń, czuję się jakby opuszczona.

– Naprawdę daleko się zapuściłaś – zauważa, marszcząc brwi. – Nie masz ze sobą planu miasta? Albo nawigacji w telefonie?

Potrząsam głową, czując się głupio.

– Niemądrze z mojej strony.

Przez chwilę spogląda na mnie prawie groźnie, mrucząc:

– Rzeczywiście, bardzo niemądrze. Wiesz, w tych okolicach może być niebezpiecznie. – Potem trochę spuszcza z surowego tonu. – Cóż, coś mi mówi, że nie jesteś obeznana z Londynem.

– To prawda. Jestem tu pierwszy raz.

– Naprawdę? Więc skąd znasz Celię?

Jeśli był na mnie zły, zdaje się, że już mu przeszło. Jego oczy nabrały ciepłego blasku.

– Celia jest matką chrzestną mojego taty. Była w moim życiu, odkąd pamiętam, ale nie znam jej zbyt dobrze. To znaczy widziałam ją tylko kilka razy i nigdy dotąd jej nie odwiedziłam. Zdziwiłam się, kiedy zaproponowała, żebym na jakiś czas zajęła się jej mieszkaniem.

– Rozumiem, dlaczego skorzystałaś z okazji.

„Czy ludzie myślą, że jesteśmy razem? Może sądzą, że to mój chłopak… Kto wie? Jest tak niewiarygodnie wspaniały, chociaż…".

Gdy tak zmierzamy na zachód w stronę Mayfair, bezwiednie zachwycam się każdą jego cechą. Ma piękne dłonie – silne i szerokie, o długich palcach. Zastanawiam się, jakby to było poczuć je na swojej skórze, na nagich plecach. Na samą myśl o tym lekko drżę. Wszystkie jego ubrania wyglądają na drogie. On sam nosi się lekko, jednak bez cienia tego rodzaju arogancji, jakiej można by się spodziewać po takim człowieku.

Zaczyna rozmowę o Celii, jak ją poznał przez to, że okna ich mieszkań wychodzą dokładnie naprzeciw siebie.

„Naprawdę? Serio?".

Silę się na niewinną minę, a jemu najwyraźniej nie przychodzi do głowy, że mogłabym go podglądać.

– Jej mieszkanie jest niesamowite, prawda? – zagaduje dalej. – Raz czy dwa byłem u niej na kawie. Zdumiewająca kobieta. Taka interesująca… I historie, które ma do opowiedzenia o swojej karierze! – Śmieje się i potrząsa głową, a ja mu wtóruję. Zdaje się, że zna Celię nawet lepiej niż mój ociec. Sposób, w jaki o niej mówi, sprawia, że nabieram ochoty, by ją poznać lepiej.

– Jest taką osobą, jaką sam chciałbym być, kiedy osiągnę jej wiek – ciągnie Pan R. – Starzeje się z wdziękiem i wciąż czerpie radość z życia. Ale martwię się także o nią. To prawda, że tryska energią, lecz przecież wiek robi swoje. Pewnie nie chciałaby tego przyznać, jednak zdaje się, że jest trochę wrażliwa, podatna na ciosy. Mam ją więc na oku, tak na wszelki wypadek.

„W dodatku jest opiekuńczy. O Boże, chyba się zabiję!".

– Ale znasz Celię – mówi żartobliwie. – Ma siedemdziesiąt dwa lata, prawda? Zapewne świetnie się teraz bawi. Przypuszczalnie przeżyje nas wszystkich i ruszy na Mount Everest, podczas gdy my z trudem będziemy się wspinać po własnych schodach.

Teraz, gdy moje łzy obeschły, a jego rozdrażnienie ustąpiło, atmosfera rozmowy wyraźnie się rozluźniła. Zbliżamy się do Randolph Gardens. Zwalniam odrobinę, mając nadzieję przeciągnąć nieco czas, kiedy jesteśmy razem. Lada chwila będziemy na miejscu i każde z nas skieruje się w swoją stronę. Nie chcę takiego biegu wydarzeń. Jestem pewna, że czuję między nami jakąś chemię.

Nagle Pan R zatrzymuje się i zwraca twarzą do mnie.

– Mieszkasz sama, prawda? – pyta.

Kiwam głową. Patrzy na mnie przez chwilę badawczo, a potem mówi miękko:

– A może wstąpisz do mnie? Zdaje się, że dobrze by ci zrobiła filiżanka kawy, nie chciałbym, żebyś wracała do mieszkania Celii wciąż zdenerwowana. Poza tym mówiłem przez całą drogę, a nie wiem nic o tobie.

Cudownie słucha się jego głosu. „Czy chcę wstąpić do niego na kawę?". Serce bije mi szybciej, ogarnia mnie drżenie.

– Tak, byłoby bardzo miło – odpowiadam nieco bardziej piskliwie, niżbym sobie życzyła.

– Dobrze. Wobec tego chodźmy. – Obraca się i rusza schodami w górę, po czym nagle zatrzymuje się i spogląda na mnie. Zamieram, bojąc się, że zmienił zdanie, ale on mówi: – Nie wiem nawet, jak masz na imię.

– Beth. Na imię mi Beth.

– Beth. Ładnie. – Uśmiecha się do mnie jednym ze swoich zniewalających uśmiechów. – Ja jestem Dominic.

Potem wchodzi do kamienicy, a ja podążam za nim.

W windzie bliskość naszych ciał jest tak elektryzująca, że z trudem oddycham. Nie umiem podnieść na niego wzroku, ale intensywnie odczuwam świadomość jego ramienia ocierającego się o moje. Przy najlżejszym ruchu przyciśniemy się do siebie. „A jeżeli winda się zatnie? Jeśli w niej utkniemy?". Widzę go nagle w wyobraźni, jego usta na moich, jego ręce oplatające mnie ciasno. „O Boże". To wywołuje w moim brzuchu wszelkie możliwe fajerwerki. Rzucam ukradkowe spojrzenie spod powiek. Jestem prawie pewna, że on również odczuwa wiszące w powietrzu napięcie.

Niemal się cieszę, gdy winda dociera na miejsce i znowu mogę złapać oddech. Wychodzę za nim na korytarz. To dziwne, znaleźć się po przeciwnej stronie budynku. Teraz, kiedy jesteśmy w domu, a nie na ulicy, z każdą minutą robię się coraz bardziej nieśmiała. I jeszcze fakt, że wszystko tu jest takie samo, tylko w odwróconej symetrii. Podczas gdy Dominic prowadzi mnie do swoich drzwi i otwiera je, czuję się jak Alicja po drugiej stronie lustra.

– Wejdź. – Uśmiecha się. – I nie bój się, powinienem był to powiedzieć wcześniej. Nie jestem psychopatą mordującym samotne ofiary. W każdym razie nie w czwartki.

Śmieję się. Ani przez chwilę nie przemknęło mi dotąd przez myśl, że mogłabym przy nim nie być bezpieczna. Jest przecież przyjacielem Celii, prawda? Wiem dokładnie, gdzie mieszka. Wszystko w porządku.

Wewnątrz przede wszystkim dostrzegam własne odbicie w lustrze i z przerażoną miną witam ten obraz nędzy i rozpaczy. Moje włosy, niedawno tak pięknie podkręcone i ułożone, oklapły i teraz zwisają smętnie dookoła twarzy. Makijaż się starł, jestem blada, mam napuchnięte, zaczerwienione oczy, a pod nimi malownicze czarne zacieki. Super. To tyle, jeśli chodzi o Pannę Wyrafinowannę.

– Och! – wyrywa mi się okrzyk.

– Co się stało? – pyta Dominic. Właśnie zdejmuje marynarkę, co daje mi okazję do zerknięcia na kuszący zarys jego mięśni.

– Rozmazał mi się makijaż. Wyglądam jak straszydło.

– Czekaj. – Podchodzi blisko, a potem, ku mojemu zdumieniu, przeciąga mi opuszkiem kciuka pod okiem, delikatnie wycierając smugi.

Znów z trudem łapię oddech. Jego dotyk jest ciepły i miękki. Kciuk zatrzymuje się, palce spoczywają na moim policzku. Myślę, że Dominic zacznie teraz pieścić mi twarz i niczego innego nie pragnę bardziej. Mrugam i miękko wciągam powietrze. On natychmiast cofa rękę, ucieka wzrokiem i mówi:

– Zrobię kawę.

Potem przechodzi do kuchni, zostawiając mnie samą.

„Czy to tylko moja wyobraźnia, czy właśnie było coś między nami?".

– Jaką kawę pijesz? – woła, gdy w czajniku już szumi woda.

– Ach… z mlekiem, dzięki – odpowiadam. Odwracam się do lustra i desperacko poprawiam włosy, lecz on już idzie z powrotem, więc muszę dać sobie spokój z fryzurą.

– Pozwolisz, że odwieszę twój płaszcz? Wieczór chyba trochę za ciepły na takie okrycie.

Sięga po mój trencz. Czuję, że celowo przeszedł na bardziej oficjalny ton, żeby zatrzeć wrażenie po tamtej ulotnej chwili.

– Ja… eee… czasem mi zimno – dukam. – Boję się zmarznąć na dworze.

Prowadzi mnie do swojego salonu i wskazuje długą, nowoczesną, kanciastą sofę.

– Usiądź. Przyniosę kawę.

Wolno podchodzę do sofy, rozglądając się wokół siebie. Znam rozplanowanie pokoju dzięki widokowi z naprzeciwka, ale znaleźć się w środku to co innego. Przede wszystkim wnętrze okazuje się znacznie bardziej luksusowe i stylowe, niż wyglądało z pewnej odległości. Przypuszczam, że człowiek, którego stać na mieszkanie w tej części miasta, może sobie również pozwolić na znakomity wystrój. A ten jest bardzo nowoczesny, utrzymany w różnych odcieniach szarości i taupe, z czarnymi akcentami. Sofa w kształcie litery L jest koloru wypłukanego kamienia, z opasłymi popielatymi i białymi poduchami. Tuż przy niej stoi duży stolik kawowy – szklany blat wsparty na nogach wyglądających jak bloki granitu. Po drugiej stronie stolika, naprzeciwko sofy ustawiono dwa eleganckie czarne fotele. Na bocznych stolikach z jasnego, polerowanego drewna umieszczono spore szklane lampy o czarnych kloszach. Charakteru dodaje pokojowi gustowna ceramika: komplet trzech białych wazonów w różnych rozmiarach, duża kopulasta ozdoba pokryta czarnymi spiralnymi wzorami oraz sztuka etniczna. Część głównej ściany zajmuje maska wyrzeźbiona w czarnym drewnie, a także ogromny biało-czarny obraz, który początkowo biorę za abstrakcję, póki nie odkryję, że mam przed sobą wielkie powiększenie fotografii przedstawiającej chmarę ptaków w locie, a ich skrzydła i ciała są zamazane z powodu szybkiego ruchu. Ściany pokryto tapetą, ale nie papierową, tylko tekstylną – szorstkim materiałem podobnym do konopnego. Na podłodze leży gruby, blady wełniany dywan, jaki można sobie sprawić tylko wtedy, gdy nie ma w perspektywie małych dzieci ani zwierząt. Nad kominkiem wisi duży telewizor z płaskim ekranem, a palenisko jest pełne grubych świec, które w tej chwili nie płoną. Koło okna stoi dobrze zaopatrzony barek.

Siadam, chłonąc nastrój otoczenia.

„Wow. Prawdziwe kawalerskie gniazdko. Ani słowa".

Urządzone jest po męsku, ale bez przesady. Wszystko w dobrym guście. Właściwie akurat tego się spodziewałam.

Mój wzrok przyciąga nietypowy mebel. Wygląda jak stołek czy niskie siedzisko, ale niezupełnie. Zamiast podłokietników po jednym z każdego boku, ma dwa po jednej stronie, i to dość oddalone od siebie, przy czym drugi jest jakby szerokim oparciem z odwiniętym tyłem.

„Bardzo dziwna rzecz. Do czego służy?".

Przed oczami staje mi nieproszony obraz. Wspomnienie sceny w klubie wcześniej tego samego wieczoru. Widzę dziewczynę w klatce, wijącą się za prętami, jej oczy błyskające spod maski. Patrzę, jak idzie za mężczyzną, potulna niczym poskromiony mustang. To w tamto miejsce Dominic chadza ze swoją przyjaciółką. Czuję lekki niepokój, jakby wątpliwości. Byłam zauroczona jego wyglądem i aurą uprzejmości, jaką mi okazał, ale może ta prostolinijność to pozór.

W tym momencie Dominic wchodzi z tacą, na której niesie dzbanek z kawą, mleko w dzbanuszku i dwie filiżanki. Stawia to na szklanym blacie i siada na sofie niedaleko mnie – blisko, ale bez zażyłości.

– Zatem – zagaja, nalewając kawę i mleko, a potem podając mi filiżankę – opowiedz mi coś o sobie, Beth. Co cię sprowadza do Londynu?

Mam na końcu języka: „Złamano mi serce i przyjechałam tu, żeby się wyleczyć", ale zabrzmiałoby to zbyt osobiście, toteż ograniczam się do innych wyjaśnień:

– Chciałam przeżyć przygodę. Jestem dziewczyną z małego miasteczka i muszę rozwinąć skrzydła.

Kawa jest gorąca i aromatyczna. Właśnie tego mi trzeba. Pociągam łyk – pyszna.

– Przybyłaś we właściwe miejsce. – Dominic kiwa głową. – To najwspanialsze miasto na świecie. To znaczy podobnie jak Nowy Jork czy Paryż. Jestem też, bez względu na to, co się mówi, wielkim fanem Los Angeles, lecz Londyn… żadna metropolia się do niego nie umywa. A ty znalazłaś się w samym sercu!

Gestem pokazuje okno. W budynkach dookoła nas błyszczą w ciemności setki okien.

– Mam dużo szczęścia – przyznaję szczerze. – Gdyby nie Celia, nie byłoby mnie tu.

– Jestem pewien, że ty także wyświadczasz jej przysługę. – Znów się do mnie uśmiecha i czuję dziwne napięcie. Czy on ze mną flirtuje?

To cudowne wrażenie być tuż obok niego. Bliskość jego szerokich barków ukrytych pod białą koszulą wprawia mnie w zakłopotanie. Wyczuwam promieniujące w moją stronę ciepło jego skóry. Kształt jego ust sprawia, że oddycham płytko, a w żołądku trzepocze mi się podekscytowanie, zataczające kręgi w stronę pachwin. Boże, mam nadzieję, że on nie zauważy tego, jaki ma na mnie wpływ. Pociągam kolejny łyk gorącej kawy – oby mnie to sprowadziło na ziemię. Kiedy podnoszę wzrok, czarne oczy patrzą na mnie i ledwie powstrzymuję okrzyk.

– Powiedz, jakie wrażenie zrobił na tobie Londyn?

Nie powinnam być tak nieśmiała, ale jego magnetyzm przemienia mnie z powrotem w Beth prowincjuszkę, którą wciąż usiłuję ukryć. Zaczynam mu opowiadać o tym, co widziałam w mieście, potykam się jednak o słowa, szukając najwłaściwszego sposobu na oddanie swoich wrażeń. Chcę ze swadą mówić o dziełach sztuki i miejscach, ale wychodzi na to, że recytuję listę atrakcji turystycznych. On mimo to jest absolutnie czarujący, zadaje mi pytania świadczące o zainteresowaniu i wygląda na zafascynowanego moją opowieścią. Chyba nie uświadamia sobie, że w ten sposób jeszcze pogarsza niezdarność moich wypowiedzi.

– I ogromnie podobał mi się zbiór miniatur w Wallace Collection, i portret Madame Pamplemousse – mówię, siląc się na ton znawczyni.

– Madame Pamplemousse? – Dominic wygląda na zdezorientowanego.

– Tak... – Z zadowoleniem popisuję się swoją wiedzą. – To metresa Ludwika XV.

– Och! – Twarz mu się rozjaśnia. – Masz na myśli Madame Pompadour.

– Tak. Oczywiście. Madame Pompadour. Ją miałam na myśli.

– Czuję się niezręcznie. – A co powiedziałam?

– Madame Pamplemousse. – Wybucha śmiechem. – Madame Grejpfrut[9]! Świetne! – Śmieje się autentycznie, odrzucając głowę do tyłu i pokazując idealne białe zęby, a głęboki dźwięk brzmi donośnie w pokoju.

Wtóruję mu, lecz czuję się udręczona. Jak mogłam palnąć coś tak głupiego? Policzki mi płoną ze wstydu i choć usiłuję to pokryć śmiechem, oczy znów zaczynają mnie piec. „O, nie, tylko nie to! Nie rozbecz się, to żałosne". Ale im bardziej surowo karcę się w duchu, tym gorzej się czuję. Zrobiłam z siebie idiotkę jak dzieciak i zaraz się z tego powodu rozpłaczę. Z całej siły staram się to powstrzymać w sobie, mocno przygryzając od środka policzek.

Na widok mojej miny Dominic od razu przestaje się śmiać, jego uśmiech znika.

– Hej, nie denerwuj się. W porządku, wiem, co miałaś na myśli. To po prostu zabawne i tyle, nie śmieję się z ciebie. – Wyciąga rękę i kładzie ją na mojej dłoni.

W momencie gdy nasze ręce się spotykają, dzieje się coś dziwnego. Jego dotyk działa na mnie elektryzująco, prawie parzy. Coś jakby prąd przepływa między nami i niemal przyprawia mnie o dreszcz. Zdumiona podnoszę wzrok i patrzę mu w oczy. Po raz pierwszy widzę go tak naprawdę, a on odpowiada spojrzeniem, zaskoczony, prawie zakłopotany, jakby też poczuł coś, czego się nie spodziewał. Mam wrażenie, że dostrzegam jego prawdziwe ja, nieukryte za maską uprzejmości i konwencji, a on z kolei spogląda w głąb mnie.

---

[9] *Pamplemousse* – fr. grejpfrut.

Przez nasze życie codziennie przewijają się setki twarzy, pojawiają się i znikają bez naszej świadomości. W pociągach, autobusach, windach i na ruchomych schodach migają spojrzenia, z którymi nawiązujemy króciuteńką łączność – ta jednak natychmiast zostaje przerwana. Przez ułamek sekundy zauważamy czyjeś istnienie, dociera do nas fakt, że ktoś ma swoje życie, przeszłość i historię, która nieubłaganą koleją losu doprowadziła go w to miejsce, zaraz jednak łączność ginie, odwracamy oczy, nasze ścieżki rozchodzą się, każdy idzie w swoją stronę, ku własnej przyszłości.

Lecz teraz, patrząc w oczy Dominica, odnoszę wrażenie, że go znam, mimo że jest mi obcy. Jak gdyby różnica wieku i odmienny tryb życia ani trochę nie miały znaczenia. W jakiś dziwny sposób przenikamy do swoich osobowości.

Zewnętrzny świat odpływa i zanika. Pozostaje mi tylko świadomość ciepła jego ręki na mojej dłoni, toczący się przez moje ciało strumień podekscytowania, głębokie poczucie więzi. Wpatruję się w oczy, które wydają się prześwietlać moje tajemnice. Natychmiast pojawia się przekonanie, że on mnie rozumie. Jestem pewna, że odczuwa to samo co ja.

Zastygliśmy tak na wieczność, ale naprawdę trwało to zapewne kilka sekund. Zaczynam z powrotem ogarniać sytuację, wracać do rzeczywistości niczym pływak wynurzający się na powierzchnię po długim nurkowaniu. Z drżeniem oczekiwania zastanawiam się, co teraz będzie.

Dominic wygląda na zdumionego i zakłopotanego, jakby zdarzyło się coś, czego sobie nigdy nie wyobrażał. Otwiera usta i ma już coś powiedzieć, kiedy rozlega się jakiś dźwięk w przedpokoju. Mój gospodarz natychmiast rzuca spojrzenie w tamtą stronę i ja się też odwracam, akurat w chwili, gdy wchodzi kobieta. Mimo ciepłego wieczoru ma na sobie długie czarne futro, a na jej twarzy maluje się gniew.

– Gdzie się, u diabła, podziewasz? – w jej głosie słychać złość. Nagle na mój widok staje jak wryta i przeszywa mnie spojrzeniem ostrym jak sztylet. – Och! – zwraca się do Dominica. – Kto to jest?!

Nastrój chwili, nasze połączenie – wszystko znika. Dominic pośpiesznie cofa rękę.

– Vanesso, pozwól, że ci przedstawię Beth. Beth, to moja przyjaciółka Vanessa.

Bąkam ciche słowa powitania. To ta kobieta, którą widziałam tu kiedyś. Vanessa. Pasujące imię.

– Beth chwilowo mieszka naprzeciwko – ciągnie Dominic. Jest bardzo opanowany, ale gdzieś spod spokojnej powierzchni wyziera lekkie zdenerwowanie. – Po sąsiedzku zaprosiłem ją na kawę.

Vanessa wita mnie skinieniem głowy.

– Cóż za uprzejmość – rzuca chłodno. – Ale mieliśmy się spotkać dwie godziny temu.

– Tak, przepraszam. Nie dostałaś mojej wiadomości?

Zauważam, że nie wspomina o tym, jak mi przyszedł z pomocą na ulicy w Soho.

Vanessa posyła mu znaczące spojrzenie, najwyraźniej dając do zrozumienia, że nie może o tym rozmawiać przy mnie. Natychmiast podrywam się na równe nogi.

– Bardzo dziękuję za kawę, Dominicu, niezmiernie miło z twojej strony. Lepiej już wrócę do siebie. Nie mogę zostawiać De Havillanda zbyt długo samego.

– De Havillanda?

– Kota Celii – wyjaśniam.

Vanessa wygląda na rozbawioną.

– Opiekujesz się kotem, tak? Jak słodko. Cóż, w takim razie nie będziemy cię zatrzymywać.

Dominic również wstaje.

– Skoro tak uważasz, Beth. Na pewno nie chcesz dokończyć kawy?

– Nie, nie sądzę. – Potrząsam głową. – Tak czy inaczej dziękuję.

Odprowadza mnie do przedpokoju i podaje mi płaszcz. Znowu patrzę w te oczy. Czy tamten moment naprawdę się zdarzył? Dominic wygląda tak samo jak poprzednio – uprzejmy, grzeczny nieznajomy. A jednak… coś ciągle kryje się w tej czarnej głębi.

– Uważaj na siebie, Beth – mówi przyciszonym głosem już przy drzwiach. – Jestem pewny, że wkrótce znowu się zobaczymy.

Potem nachyla się i leciutko muska ustami mój policzek. Przy tym dotknięciu z całych sił powstrzymuję się, żeby nie odwrócić głowy i nie podsunąć mu do pocałunku ust; tak bardzo tego pragnę. Teraz skóra pali mnie w miejscu, którego dotknął.

– Z przyjemnością – odpowiadam niemal szeptem. Drzwi się zamykają i podążam do windy, zastanawiając się, czy uginające się kolana doniosą mnie z powrotem do mieszkania Celii.

Rozdział szósty

Moja skrzynka odbiorcza jest pełna wiadomości, ale większość z nich to śmieci. Przewijam je i usuwam, zdziwiona, że zapisałam się na tak wielu stronach plotkarskich i zakupowych. Obok mnie stoi wielki kubek kawy z pianką z czekoladową posypką na wierzchu. Znalazłam punkt jednej z tych sieciowych kawiarni, w których wszyscy siedzą nad do połowy wypitą kawą i laptopem, korzystając z darmowego Wi-Fi. Jest jednak mejl od Laury. Moja przyjaciółka podróżuje teraz po Panamie, a do wiadomości dołączyła kilka fotek, na których ugina się pod wielkim plecakiem i szeroko uśmiecha do aparatu, a w tle zielenią się splątane zarośla albo pyszni się jakiś niewiarygodny widok.

„Strasznie mi Cię brakuje – pisze. – Nie mogę się doczekać, kiedy się znów zobaczymy. Mam nadzieję, że korzystacie z Adamem z lata, totalnie w sobie rozkochani. Ściskam i całuję, Laura".

Gapię się w jej słowa, zastanawiając się, co odpisać. Myśli, że siedzę w domu, rano pracując jako kelnerka, a wieczory spędzając z Adamem. Tymczasem wszystko to mam już daleko za sobą i coś mi mówi, że moja przygoda dopiero się rozpoczyna. Przez chwilę rozważam, czy opowiedzieć o tym przyjaciółce, ale jeszcze nie jestem na to gotowa. Mój sekret jest zbyt delikatny i nietypowy, w dodatku usytuowany w niezupełnie realnym świecie. Jeśli o nim rozpowiem, mogę go nieumyślnie zniszczyć.

Drżę ze słodkiej rozkoszy na wspomnienie tamtego wczorajszego momentu u Dominica. (Zdumiewające, jak szybko stał się dla mnie Dominikiem; przezwisko „Pan R" wydaje się teraz dziecinne i głupie). Gdy sobie przypomnę to spojrzenie, tę dziwną, nieoczekiwaną bliskość, wszystko zaczyna we mnie szaleńczo wirować, jak gdyby wnętrzności urządziły sobie w środku mojego ciała prywatną karuzelę. To po trosze przyjemne, a po trosze nie do zniesienia.

Ale z drugiej strony… jest Vanessa. Jego przyjaciółka. Ta, którą widziałam z nim poprzednio i z którą miał się wczoraj spotkać.

„Nie powiedział jej jednak, że natknął się na mnie w Soho ani że mi pomógł.

To nic nie znaczy, idiotko.

Mimo to… można pomarzyć, prawda?".

Wklepuję szybko liścik do Laury, pisząc, jak świetnie się musi bawić i że już się nie mogę doczekać, kiedy wróci, żeby jej opowiedzieć, co u mnie słychać. Tymczasem w skrzynce odbiorczej pojawia się kolejna wiadomość – klikam, by sprawdzić od kogo. Nadawca: james@ridinghousegallery.com. „Kto?". Przez chwilę gubię się w domysłach, aż w końcu kojarzę: „O Boże, przecież się staram o pracę w galerii".

Otwieram mejla.

Droga Beth,
wczorajsze spotkanie z Tobą było dla mnie prawdziwą
przyjemnością. Rozmawiałem następnie z kilkoma innymi
kandydatami i muszę przyznać, że żaden z nich nie wykazał się
takim jak Ty entuzjazmem ani tym czymś, co, jak sądzę, wniosłoby
radość w naszą wspólną pracę. Jeżeli nadal jesteś zainteresowana,
chętnie porozmawiam z Tobą o objęciu stanowiska asystentki
w galerii na czas lata. Proszę, daj mi znać, jaka pora byłaby dla
Ciebie odpowiednia, żebym do Ciebie zadzwonił.
Czekam na kontakt z Twojej strony.
Z pozdrowieniami, James McAndrew

Wpatruję się w wiadomość i czytam ją trzy razy, zanim dotrze do mnie jej treść. James proponuje mi pracę. „Och, fantastycznie!". Jestem uszczęśliwiona, triumfuję. A więc wczorajszy dzień nie był kompletną katastrofą – pod jakimś względem mój nowy wygląd zdał egzamin. Wiem, że stanę na nogi, skoro dostałam pracę w takiej porządnej galerii.

„Kto wie, dokąd mnie to zaprowadzi?".

Szybko wysyłam odpowiedź: tak, jestem absolutnie zdecydowana i bardzo chętna do pracy u niego. Może zadzwonić do mnie na komórkę o dowolnej porze. Ledwie zdążyłam kliknąć „wyślij", dzwoni telefon, który położyłam obok laptopa na stole. Prędko chwytam komórkę i odbieram.

– Halo?

– Beth, tu James.

– Witaj!

– Zatem czy zostaniesz moją nową asystentką? – Słyszę po głosie, że się uśmiecha.

– Tak, oczywiście! – Na mojej twarzy pojawia się uśmiech od ucha do ucha.

– Kiedy możesz zacząć?

– Może od poniedziałku?

Śmieje się.

– Masz zdecydowanie dużo entuzjazmu. Świetnie, od poniedziałku. – Opowiada mi trochę o pracy i o wynagrodzeniu. Dostanę niewiele więcej, niż zarabiam jako kelnerka, ale przypuszczam, że takie są realia na niskich szczeblach kariery zawodowej. Mówi też, że będzie czekał na mnie w poniedziałek. Dziękuję mu wylewnie za zaufanie, a po rozłączeniu czuję się bardzo podniesiona na duchu. Czyżby Londyn naprawdę otwierał dla mnie drzwi? Prędko wystukuję wiadomość do rodziców – dzielę się wspaniałą nowiną i zapewniam, że wszystko u mnie w porządku. Za oknem kawiarni miasto kąpie się w złocistym słońcu.

„Ostatnie dni wolności przed rozpoczęciem pracy – lepiej wyjdę i dobrze je wykorzystam".

Kończę kawę, pakuję laptop i ruszam do mieszkania. Zostawiam manele i wybieram się na zwiedzanie National Gallery, a także innych obowiązkowych atrakcji, które mam na liście. Jestem rozpromieniona, świat staje się taki ekscytujący. „Zadziwiające, jak zmiana nastroju może na wszystko wpłynąć". Galeria okazuje się o wiele za duża, żeby ogarnąć jej zbiory podczas jednej wizyty, decyduję się więc na sztukę europejską XX wieku, aby się przygotować do pracy, a potem oglądam jeszcze kilka wielkich arcydzieł renesansu, by zakończyć zwiedzanie mocnym akcentem.

Po wyjściu na Trafalgar Square, gdzie czarne kamienne lwy dostojnie strzegą fontann, myślę, że to zbrodnia spędzić resztę tego słonecznego dnia w czterech ścianach. Meandruję między grupami turystów i zwiedzających i wracam do mieszkania. Biorę mój kocyk, okulary przeciwsłoneczne, książkę, wodę w butelce i trochę owoców. Potem wychodzę do ogrodu na tyłach budynku i zajmuję swoje stare miejsce koło kortów. Dominica tam nie ma, nikt nie gra w tenisa i jestem tym nieco rozczarowana, ale mówię sobie, że pewnie mój sąsiad jest w pracy. Ciekawe, czym się zajmuje. Kilka dni temu był na korcie w dość wczesnych godzinach, więc może pracuje o różnych porach. Kto wie?

Leżę z książką i biorę się do czytania, rozkoszując się ciepłem słońca. Bardzo się staram skupić na tekście, ale moje myśli i tak wędrują ku Dominicowi i tamtej wieczornej chwili. On też musiał poczuć to coś, jestem pewna. Przypominam sobie jego zmieszanie, zaskoczenie spowodowane siłą naszej łączności, jak gdyby się dziwił: „Ta dziewczyna? Ale… to się nie powinno wydarzyć…".

Wzdycham, odkładając książkę. Zamykam oczy, by przywołać widok jego twarzy i oczu, wspomnienie dotyku i tej elektrycznej iskry, którą we mnie wzbudził.

„Beth".

Słyszę głos tak wyraźnie, jak gdyby Dominic stał tuż obok mnie. Trudno nie poczuć dreszczu na ten niski, głęboki, melodyjny dźwięk. Wzdycham i przesuwam sobie dłonią po piersi, marząc, żeby naprawdę tu był.

– Beth? – Tym razem rozlega się głośniej i bardziej pytająco.

Otwieram oczy i aż zapiera mi dech w piersi. Dominic stoi tuż obok i uśmiecha się, patrząc na mnie.

– Przepraszam, jeśli cię wystraszyłem – mówi.

Prostuję się, mrugając oczami.

– Nie spodziewałam się, że cię tu zobaczę.

Ma na sobie luźne dżinsy i biały T-shirt. Wygląda uroczo – codzienny strój pasuje mu tak samo jak oficjalny. W oczach widać jakieś nieodgadnione zaciekawienie.

– Szczerze powiedziawszy, nie wiem, czemu tu jestem – mówi. – Pracowałem na górze, gdy naszło mnie nieodparte przekonanie, że powinienem zejść do ogrodu i że cię tu znajdę. – Rozkłada ręce. – I jesteś.

Patrzymy na siebie z uśmiechem. Jest trochę niezręcznie, ale to tylko powierzchowne wrażenie. Wciąż iskrzy się łączność nawiązana poprzedniego wieczoru.

– Co porabiasz?

– Zwyczajnie się opalam. Chłonę cudowną pogodę. Tak naprawdę strasznie się lenię.

Dominic stoi, patrząc na mnie z góry.

– Mam na dzisiaj dość pracy. Wyszłabyś gdzieś ze mną? Znam w pobliżu fantastyczny pub z ogródkiem, robią tam niezłe letnie koktajle. Nie mogę sobie wyobrazić nic bardziej leniwego niż popołudnie w tym miejscu, z tobą.

– Chętnie.

– Świetnie. Mogę ci pokazać trochę Londynu, jakiego być może nie odkryjesz sama. Pójdę tylko na górę po parę rzeczy. Spotkajmy się przy drzwiach za dwadzieścia minut, dobrze?

– Cudownie – odpowiadam promiennym uśmiechem, czując się lekko i radośnie.

Dwadzieścia minut mi wystarcza, żeby się przebrać z krótkich spodenek i bluzki w kwiecistą letnią sukienkę, a tenisówki zastąpić błyszczącymi klapkami. Po chwili wahania biorę z szafy Celii koronkowy szal i zarzucam go sobie na ramiona. Z nowo ufarbowanymi na blond włosami zebranymi w koński ogon i w okularach przeciwsłonecznych wyglądem kojarzę się trochę z latami sześćdziesiątymi. Przeczuwam, że szal Celii przyniesie mi szczęście, choć nie mam pojęcia w jaki sposób. Czy ona życzyłaby sobie, żeby mnie połączył jakiś związek z jej sąsiadem? Coś mi mówi, że byłaby zachwycona. Prawie słyszę, jak szepcze: „Korzystaj, Beth. Baw się dobrze! Czemu nie?".

Dominic czeka na mnie przy frontowych drzwiach kamienicy. On też ma okulary przeciwsłoneczne, kanciaste, czarne firmy Ray-Ban. Gdy się pojawiam, właśnie czyta SMS-a. Podnosi wzrok, spostrzega mnie i natychmiast jego twarz rozjaśnia wielki uśmiech, a telefon wędruje do kieszeni dżinsów.

– Jesteś. Wspaniale. Chodźmy.

Rozmawiamy swobodnie, idąc rozgrzanymi ulicami Mayfair. Dominic wie, dokąd zmierzamy, a ja oddaję się całkowicie w jego ręce, gdy przemierzamy zaciszne boczne uliczki, cieniste zaułki i małe ukryte skwery. Ludzie siedzą przy stolikach przed kawiarniami i barami, otwarte okna i drzwi wpuszczają do środka powiew wiatru. Tu i tam wiszą kosze z kolorowo kwitnącymi kwiatami, barwiąc fasady szkarłatem i różem. To cudowne uczucie tak iść obok niego, jakbyśmy należeli do siebie, jakby udzielała mi się część jego wspaniałości – przynajmniej tak sobie myślę.

– To tutaj – mówi Dominic, gdy się zbliżamy do pubu.

Jest to tradycyjny budynek, na zewnątrz gęsto obrośnięty zielenią i barwnymi kwiatami. Wnętrze okazuje się przestronne i nowoczesne, utrzymane w minimalistycznym stylu. Dominic prowadzi mnie przez półciemny bar na wewnętrzny dziedziniec przekształcony w piękny ogród z drzewami i kwiatami w donicach oraz drewnianymi stolikami kryjącymi się w cieniu wielkich parasoli. Następnie zamawia u kelnerki dzban koktajlu Pimms. Napój przybywa niemal natychmiast; jest koloru mrożonej herbaty, przyrządzony z lodem i owocami. Przy spienionej powierzchni unoszą się plasterki truskawek, jabłek i ogórka, przemieszane z listkami mięty.

– Czym byłoby lato bez Pimmsów – mówi mój towarzysz, nalewając mi napój do wysokiej szklanki. Lód i owoce wpadają wraz z płynem, pluskając obiecująco. – To jedna z tych rzeczy, które Anglicy robią najlepiej.

– Czasami po sposobie, w jaki mówisz, można by pomyśleć, że sam nie jesteś Anglikiem – zauważam nieśmiało. – Akcent masz angielski, ale niekiedy pobrzmiewa nieco inaczej.

Umieram z ciekawości, żeby się dowiedzieć o nim czegoś więcej. Pociągam łyk Pimmsa. Jest pyszny – słodki i aromatyczny, świeży i mocno miętowy. Próbowałam już wcześniej czegoś takiego, ale daleko mu było do tego drinka. Wiem, że bywa niebezpieczny. Prawie nie czuć w nim alkoholu, a przecież może zawrócić w głowie.

– Jesteś spostrzegawcza – odpowiada Dominic, spoglądając na mnie w zamyśleniu. – Tak się składa, że jestem Anglikiem, i to urodzonym tu, w Londynie. Ale mój ojciec był dyplomatą, stale na zagranicznych placówkach, więc od najmłodszych lat jeździłem po świecie. Sporą część dzieciństwa spędziłem w Azji Południowo-Wschodniej. Przez kilka lat mieszkaliśmy w Tajlandii, a potem ojciec został przeniesiony do Hongkongu, gdzie było super. Jednak gdy tylko zacząłem się dobrze czuć w tamtejszym otoczeniu, zostałem wysłany z powrotem do Anglii. – Robi lekki grymas niezadowolenia. – Do szkoły z internatem.

– Nie podobała ci się? Takie szkoły zawsze kojarzyły mi się z czymś romantycznym. – Pamiętam, że gdy dorastałam, strasznie chciałam mieszkać w internacie. Ekscytowała mnie myśl o wspólnych sypialniach, imprezowaniu w środku nocy i tym wszystkim. Jako zwykła uczennica uczęszczająca do lokalnej szkoły, co dzień wracająca do domu z górą zadań domowych, uważałam, że to okropna nuda w porównaniu z tym, co o internatach czytało się w książkach.

– To nie tak. – Dominic wzrusza ramionami. – Widzisz, najgorsza jest odległość. Wsadzają cię do samolotu, żebyś spędziła wakacje z rodziną, i to jest w porządku. Jednak podróż w odwrotną stronę to najstraszniejsze przeżycie, jakie sobie można wyobrazić.

Widzę to: mały chłopiec z całej siły stara się nie płakać, próbuje być dzielny, żegna się z mamą na lotnisku. Przychodzi po niego stewardesa, a matka – w obowiązkowym kapeluszu i rękawiczkach – macha na pożegnanie. Gdy znika mu z oczu, chłopiec nie może się powstrzymać i roni kilka łez, nie chce jednak, żeby stewardesa zobaczyła, jak bardzo mu przykro. Prowadzą go na miejsce w samolocie i rozpoczyna długą, długą podróż do Anglii. Na lotnisku w ojczyźnie czeka na niego surowa matrona o wielkim biuście, ze stalowosiwymi włosami upiętymi w ciasny kok. Zabiera go do szkoły, która okazuje się odpychającym miejscem, usytuowanym gdzieś na kompletnym odludziu, pełnym chłopców tęskniących za swoimi mamami. Szkoła z internatem nagle przestaje mieć dla mnie romantyczny powab.

– Wszystko w porządku? – Dominic przygląda mi się badawczo.

– Tak, tak, oczywiście.

– Miałaś nieopisanie tragiczną minę.

– Wyobrażałam sobie, jak musisz wracać do szkoły, tęsknisz za rodziną, tak daleko od domu…

– Nie było tak źle, gdy się już przyzwyczaiłem. Pod wieloma względami był to cudowny czas. Dzieliłem pokój z dwoma starszymi chłopcami, mieliśmy kołdry przywiezione z domów i plakaty na ścianach, na półkach ulubione książki. Uwielbiałem też zajęcia sportowe, a tego było mnóstwo. Niemal w każdy weekend grałem w szkolnych drużynach w rugby, piłkę nożną albo w krykieta. – Uśmiecha się na to wspomnienie. – Jedno trzeba przyznać angielskim szkołom z internatem: są dobrze wyposażone, mają baseny, korty tenisowe, warsztaty artystyczne i co tylko zechcesz, a ja w pełni z tego korzystałem.

Dickensowskie gotyckie zamczysko znika z mojej wyobraźni, a jego miejsce zajmuje wesoły wakacyjny obóz. Szkoła z internatem znowu nabiera rumieńców.

– Chociaż kochałem swoją angielską szkołę – Dominic ciągnie swą opowieść – gdy przyszła pora na uniwersytet, postanowiłem rozwinąć skrzydła. Więc wyjechałem za granicę.

– Z powrotem do Hongkongu?

Kręci głową.

– Nie. Wybrałem Stany. Zapisałem się na studia do Princeton.

Słyszałam o tej uczelni, zalicza się do najlepszych w Ameryce, jak nasz Oxford czy Cambridge. Ivy League, te rzeczy.

– Podobało ci się?

Uśmiecha się.

– Było znakomicie. – Teraz słyszę w jego głosie leciutki amerykański akcent, jak gdyby wspomnienie Princeton wywołało nutę zatartą przez lata spędzone w Londynie.

– Co studiowałeś? – Pociągam kolejny łyk Pimmsa. Wpada mi w usta kawałek truskawki i pozwalam, by miękko osiadł na języku. Jest wybornie doprawiony drinkiem. Rozgniatam owoc powoli, wyobrażając sobie młodszego Dominica w stroju ekskluzywnej amerykańskiej szkoły. Siedzi w amfiteatralnej sali wykładowej i robi notatki, podczas gdy profesor z ożywieniem rozprawia o…

– Biznes – pada odpowiedź.

A więc o biznesie. Profesor entuzjastycznie traktuje swój przedmiot, a Dominic teraz ma okulary w ciemnej oprawie, w których wygląda niczym wyjątkowo atrakcyjna wersja Clarka Kenta. Skupia się mocno, lekko marszczy brwi, przez co okulary osiadają w rowku u nasady nosa. Podczas gdy on starannie notuje mądre słowa o naturze wielkich korporacji i funkcjonowaniu regulacji gospodarczych, siedząca w pobliżu dziewczyna wpatruje się w niego tęsknie, z nieskrywanym zachwytem. Nie potrafi się skoncentrować na wykładzie, ponieważ bliskość tego młodego człowieka wprawia jej zakończenia nerwowe w rozhuśtane drżenie...

Poruszam się bezwiednie, otwieram lekko usta i wyobrażam sobie, co ona czuje. Pewnie coś takiego, co ja teraz. Ocieram jedną nogę o drugą, ciepła skóra mrowi mnie od tego ruchu.

– Beth? O czym myślisz?

– Ach... – Jednym skokiem wracam do rzeczywistości. On nachyla się do mnie, oczy mu błyszczą rozbawieniem. – O niczym. Po prostu... myślę.

– Bardzo chciałbym się dowiedzieć o czym.

Gorąco zalewa mi twarz.

– Och, o niczym specjalnym. – Przeklinam swoją żywą wyobraźnię, zawsze mi to robi, wciąga mnie w inny świat, który wydaje się tak realny, że niemal daje się dotknąć.

Dominic śmieje się miękko.

– A co porabiałeś po Princeton? – pytam pośpiesznie, mając nadzieję, że nie ma zdolności telepatycznych. „To by było naprawdę bardzo krępujące".

– Przez rok byłem na studiach podyplomowych w Oxfordzie i nawiązałem kilka znajomości, a one doprowadziły mnie do pracy, którą wykonuję teraz. Najpierw parę lat spędziłem w funduszach hedgingowych, żeby zdobyć praktyczne doświadczenie w finansach.

– Ile masz lat?

– Trzydzieści jeden. – Przybiera ostrożny wyraz twarzy. – A ty?

– Dwadzieścia dwa. We wrześniu skończę dwadzieścia trzy.

Wygląda, jakby poczuł lekką ulgę. Zapewne nagle nabrał podejrzeń, że mogę być jedną z tych dziewczyn, które wyglądają na starsze, niż są w rzeczywistości.

Sączę kolejny łyk Pimmsa, podobnie jak Dominic. Czujemy się tak swobodnie w swoim towarzystwie, mimo że z tego, co mówimy, wynika, ile nas różni.

– A na czym polega twoja praca? – pytam. Domyślam się, że to musi być coś związane z pieniędzmi, co sprawia, że stosunkowo młody człowiek może sobie pozwolić na mieszkanie w Mayfair. Oczywiście, o ile nie odziedziczył bogatego spadku.

– Finanse. Inwestycje – mówi mgliście. – Pracuję dla pewnego rosyjskiego biznesmena. Ma mnóstwo pieniędzy i pomagam mu nimi zarządzać. Często muszę w związku z tym podróżować po świecie, ale głównie przebywam w Londynie. Jeśli chcę mieć dla siebie popołudnie, jak dziś – uśmiecha się do mnie – po prostu biorę wolne.

– Brzmi interesująco – mówię, choć ani trochę nie przybliżyło mnie to do wiedzy o tym, czym on się zajmuje. Prawda tak się przedstawia, że cokolwiek by robił, dla mnie będzie to fascynujące.

– Dosyć już o mnie. Jestem bardzo nudny. Chciałbym się dowiedzieć czegoś więcej o tobie. Na przykład czy twój chłopak nie ma ci za złe, że jesteś sama w Londynie?

Odnoszę wrażenie, że droczy się ze mną, bawi się moim zakłopotaniem, podczas gdy zdradzieckie policzki znów oblewają mi się szkarłatem.

– W tej chwili jestem singlem – mówię nieskładnie.

Unosi brwi.

– Naprawdę? Jestem zaskoczony.

Trudno powiedzieć, czy kpi sobie ze mnie, czy nie – tych ciemnych oczu nie da się przeniknąć. Mam nadzieję, że nie przedstawiłam swojego statusu singla jako zachęty. Czułabym się upokorzona, gdyby tak było. Poza tym on ma kogoś. Gdy tylko sobie o tym przypominam, ciekawi mnie, czy mam jakąś szansę dowiedzieć się czegoś więcej na ten temat.

– A ty? – zagaduję z nadzieją, że twarz zdążyła mi już trochę ochłonąć. – Od jak dawna jesteś razem z Vanessą?

Od razu pożałowałam, że z jakiegoś powodu zapuściłam się za daleko. Twarz mu tężeje, jakby wszelkie emocje zostały zablokowane. Znika dotychczasowa przyjazna otwartość, zastąpiona czymś zimnym i pustym.

– Przepraszam… – bąkam zmieszana. – To było niegrzeczne. Nie chciałam…

Wtem jakby pstryknięto przełącznik – chłód rozwiewa się i znów naprzeciw mnie siedzi Dominic, którego znam, tyle że jego uśmiech wydaje się lekko wymuszony.

– Nic się nie stało – mówi. – Nie ma mowy o niegrzeczności.

Ogarnia mnie uczucie ulgi.

– Zastanawiam się tylko, co sprawiło, że pomyślałaś o nas jako o parze.

– No, wiesz… odniosłam takie wrażenie, jakbyście byli sobie bardzo bliscy, w dużej zażyłości, właśnie jak stała para…

„O Boże, wyrażam się tak niezdarnie, akurat kiedy to ważne".

Po chwili milczenia Dominic mówi:

– Vanessa i ja nie jesteśmy razem. To tylko przyjaźń.

W głowie miga mi scena z prywatnego klubu. Wiem, że poszli tam razem. Naprawdę muszą być dobrymi przyjaciółmi, skoro we dwoje chodzą do takich miejsc. Wciąż nie potrafię pogodzić tego, co tam wtedy widziałam, z na pozór normalnym zachowaniem Dominica. To tajemnica, którą odkładam na później.

Wbija wzrok w stolik i wodzi palcem po gładkiej powierzchni drewna. Mówi wolno, niemal w zadumaniu:

– Nie chcę cię okłamywać, Beth. Vanessa i ja byliśmy kiedyś parą. Dawno temu. Teraz jesteśmy tylko przyjaciółmi.

Pamiętam sposób, w jaki poprzedniego wieczoru weszła do mieszkania. Nawet nie zapukała. Ma własny klucz. Czy naprawdę są tylko przyjaciółmi?

– Okej. – Mój głos brzmi cicho i nieśmiało. – Nie chciałam być wścibska.

– Wiem. W porządku. Posłuchaj. – Ewidentnie chce zmienić temat. – Napijmy się jeszcze tutaj, a potem zabiorę cię na kolację. Co ty na to?

– Noo… – Zastanawiam się, co będzie właściwe. Czy wypada mi wyjść wieczorem z mężczyzną, którego ledwie znam? – Byłoby bardzo miło, ale oczywiście płacę za siebie.

– Porozmawiamy o tym później – mówi i domyślam się, że nie pozwoli mi zapłacić. Ale nie przejmuję się. Liczy się tylko to, że mam przed sobą cały wieczór z Dominikiem i o ile nie zdarzy się coś dziwnego, nie ma obaw, że Vanessa nagle wkroczy na scenę i sama nią zawładnie.

Wzdycham uszczęśliwiona i proszę:

– Pozwól mi chociaż zapłacić za następnego drinka.

– Umowa stoi – odpowiada Dominic z uśmiechem i tym razem to ja zamawiam kolejkę.

To jest naprawdę błogi wieczór. Cudownie się czuję przy Dominicu, sycąc oczy jego urzekającym wdziękiem. Uszczęśliwia mnie sam jego widok, a ponadto on jest mną autentycznie zainteresowany. To wzbudza we mnie myśl, że być może z Adamem nie byłam aż taka szczęśliwa, jak mi się zdawało. Zanim się rozstaliśmy, Adam wcale się dla mnie nie wysilał. Kiedy wracałam z uniwersytetu, oczekiwał oczywiście, że się dostosuję do trybu życia, jakie sobie ułożył: kręgu przyjaciół, przesiadywania w pubie, telewizji, piwa i jedzenia na wynos.

A teraz późnym popołudniem siedzę z Dominikiem w ślicznym ogródku piwnym. Zachodzące słońce powoli sprowadza złocisty wieczór.

– Zatem, Beth – odzywa się Dominic – jakie masz marzenia?

– Bardzo bym chciała podróżować – odpowiadam. – Prawie nigdzie nie byłam. Powinnam poszerzyć swoje horyzonty.

– Naprawdę? – Ma nieprzeniknioną minę, ale w czarnych oczach błyszczy jakaś niebezpieczna iskra. – Musimy zobaczyć, co się da z tym zrobić.

Mój żołądek daje nieoczekiwanego nura. Co on ma na myśli? Szybko przełykam ślinę i próbuję powiedzieć coś zabawnego, ale gdy paplam o krajach, które chcę odwiedzić, moje podekscytowanie bynajmniej nie gaśnie.

W miarę jak alkohol rozpływa się po moich żyłach, zaczynam się rozluźniać i topnieje ostatnia grudka dawnej nieśmiałości. Żartuję, opowiadając Dominicowi o życiu w domu i wyciągając najzabawniejsze historyjki z czasów kelnerowania. Śmieje się, gdy opisuję ekscentrycznych bywalców kawiarni wyczyniających swoje szaleństwa.

Kiedy idziemy z pubu do restauracji, jestem oczarowana tym, że go rozbawiłam – pochłania mnie to do tego stopnia, że nie wiem, dokąd zmierzamy. Dopiero siedząc przy kolejnym stoliku na wolnym powietrzu, pod kopułą pnączy, czuję zapach smażonego na grillu mięsa i uświadamiam sobie, jak bardzo jestem głodna. Zauważam też, że znajdujemy się w perskiej restauracji, na stole stoi butelka schłodzonego białego wina, sałatka z cudownie świeżych warzyw i ziół, talerz hummusu i gorący płaski chleb prosto z pieca. Wszystko to jest wspaniałe i oboje zaczynamy jeść z apetytem. Jestem już najedzona, kiedy przybywa drugie danie – aromatyczna jagnięcina z grilla, kolejna niewiarygodnie świeża sałatka i ryż, który wygląda zwyczajnie, ale smakuje fantastycznie, słodko i słono zarazem.

Podczas rozmowy przy obiedzie przechodzimy na bardziej osobiste tematy. Opowiadam Dominicowi o swoich braciach i rodzicach, o tym, jak dorastaliśmy w małym miasteczku, i dlaczego pociąga mnie historia sztuki. On mówi mi, że jest jedynakiem, i opisuje życie w domu pełnym służących i nianiek.

W atmosferze zwierzeń naturalną koleją rzeczy wspominam mu o Adamie. Niewiele – ani słowa o tamtej okropnej nocy, o koszmarnym widoku Adama z Hannah – ale na tyle, żeby dać do zrozumienia, że mój pierwszy poważniejszy związek ostatnio dobiegł końca.

– To delikatny moment – mówi łagodnie Dominic. – Jedna ze smutnych rzeczy, przez które przechodzimy wszyscy. Czujemy, jakby to był koniec świata, lecz z czasem życie się jakoś układa, naprawdę.

Wpatruję się w niego. Wino i upajająco piękny wieczór dodają mi śmiałości.

– Czy tak było, kiedy zakończył się twój związek z Vanessą?

Reakcją jest drgnienie zaskoczenia, a potem śmiech, ale niezbyt swobodny.

– Cóż… było inaczej. Żadne z nas nie przeżywało w tym wypadku swojej pierwszej miłości, przywiązania od dziecka czy jak by to można nazwać.

– Ale skończyliście z tym? – naciskam, pochylając się ku niemu.

Pojawia się przebłysk tamtego zamknięcia, które już widziałam na jego twarzy, lecz nie blokuje go całkowicie.

– Zgodziliśmy się, że pora skończyć. Lepiej, kiedy jesteśmy przyjaciółmi.

– Więc… odkochaliście się?

– Stwierdziliśmy, że nie pasujemy do siebie… tak, jak nam się wcześniej wydawało. To wszystko.

Marszczę czoło. Co to oznacza?

– Mieliśmy rozbieżne potrzeby. – Dominic ogląda się przez ramię na kelnera i gestem prosi o rachunek. – Wierz mi, nie kryje się za tym żadna wielka historia. Jesteśmy przyjaciółmi, to wszystko.

Widzę w tym odrobinkę rozdrażnienia, a ostania rzecz, jakiej bym chciała, to zepsucie tego urokliwego, niemal romantycznego wieczoru.

– Okej. – Myślę, jakby tu zmienić temat. – Och, dostałam dziś pracę.

– Naprawdę? – Wygląda na zainteresowanego.

– Aha! – Mówię mu o galerii Riding House, a on najwyraźniej cieszy się razem ze mną.

– To świetnie, Beth! Takie stanowiska są bardzo trudne do zdobycia, konkurencja jest duża. Więc teraz będziesz zajęta pracą, tak?

– Koniec z wylegiwaniem się w ogrodzie – mówię z udawaną rozpaczą. – Tak czy inaczej nie w godzinach pracy.

– Jestem pewien, że zostanie ci czas na zabawę – pociesza mnie, a jego oczy błyszczą spod uniesionych ciemnych brwi. Nim zdążę zapytać, co ma na myśli, pojawia się kelner z rachunkiem i Dominic płaci, odsuwając mnie na bok z moją kartą debetową.

Kiedy idziemy w stronę Randolph Gardens, ściemnia się coraz bardziej. Powietrze jest przesycone letnimi zapachami nocnego miasta: kwitnących kwiatów, stygnącego asfaltu, suchego pyłu niesionego wieczornym powiewem. Jestem taka szczęśliwa. Spoglądam ukradkiem na Dominica.

„Ciekawe, czy on czuje się tak błogo jak ja. Pewnie nie ma po temu powodu. Po prostu zjadł kolację z dziewczyną, która kręci się tego lata w okolicy, pozwalając mu oderwać się na chwilę od funduszy hedgingowych albo czym on się tam zajmuje w pracy".

W głębi serca marzę, żeby tak nie było, ale nie chcę się zawieść w nadziejach.

Im bliżej domu, tym atmosfera między nami staje się cięższa. Bądź co bądź, to takie romantyczne – wracamy razem z kolacji przy winie. Zapewne powinno się skończyć czymś w rodzaju...

Ledwie śmiem o tym myśleć.

„Pocałunku".

„W końcu jest singlem, sam mi to powiedział. I nie jest gejem, ponieważ chodził z Vanessą. I... chyba nie tylko ja czuję tę chemię między nami?".

Jesteśmy już na Randolph Gardens. Dominic zatrzymuje się przed schodami, ja stoję obok niego. Kiedy będziemy już za drzwiami, nic z tego. Czujny portier zapewne skutecznie zapobiegnie jakimkolwiek czułościom na dobranoc.

Dominic patrzy na mnie, jego spojrzenie przesuwa się po mojej twarzy, jakby się jej uczył na pamięć.

– Beth – mówi cicho.

– Tak? – Mam nadzieję, że pragnienie nie pobrzmiewa w moim głosie zbyt mocno.

Następuje długa przerwa. Przesuwa się odrobinę w moją stronę, a mnie przepełnia gorące podekscytowanie. „Czy to już? Proszę, Dominic, proszę...".

– Jutro jestem zajęty – stwierdza w końcu. – Ale czy zechciałabyś spędzić ze mną niedzielę?

– Z przyjemnością – odpowiadam szeptem.

– Świetnie. Przyjdę po ciebie około dwunastej i razem coś zorganizujemy.

Patrzy na mnie tak długo, że już się zastanawiam, czy coś się aby nie wydarzy, gdy wtem pochyla się lekko i muska ustami mój policzek.

– Dobranoc, Beth. Odprowadzę cię do windy.

– Dobranoc – szepczę, nie bardzo wiedząc, co począć z gejzerem pożądania, który we mnie wybuchł. – I dziękuję.

Jego ciemne oczy pozostają nieprzeniknione.

– Cała przyjemność po mojej stronie. Śpij dobrze.

„To będzie prawdziwy cud, jeśli w ogóle uda mi się zasnąć" – myślę, kierując się do budynku.

Rozdział siódmy

Jak się okazuje, śpię bardzo dobrze, w czym niewątpliwie pomaga nadmiar wrażeń połączony z winem. Mam ekscytujący sen, w którym Dominic i ja jesteśmy na przyjęciu. Dokoła pełno ludzi w roziskrzonych maskach, tak że nieustannie gubię swojego towarzysza w tłumie, dostrzegam go znów i próbuję się do niego przedostać, wiedząc, że kiedy mi się uda, stanie się coś wspaniałego. Po godzinach spędzonych na takich poszukiwaniach w końcu go odnajduję i właśnie gdy nasze usta mają się połączyć, budzę się rozpalona.

Zastanawiam się, czy nie powinnam pójść do tamtego sklepu i kupić u siwowłosej pani jeden z wibratorów, tak żebym mogła rozładować część dręczącej mnie frustracji, ale zanim zdążę zrobić cokolwiek, by się uporać z problemem własnoręcznie, wkracza De Havilland – wskakuje na łóżko i zaczyna pazurkami dopominać się o śniadanie. Gdy kot zostaje wreszcie obsłużony, ulotny moment już minął.

Postanawiam, że dziś sprawię sobie odpowiednie ubrania do pracy, i wyruszam w stronę głównych ulic. To jednak zupełnie inne doświadczenie niż perfekcyjnie skrojony na miarę dzień, który przeżyłam niedawno. W słoneczną sobotę sklepy przy Oxford Street pękają w szwach od klientów, a sprzedawczynie są zagonione i rozgorączkowane mimo włączonej klimatyzacji. Znalezienie odpowiednich rzeczy zajmuje całe wieki i gdy w końcu wracam ze swoimi zakupami, czuję się zmordowana jak same ekspedientki.

Randolph Gardens jawią się jako oaza spokoju w porównaniu z ciżbą ludzką, z którą właśnie walczyłam. Nie po raz pierwszy błogosławię Celię za to, że udostępniła mi takie urocze miejsce do zamieszkania. Mogłabym być zdana na łaskę autobusów i metra, cisnąć się w zatłoczonym domu z daleka od centrum albo zajmować smętną kawalerkę gdzieś na uboczu. Zamiast tego korzystam z urokliwego zacisznego gniazdka.

I, przypominam sobie, rozpakowując sprawunki, jutro czeka mnie coś szczególnego.

Oprócz schludnych spódnic i bluzek koszulowych, w których mam zamiar chodzić do pracy, kupiłam coś bardziej ekscytującego, stosownego na jutrzejsze spotkanie z Dominikiem. To sukienka – skromna, jedwabna, z różowo-granatowym nadrukiem, seksownie wcięta w pasie, z króciutkimi, zmarszczonymi rękawami, które ledwie osłaniają ramiona. Dekolt jest całkiem spory, ale nie wyzywający.

Wkładam ją i podziwiam swoje odbicie w lustrze. Tak, to tylko ciuszek. W szafie Celii spostrzegam starodawny słomkowy kapelusz, który wspaniale będzie pasował do sukienki. Potem, kiedy się krzątam po domu w jedwabnej podomce, którą znalazłam wiszącą na drzwiach łazienki, celowo nie zapalam światła w salonie. Pozwalam, by do pokoju wtargnął zmierzch. Jednocześnie mój wzrok co chwila ucieka w stronę ciemnego kwadratu naprzeciwko, gdzie mam nadzieję lada moment ujrzeć Dominica. Chcę zobaczyć, jak jego salon wybucha złocistym światłem, i znów upajać się znajomym widokiem poruszającego się po mieszkaniu właściciela. Rozpaczliwie pragnę go oglądać. Przez cały dzień w myślach towarzyszyła mi jego obecność, kilka razy nawet rozmawiałam z nim w wyobraźni. Teraz jestem spragniona prawdziwego widoku.

Jem kolację – makaron z karczochami, papryką i kozim serem. Poświęcam De Havillandowi trochę należnej mu uwagi, a potem siadam na sofie z kilkoma książkami o modzie i lampką wina. Zazwyczaj nie piję sama, ale w ten sposób czuję się bardzo dorosła, sącząc chłodny trunek i przewracając kartki albumu.

Zatracam się w fotograficznej historii Diora i New Look. Mija jakiś czas, zanim znowu podnoszę wzrok, a gdy to robię, aż mi zapiera dech w piersi.

Mieszkanie naprzeciwko jest oświetlone. Lampy stojące na bocznych stolikach rzucają lekki blask, a jednak po raz pierwszy mój wzrok nie przenika do środka. Żaluzje są podniesione, ale całą szerokość okna zaciągnięto półprzejrzystymi zasłonami, których nie zauważyłam, gdy byłam u Dominica. Widać tylko rozmazane zarysy przedmiotów, dziwnie pokręcone, lecz rozpoznawalne. Rozróżniam stół, fotele i pozostałe meble. We wnętrzu oglądanym w ten sposób wszystko ma inny charakter, coś zupełnie zwykłego może się wydawać egzotyczne lub nierzeczywiste. Widzę jakiś dziwny kształt, niski prostokąt z wystającymi ku sufitowi kolcami, niczym zwierzę leżące na grzbiecie z wysuniętymi w górę patykowatymi kończynami. Dopiero po chwili uświadamiam sobie, że to ten tajemniczy sprzęt, który zauważyłam podczas sąsiedzkiej wizyty.

Wstaję i wolno, spokojnie podchodzę do okna. Jestem pewna, że pozostanę niewidoczna i ktokolwiek znajduje się naprzeciwko, nie usłyszy mnie, ale i tak staram się zachowywać ostrożnie.

Do tamtego salonu wchodzą dwie postacie. Jedna kobieca, druga męska, to oczywiste, nie da się jednak określić, kto to, choć mężczyzną jest zapewne Dominic. Są tylko czarnymi cieniami na jasnym woalu zasłony, chodzą, siadają, poruszają się swobodnie. Gdzieś musi być otwarte okno, ponieważ półprzejrzyste zasłony powiewają lekko, co dodatkowo zniekształca wizję. Przez chwilę wiszą nieruchomo, pozwalając mi uchwycić obraz, a zaraz potem marszczą się i wzdymają i wtedy mam przed oczami tylko smugi cieni.

– A niech to! – mruczę pod nosem. – Żeby tak wisiały spokojnie!

Nieznośnie kusząca jest świadomość, że Dominic ma gościa. Kto to może być? Pewnie Vanessa, bo do tej pory zawsze to była ona. Cienie są jednak takie niewyraźne, że po prostu nie da się określić, czy to przyjaciółka Dominica, czy nie. Wiem, że jest kobietą, po zarysie sylwetki w sukience. Reszta pozostaje niejasna i bardzo mnie to frustruje.

De Havilland zbudził się i teraz wskakuje na parapet obok mnie. Siada, owija sobie ogon wokół łapek, mruga i śledzi wzrokiem gołębie przelatujące z dachu na drzewa. Potem wyciąga łapkę i zaczyna ją sobie lizać. Chciałabym być taka spokojna i beztroska jak on, ale wciągnęło mnie to, co się dzieje w mieszkaniu naprzeciwko.

„Czy jestem zazdrosna? Oczywiście, że tak!".

Między mną a Dominikiem nic tak naprawdę nie zaszło, lecz mimo to nie mogę się oprzeć ogarniającej mnie chęci posiadania go tylko dla siebie. Zeszłego wieczoru rozmawialiśmy przy kolacji i powiedział, że skończył z Vanessą. Więc dlaczego teraz w mieszkaniu jest z jakąś kobietą?

„Ale… nie zapytałam go, czy się spotyka z kimś innym".

Ta myśl działa na mnie jak kubeł lodowatej wody, wywołując jęknięcie. Jaka ze mnie idiotka, jeśli mi się zdawało, że jest singlem. Kiedy w myślach błagałam go, żeby mnie pocałował pod koniec wieczoru, zwracałam ku niemu twarz, z nadzieją rozchylałam usta, myślałam, że jest między nami seksualne napięcie, ale być może z jego strony było to tylko niezręczne zakłopotanie, bo pewnie zdawał sobie sprawę, że się w nim zadurzyłam.

„Może w tej chwili o wszystkim jej opowiada".

– Tak, jest słodziutka, ale chyba zachowałem się wobec niej trochę niemądrze – mówi, nalewając swojej towarzyszce schłodzonego szampana. – Najwyraźniej myślała, że zamierzam ją pocałować. Nie bardzo wiedziałem, co robić, więc musnąłem ją ustami w policzek. Zaproponowałem, że jutro dokądś z nią wyjdę; mieszka sama, pomyślałem, że jej pokażę okolicę. Byłem dla niej po prostu miły, ale obawiam się teraz, że ją niechcący zwodzę.

Jego dziewczyna śmieje się, sięgając po kieliszek.

– Och, Dominic, jesteś zbyt dobry i to cię gubi. Powinieneś wiedzieć, że takie naiwne stworzonko zakocha się w tobie, gdy tylko na nie spojrzysz!

– Może… – bąka zmieszany.

– O, daj spokój, kochanie. Jesteś bogaty, przystojny, odnosisz sukcesy. Wystarczy, że się uśmiechniesz, a ona zobaczy w tobie księcia z bajki. – Pochyla się, wydymając z wyższością swoje idealne usta. – Skróć jej męki, skarbie. Powiedz, że bardzo ci przykro, i odwołaj jutrzejsze spotkanie.

– Może masz rację…

Aż mnie zatyka mściwość tej tajemniczej kobiety, gotuję się z gniewu i szykuję do samoobrony, gdy wtem w widoku za oknem coś się zmienia. Powiew ustaje na chwilę i widzę wyraźniej. Postacie za firanami wyglądają nieco inaczej. Uświadamiam sobie, że mężczyzna – Dominic – jest teraz nagi albo ma na sobie niewiele ubrania. Po zarysach sylwetki daje się rozpoznać obnażony tors. Nie wiem, czy kobieta też się rozebrała, lecz jeśli jest ubrana, to w coś bardzo obcisłego. Postacie znajdują się tuż obok siebie, zdaje się, że coś wspólnie oglądają z bliska.

Mój gniew związany z wyobrażoną rozmową znika. Serce mi wali, gdy pojawia się przerażająca świadomość. „Jest goły? Ale czemu?".

Po co mężczyzna miałby się rozbierać przy kobiecie? Nie potrzeba nawet trzech pytań, żeby zgadnąć. Odpowiedź jest tylko jedna.

„A może to masaż…? – rozmyślam z nadzieją. – Tak, możliwe. Może ona będzie go masować".

Zachowanie obu postaci z pewnością nie wskazuje na to, żeby łączyła ich dzika namiętność. Raczej spokojnie o czymś rozmawiają. Wtem atmosfera między nimi zmienia się gwałtownie. Natychmiast daje się to wyczuć. Mężczyzna klęka i pochyla głowę przed kobietą. Ona góruje nad nim, trzymając ręce na biodrach i zadzierając wysoko głowę. Coś mówi. Zaczyna chodzić wokół niego w kółko, a on się nie porusza. Ciągnie się to przez kilka minut. Patrząc na nich, stoję jak słup soli. Oddycham płytko, zastanawiając się, co oni, u licha, robią i co się za chwilę stanie.

Nie muszę długo czekać. Kobieta podchodzi do dziwnego niskiego mebla i siada na nim. Mężczyzna opada na łokcie i czołga się do niej, podczas gdy ona zachowuje surową, nieugiętą postawę. On jest już u jej stóp. Ona wyciąga nogę do przodu, a on dotyka jej stopy ustami. Kobieta bierze coś z bocznego stolika i podsuwa to swemu towarzyszowi. Przedmiot ma kształt ręcznego lusterka o długiej rączce i owalnej górnej części. Mężczyzna pochyla się i do tej rzeczy też przyciska usta.

„Czy on to całuje?".

Nie umiem nawet pozbierać myśli. Mogę jedynie patrzeć.

Mężczyzna znowu upada u stóp kobiety, ale zaraz obejmuje jej nogi i w tej chwili najwyraźniej pnie się po nich. Kładzie się na jej kolanach plecami w górę, tak że jego barki, szyja i głowa zwisają z jednej strony, z drugiej zaś, po prawej ręce kobiety, znajduje się wypięty tyłek.

Ona bierze tamtą rzecz i opuszcza ją miękkim, niemal łagodnym ruchem. On trwa niemal zupełnie nieruchomo. Zaraz potem ona powtarza czynność, tyle że teraz jej ruch jest pewny, wyćwiczony. Robi to jeszcze kilka razy.

„Okej, to nie moja wyobraźnia. Ona mu daje klapsy. Chlasta go szczotką do włosów czy czymś takim".

W ustach mi zaschło, myśli wirują wściekle. Z tej odległości nie wszystko dobrze rozróżniam, zwłaszcza kiedy wiatr porusza zasłonami, zamazując widok, ale i tak jest to najdziwniejsza scena, jaką w życiu widziałam. Z mojej perspektywy wygląda to niedorzecznie: dorosły mężczyzna przewieszony nagim, imponującym ciałem przez kolana kobiety, pozwalający, żeby mu złoiła tyłek. Coś mi się obiło o uszy o takich praktykach, lecz zawsze brałam to za żarty. Słyszałam też, że takie klapsy lubili skamlący, nie do końca dojrzali ludzie z wyższych sfer, którzy psychicznie nigdy się nie uwolnili od wpływu smagających ich rózgą nianiek czy guwernerów. Ale to już się chyba nie zdarza. I nie takim facetom jak Dominic – bogaty, przystojny, ustawiony w życiu…

Gubię się w domysłach prawie bliska łez. Co on tam robi? Klapsy przybierają na sile, jestem tego pewna. Kobieta weszła w rytm, a uderzenia są coraz mocniejsze. Za każdym razem gdy jej ręka opada, zdaję się słyszeć pulsujący dźwięk uderzeń. To pewnie boli, i to strasznie. Jak ktoś może dobrowolnie znosić coś takiego? Na litość boską, kto chciałby tego?

Wtem sytuacja znów się zmienia. Mężczyzna zostaje zepchnięty z kolan kobiety, a ona rozkłada nogi. On klęka między nimi, tak że teraz przechyla się przez jej lewe kolano, a stopy ma wetknięte pod jej prawą nogę. Ona bierze kolejny przedmiot, większy, bardziej płaski. Znów się zabiera do dzieła, grzmocąc ciężko tym czymś jego pośladki. Za każdym uderzeniem widać, że rzecz przypomina kastaniety – dwie płaskie główki uderzają o siebie przy lądowaniu. To musi sprawiać niewiarygodny, przeszywający ból, ale mężczyzna nadal się nie rusza, leży twarzą w dół i przyjmuje tę straszną chłostę. Wygląda na to, że ściska jej lewe udo, w pełni poddając się temu, co ona robi. Przez co najmniej dwadzieścia minut bije go regularnym, niemal zegarowym rytmem. Słyszę w głowie kłaśnięcia, kiedy podnosi rękę i opuszcza, podnosi i opuszcza.

Potem znów następuje zmiana. On stacza się na podłogę i leży tam, a ona chodzi dokoła niego. Musi być silna, jeśli utrzymała na kolanach taki ciężar. Znowu coś mówi. Mężczyzna podnosi się na tamto niskie siedzenie i kładzie się tam na brzuchu z nogami po bokach. Unosi ręce i umieszcza je na dwóch podpórkach, które zauważyłam, gdy pierwszy raz widziałam ten mebel. A więc do tego służą. Dlatego są dwie po jednej stronie krzesła.

Kobieta podchodzi do swojego towarzysza, bierze ze stolika kilka kawałków materiału – szalików? – i szybko przywiązuje jego nadgarstki do podpórek. Następnie podnosi ze stołu kolejne narzędzie. Tym razem jest to coś podłużnego, jak pas, tyle że nie dostrzegam klamry. Strzela nim parę razy w powietrzu, bez wątpienia po to, by dźwięk dodatkowo udręczył ofiarę. Wiem, co będzie dalej, i ledwie mogę znieść patrzenie, ale z jakiegoś powodu nie mogę się oderwać od okna. Szeroki rzemień wznosi się na całej długości, a potem leci w dół, ciężko lądując na wypiętych pośladkach mężczyzny. Raz, dwa, trzy razy i dalej. Kobieta biczuje go pewną ręką. Mogę sobie tylko wyobrazić, jakie to uczucie oberwać takim rzemieniem, i to w skórę, która wcześniej została umęczona innymi narzędziami. To pewnie nie do zniesienia, musi graniczyć ze stanem agonalnym albo z szaleństwem ogarniającym człowieka z bólu.

„Może powinnam zadzwonić na policję? – przebiega mi przez myśl i mój wzrok wędruje w stronę telefonu. – I co niby powiem? Halo, dyżurny oficer? Kobieta bije mężczyznę w mieszkaniu naprzeciw mojego, musicie ją powstrzymać!". Ale on najwyraźniej chce tego. Czy to niezgodne z prawem, jeśli się grzmoci kogoś, kto sobie tego życzy?

Coś mi podpowiada, że powiadomienie policji nie byłoby dobrym posunięciem. To oczywiste, że ten człowiek mógłby w każdym momencie przerwać sesję – przynajmniej wtedy, kiedy nie miał jeszcze skrępowanych rąk. On się na to zgadza.

Przerażona i osłupiała zamykam oczy. „Dominic, czy tego właśnie pragniesz?". Pamiętam, że kiedyś był uczniem szkoły z internatem. Może w dzieciństwie bywał przez kogoś bity i to obudziło w nim tę niezrozumiałą potrzebę. Nie jest to zbyt dobra teoria, ale innej nie mam.

Kiedy otwieram oczy, powiew porusza zasłonami tak mocno, że ukryte za nimi postacie są zamazane, nie do rozpoznania.

Jestem za to wdzięczna losowi. Nie chcę już więcej widzieć. Dość się naoglądałam.

Nie mam pojęcia, jak jutro spojrzę w twarz Dominicowi po tym, czego byłam świadkiem.

Drugi tydzień

ROZDZIAŁ ÓSMY

Następnego dnia w południe jestem gotowa, kiedy Dominic puka do moich drzwi. Słońce świeci jasno na niebie, jest kolejny pogodny letni dzień. Nie pamiętam, kiedy ostatni raz padało, a w radiu rano mówili, że jeśli nadal nie będzie deszczu, grozi nam susza.

Zmartwienie o przedłużającą się ładną pogodę to ostatnia rzecz, którą miałabym w głowie, otwierając dziś drzwi Dominicowi. Wygląda świeżo w letniej białej lnianej koszuli, jasnobrązowych krótkich spodniach i białych zamszowych butach. Oczy ma osłonięte czarnymi Ray-Banami, a na mój widok uśmiecha się szeroko.

– O, wow, wyglądasz cudownie.

Okręcam się lekko.

– Dziękuję. Mam nadzieję, że się odpowiednio ubrałam na dzisiejszą pogodę.

– W sam raz. A teraz chodźmy. Przygotowałem dla nas napięty plan.

Zjeżdżamy windą na parter. Dominic wydaje się w dobrym humorze, ale gdy widzę odbicie jego pleców w lustrze, nie mogę się powstrzymać od rozmyślania, co też się kryje za czystym, chłodnym płótnem koszuli. A pośladki? Czy są posiniaczone i obolałe po wczorajszej chłoście?

„Nie myśl tak – przykazuję sobie surowo. – Nie wiesz, czy to był on.

W takim razie kto? – odzywa się głos w mojej głowie. – To jego mieszkanie, na litość boską. Oczywiście, że on".

Gnębiłam się tym całą noc, zastanawiając się, co by to miało znaczyć. Nie widziałam żadnego seksu. Nie wyglądało na to, żeby tamtych dwoje w ogóle łączył ten rodzaj zażyłości. Jakby chodziło tylko o otrzymanie i udzielenie porządnego lania i to właśnie tak bardzo zbiło mnie z tropu. Późnym wieczorem, gdy leżałam, głowiąc się nad tym, doszłam do wniosku, że najlepiej będzie wyprzeć to wszystko z umysłu i cieszyć się dniem spędzanym z Dominikiem. Gdyby zdarzyła się okazja do poruszenia tego tematu i nie byłoby to nie na miejscu ani krępujące – cóż, wówczas zapewne zmieniłyby się nasze relacje.

Tak się jednak składa, że z każdą wspólną minutą wczorajszy teatr cieni staje się coraz mniej realny i coraz bardziej przypomina sen. Niemal przyjmuję, że tylko to sobie wyobraziłam. Mężczyzna bez twarzy siedzący okrakiem na stołku, z przywiązanymi nadgarstkami, nie ma nic wspólnego ze stojącym obok mnie miłym, przystojnym człowiekiem z krwi i kości, którego bliskość wywołuje u mnie gęsią skórkę. Wspaniały letni dzień spędzony z Dominikiem. Nie mogłabym sobie wyobrazić nic cudowniejszego.

Zmierzamy do Hyde Parku, a gdy jesteśmy już w pobliżu, przypominam sobie, jak patrzyłam na tę zieloną przestrzeń pierwszego dnia w Londynie. Ta obecna Beth wydaje się zupełnie inną osobą. Oto jestem, w ładnej jedwabnej sukience i szerokim słomkowym kapeluszu retro, idę u boku niewiarygodnie seksownego mężczyzny, rozpieszczana przez los i rozbawiona. Moje życie znacznie się poprawiło. I od wielu dni nie zaprzątałam sobie głowy Adamem.

– Znasz ten park? – pyta Dominic, kiedy wchodzimy przez jedną z bram.

Potrząsam głową.

– Jest w nim mnóstwo ukrytych skarbów i niektóre z nich zamierzam ci pokazać.

– Nie mogę się doczekać.

Uśmiechamy się do siebie.

„Skup się po prostu na chwili. Ciesz się nią. To może się już nie powtórzyć".

Park jest ogromny i sporo musimy wędrować, nim wśród zieleni błyśnie błękit wody. Zaraz potem ukazuje się szopa na łodzie i przywiązane przed nią rzędem zielone łódki o białych wnętrzach oraz niebieskie rowerki wodne.

– Och! – wzdycham.

– To Serpentine, jeziorko w kształcie krętego węża, stworzone dla przyjemności królowej Karoliny. Teraz możemy z niego korzystać wszyscy.

Po kilku minutach siedzę w jednej z łódek plecami do dziobu, tak by móc patrzeć w twarz Dominicowi, który się bierze do wioseł i zaraz kieruje łódkę na środek akwenu.

– Więc to jeziorko jest sztuczne? – Spoglądam na rozległą, krętą taflę, której brzegi w pewnym oddaleniu spina kamienny mostek.

– Tak. – Na ustach Dominica błąka się uśmiech. – Najskuteczniej sprawia ludziom przyjemność to, co wytworzone sztucznie. Natura podsuwa nam wzorce, a my uczymy się, jak je udoskonalić. Z kolei dzięki kaprysom i zachciankom dawnych monarchów mamy dziś te wspaniałości dla siebie.

Z łatwością pracuje wiosłami, wyraźnie w tym zaprawiony – sprawnie wydobywa pióra z wody, bez wysiłku przesuwa je nad powierzchnią, a potem zanurza pewnym ruchem i pociąga. Suniemy po tafli gładko, jedynie z lekkim szarpnięciem za każdym naporem wioseł. Wyciągam rękę i końcami palców dotykam chłodnej wody.

– Czy wiesz coś więcej o tym miejscu?

– Zawsze staram się dużo wiedzieć o miejscach, w których mieszkam – mówi. – Londyn ma szczególnie fascynującą historię. Sporo tego jak na jedno miasto, a ten zakątek jest wręcz przesiąknięty przeszłością. Hyde Park przez długi czas był zarezerwowany wyłącznie dla królewskiej rodziny, dopiero Karol I udostępnił go dla zwykłych ludzi. I dobrze zrobił. Gdy w Londynie wybuchła zaraza, ściągnęło tu mnóstwo mieszkańców. Mieli nadzieję, że unikną choroby.

Spoglądam na pięknie utrzymane trawniki – teraz, po dwóch bezdeszczowych tygodniach, trochę podeschłe i pożółkłe – a także na dorodne drzewa i migające wśród nich eleganckie budowle. Przed pobliską kawiarnią siedzą ludzie popijający chłodne napoje i jedzący lody. Wyobrażam sobie tłum siedemnastowiecznej londyńskiej biedoty obozującej na trawie w rozpaczliwej obawie przed śmiertelną chorobą. Słychać rozmowy i sprzeczki, wszędzie pełno brudu, w powietrzu wisi odór. Widać dzieciaki oraz kobiety w czepkach i w szarych fartuchach – usiłują gotować na ogniskach, podczas gdy mężczyźni ćmią fajki i głowią się, jak utrzymać rodziny przy życiu.

Po zalanym słońcem brzegu przechadza się współczesna rodzina. Matka pcha drogi wózek z niemowlęciem, a ojciec próbuje posmarować starszą córeczkę kremem od słońca – mała wyrywa się i robi, co może, by uciec na maleńkiej hulajnodze.

„Inne czasy, inne problemy".

Przenoszę wzrok na naszą łódkę. Tak przyjemnie jest patrzeć, jak Dominic wiosłuje. Mięśnie na jego ramionach napinają się, gdy pociąga wiosła, a kiedy tułów pochyla się w przód, biała lniana koszula rozchyla się lekko na piersi. Na ten widok przyśpiesza mi serce. Biorę głęboki wdech i wolno wypuszczam powietrze. Muszę nad sobą panować. Nie chcę, żeby się dowiedział, jaki ma na mnie wpływ, toteż odwracam wzrok, z nadzieją, że jakoś ukryję swoją bezwiedną reakcję na jego bliskość, na to, jak mnie do niego ciągnie. Przesuwając palcami po powierzchni chłodnej wody, uświadamiam sobie, że on też mnie obserwuje. Kątem oka dostrzegam, że za ciemnymi okularami wodzi za mną wzrokiem. Może myśli, że tego nie widzę. Wywołuje to u mnie elektryzujący efekt, jak gdyby miał w oczach laserowe promienie przypalające mi skórę. Uczucie jest niewiarygodnie intensywne, zarówno przyjemne, jak i niemal bolesne; nie chciałabym, by ustało. Suniemy po jeziorku, a on wiosłuje i wiosłuje, co zapewne kosztuje go sporo wysiłku. Potem pyta, czy nie chciałabym sama spróbować, i napięcie pryska.

– Lepiej nie. – Śmieję się. – Nie jestem tak silna jak ty. – Nie mogę się oprzeć i spoglądam na niego zalotnie. – Dużo trenujesz?

– Utrzymuję się w formie – odpowiada. – Nie chcę się zapuścić. Wiele czasu spędzam przy biurku, potrzebuję więc dla przeciwwagi odpowiedniej dawki ruchu.

– Na siłowni?

Ciemne, prawie czarne oczy posyłają mi nieprzeniknione spojrzenie.

– Kiedy tylko mogę – mówi przyciszonym głosem, a znaczenie, jakie zawiera w tych słowach, wywołuje u mnie cudowne drżenie. Po raz pierwszy zaczynam rozkwitać pod jego spojrzeniem. Dziś coś przebiega inaczej niż dotąd. To nie jest po prostu mężczyzna, który zabrał dziewczynę na miasto w geście przyjaźni. Czuję się jak kobieta, której on pragnie, i uświadamiam sobie z przyjemnym dreszczem, że ten dzień ma w sobie jakieś napięcie – takie, które ożywia i napędza wszystko dokoła.

– Jestem wykończony – oznajmia Dominic. Na czole i nosie pojawiły mu się kropelki potu. Mam ochotę zetrzeć je końcami palców, lecz powstrzymuję się. Tymczasem on zdejmuje okulary i sam ociera sobie czoło. Potem odkłada wiosła równolegle do burt i pozwala łódce dryfować w jarzącym się słońcu. Siedzimy w sympatycznej ciszy.

– Nie wiem jak ty – odzywa się Dominic – ale ja porządnie zgłodniałem. Może lunch?

– Fantastycznie.

– Dobrze. Wracajmy więc. – Ponownie zanurza wiosła i kieruje łódkę do brzegu. Poświęca temu dużo wysiłku, toteż nic nie mówi. Jego rytmiczne ruchy przywołują gdzieś w środku mnie wspomnienie. W moich myślach pojawia się Adam. Jego wizerunek, niedawno tak wyrazisty i dręczący ostrością, teraz jest dziwnie przyblakły. Jakbym ledwie umiała go sobie przypomnieć. Coś kiedyś do niego czułam, lecz w tym momencie wydaje się to odległe. Kochaliśmy się słodko, szczerze i romantycznie, ale nigdy nie było w tym takiego rozedrgania jak teraz, kiedy zwyczajnie patrzę na wiosłującego Dominica. Jakbym się poczuła, gdyby mnie teraz dotknął? Ta myśl pochłania mnie bez reszty, rozpala mi pachwiny i sprawia, że pulsują. Zaczynam się wiercić.

– W porządku?

Kiwam głową i nie odpowiadam. Dominic patrzy na mnie z troską, lecz nic już nie mówi. Na szczęście udaje mi się odzyskać kontrolę nad sobą, zanim docieramy do brzegu i oddajemy łódkę.

– Pańska przesyłka dotarła – oznajmia człowiek w kiosku, zwracając się do Dominica. – Nakryto zgodnie z pańskimi wytycznymi.

– Dziękuję – odpowiada Dominic i zwraca się do mnie z uśmiechem: – Pozwolisz?

Prowadzi mnie przez trawę pod potężny dąb, którego rozłożyste gałęzie rzucają chłodny cień. Pod drzewem na pastelowym obrusie w kratę urządzono wspaniały piknik. Stojący obok kelner najwyraźniej czeka na nasze przybycie.

– Dominic! – wołam z pałającymi oczyma. – To cudowne!

Im bliżej, tym bardziej apetycznie prezentują się wiktuały: łosoś z wody, niesamowite sałatki, w których błyska czerwień pomidorów, papryki i nasion granatu, różowe krewetki tygrysie, nakrapiane przepiórcze jaja, żółty majonez, plastry pieczonej krwistej wołowiny, dojrzały ser brie i świeże bagietki. W eleganckich szklanych pucharkach widać coś owocowego i kremowego. Z kubełka z lodem wystaje szyjka butelki wyglądającej na szampana. Wszystko to razem tworzy idealny obraz.

Kelner kłania się Dominicowi.

– Gotowe, proszę pana.

– Wygląda wyśmienicie. To wszystko, dziękuję. – Wprawnym, dyskretnym ruchem wręcza kelnerowi napiwek, a ten znów się kłania i zaraz znika. Zostajemy sami z ucztą.

– Mam nadzieję, że jesteś głodna – mówi Dominic i uśmiecha się ciepło.

– Jak wilk – odpowiadam szczęśliwa i siadam na kocu.

– Świetnie. Lubię patrzeć, jak jesz. Apetyt ci dopisuje, podoba mi się to. – Wyciąga z kubełka butelkę. To Dom Pérignon Rosé, słynna marka szampana. Dominic odkorkowuje ją szybko i sprawnie, po czym nalewa pieniący się płyn do dwóch przygotowanych kieliszków. Podaje mi jeden, a drugi unosi, mówiąc: – Za letni angielski dzień. I za piękną dziewczynę, z którą go spędzam.

Czerwienię się, unosząc szkło i spotykając jego spojrzenie nad perlistym napojem.

„Czy może być coś bardziej idealnego?".

Jemy nasze pyszności, a potem, syci i trochę upojeni wspaniałym różowym szampanem, wyciągamy się na kocu i spokojnie rozmawiamy. Dominic żuje źdźbło trawy, a ja patrzę na niego spod półprzymkniętych powiek. Całe moje ciało żywo odczuwa jego bliskość, lecz na powierzchni świadomości coś we mnie walczy, coś, o czym nie chcę myśleć, ale nie umiem uwolnić od tego umysłu.

To widok człowieka leżącego na brzuchu na dziwnym meblu w mieszkaniu Dominica oraz obraz Vanessy, która – silna i sroga – smaga go skórzanym pasem. Rzemień trzaska o pośladki mężczyzny, aż robią się czerwone, krwiste…

– Beth…

Aż się wzdrygnęłam.

– Aa-ha? – Odwracam się do niego. Przekręcił się na bok i teraz jest bardzo blisko mnie. Wyczuwam zapach słodkiej cytrusowej wody kolońskiej na jego ciepłej skórze. Żołądek wykonuje mi salto, palce zaczynają drżeć.

Patrzy mi głęboko w oczy, jakby chciał przeniknąć do duszy.

– Tamtego wieczoru... tamtej nocy, kiedy cię znalazłem zapłakaną na ulicy... Rozmyślałem o tym. Dlaczego płakałaś? Bo się zgubiłaś?

Nie potrafię wytrzymać jego spojrzenia. Wbijam wzrok w bladą kratkę obrusu.

– Niezupełnie – odpowiadam cicho. – Chciałam wejść do baru. Do dziwnego miejsca o nazwie The Asylum.

Kiedy podnoszę wzrok, jego oczy są zimne. „Boże, po co to powiedziałam? To szaleństwo wspominać o tym miejscu. I proszę, co narobiłam!".

– Czemu tam poszłaś? – pyta ostro.

– No... nie wiem... Widziałam, że jacyś ludzie idą w dół po schodach, i ruszyłam za nimi... – „To nie kłamstwo". – Ale bramkarz na mnie naskoczył. Powiedział, że to prywatny klub i mam się wynosić.

– Rozumiem. – Dominic marszczy brwi, patrząc na trawkę, którą trzyma kciukiem i palcem wskazującym.

– Tam, skąd pochodzę, nie ma zbyt wielu prywatnych klubów – próbuję żartować. – Nigdy mi się nie zdarzyło, żeby mnie dokądś nie wpuszczono.

– I... co tam widziałaś?

Biorę głęboki wdech i kręcę głową.

– Nic. Ludzie siedzieli przy stolikach i rozmawiali. Byłam tam tylko przez chwilę. – Chcę mu powiedzieć, co naprawdę zobaczyłam w tym dziwnym lokalu, i zapytać, jak to należy rozumieć, lecz nie mam śmiałości. Opadły żaluzje, a ja rozpaczliwie chciałabym, by się z powrotem podniosły. Pragnę przywrócić ciepłą, seksowną atmosferę rozkosznego oczekiwania na coś, co może się zdarzyć lada moment.

– Dobrze – mruczy Dominic. – Nie wiem, czy jest to miejsce dla takiej dziewczyny jak ty. Jesteś taka słodka. Tak niewiarygodnie słodka.

Wyciąga rękę i – ku mojemu zaskoczeniu – kładzie dłoń na mojej, po czym gładzi ją kciukiem, a mnie skóra pali od jego dotyku. Wpatruje mi się w oczy i widzę, że się z czymś zmaga.

– Nie powinienem, naprawdę nie powinienem.

– Dlaczego? – pytam szeptem.

– Jesteś zbyt… – wzdycha. – Sam nie wiem…

– Młoda?

– Nie. – Kręci głową. Mam ochotę przesunąć palcami po tych ciemnych włosach. – Wiek nie ma tu nic do rzeczy. Spotkałem w życiu nastolatki mądre ponad swoje lata oraz czterdziestki naiwne jak Królewna Śnieżka. Nie o to chodzi.

– To o co? – Mój głos jest przesiąknięty pragnieniem.

Splata palce z moimi. Trudno znieść taki dotyk. Ledwie udaje mi się zwalczyć impuls, który mi każe sięgnąć do jego twarzy i przyciągnąć ją do siebie.

Jego głos staje się jeszcze cichszy, a oczy nie potrafią się spotkać z moimi. Serce mi wali, gdy słyszę:

– Nieczęsto pozwalam sobie na swobodę uczuć, Beth. Jednak jest w tobie coś… coś tak świeżego i cudownego, impulsywnego i inspirującego. Dzięki tobie czuję, że żyję.

Wszystko we mnie odpowiada na jego słowa. Ledwie mogę oddychać.

– Nie doświadczałem czegoś takiego od długiego czasu – mówi jeszcze ciszej. – Zapomniałem, jakie to piękne. I właśnie ty mi o tym przypomniałaś. Ale…

„Jasne, zawsze musi być jakieś „ale". Dlaczego nic nie może być proste? Właśnie powiedziałeś, że dzięki mnie czujesz, że żyjesz". Nie odważę się jednak wypowiedzieć tego na głos, żeby nie zepsuć cudnej chwili.

– Ale… – Ma udręczoną minę.

– Martwisz się, że mnie zranisz? – pytam w końcu.

Posyła mi spojrzenie niemożliwe do odczytania. Potem śmieje się z nutką goryczy w głosie.

– Nie zranisz – mówię. – Przyrzekam, że się nie dam. Nie zabawię tu długo. Nie na tyle, żeby się uwikłać.

Dominic unosi moją dłoń i przyciska ją sobie do ust. Wrażenie jest błogie, najbardziej ekscytujący pocałunek w moim dotychczasowym życiu, a przecież nie dotknął nawet moich warg. Odsuwa usta i zwraca na mnie spojrzenie.

– Och, mamy dość czasu, Beth. Uwierz mi.

I wtedy to się dzieje. Dominic przyciąga mnie blisko do siebie i w jednej chwili jestem już w jego objęciach, wtulona w ciepło jego wspaniałego ciała, otoczona cudownym zapachem i siłą jego ramion.

On jedną ręką przytrzymuje mnie na wysokości barków, drugą nieco niżej i nasze usta odnajdują się wreszcie. Co innego mogę zrobić, jak tylko rozchylić je do pocałunku? Jego wargi są tak cudowne, jak miałam nadzieję, ale sam pocałunek okazuje się znacznie wspanialszy, niż umiałabym sobie wyobrazić: ciepły, głęboki, wciągający. Zatapiam się w tym wrażeniu, podczas gdy jego język błądzi w moich ustach. Moje ciało wyrywa mi się spod kontroli, nie potrafię już nim świadomie sterować. Mój język styka się z jego językiem w rozkosznej pieszczocie. Od razu wiem, że nigdy mnie tak nie całowano. To najcudowniejsze uczucie absolutnego dopasowania, jak gdyby nasze usta zostały stworzone, by się idealnie do siebie ułożyć.

Mam zamknięte oczy i zatracam się w mroku, świadoma tylko głębokości naszego pocałunku, który z każdą chwilą staje się coraz intensywniejszy. Tymczasem dłonie Dominica przesuwają się po moich plecach w dół, w okolicę krzyża i niżej, na pośladki. Jęczy lekko, kiedy mnie tam dotyka.

W końcu rozłączamy się. Oddycham szybko i wiem, że oczy mi błyszczą. Dominic patrzy na mnie, a jego spojrzenie płonie intensywnością tego, co wspólnie przeżyliśmy.

– Pragnąłem tego, odkąd się pierwszy raz spotkaliśmy – mówi z uśmiechem.

– Wtedy, kiedy upuściłam lody?

– Tak, wtedy. Nie dało się ciebie nie zauważyć. Ale dopiero później, kiedy cię zobaczyłem na kocu w ogrodzie... dopiero wtedy uświadomiłem sobie, jaka jesteś urocza.

Czuję się niezręcznie, zakłopotana.

– Urocza? Ja?

– Oczywiście. – Kiwa głową. Z trudem mogę uwierzyć, że ktoś tak wspaniały jak on mógł uznać mnie za uroczą. – Jeśli mam być szczery, trudno się było powstrzymać. A kiedy cię znalazłem płaczącą na ulicy, z całych sił starałem się, żeby cię nie pocałować już tam na miejscu.

– Myślałam, że jesteś na mnie zły – mówię ze śmiechem.

– Nie – odpowiada. Bierze mnie dłonią pod brodę i delikatnie zwraca moją twarz ku swojej. – Mój Boże, bardzo przepraszam, ale muszę cię znów pocałować.

Zatapia usta w moich i znowu w głowie wirują mi gwiazdy. Poddaję się cudownemu wrażeniu, kiedy jego język pieści mój, miodowemu smakowi jego ust oraz poczuciu ostatecznego spełnienia. Przyciskamy się do siebie, zacieśniamy uścisk i czuję na swoim brzuchu jego męskość. Ta oznaka jego podniecenia jest dogłębnie ekscytująca, tak że moje własne pożądanie zalewa mi brzuch, pulsując w środku aż do bólu.

Kiedy się rozłączamy, Dominic mówi:

– Miałem na to popołudnie z tobą wspaniałe plany, ale nie wiem, jak, u licha, będę w stanie robić coś innego niż to.

– Więc po co się zmuszać? Czemu niby mielibyśmy robić coś innego?

– Nie możemy tu zostać do wieczora. – Znów chwyta moją dłoń i patrzy mi intensywnie w oczy. – Moglibyśmy pójść do domu… gdybyś chciała…

„Gdybym chciała? Niczego nie pragnę bardziej!".

– Tak, proszę – mówię miękko, a w moim głosie wyraźnie brzmi pragnienie.

Oboje mamy na twarzach wymalowane pożądanie, zrywamy się więc na równe nogi. Chwytam kapelusz i koronkowy szal.

– A co z piknikiem? Możemy go tak zostawić?

Dominic szybko wystukuje coś na telefonie.

– Będą tu za jakieś dwie minuty i posprzątają.

– To było wspaniałe – mówię w nadziei, że tej pośpiesznej zgody nie odbierze jako odrzucenia pomysłów na resztę dnia.

– Nie tak wspaniałe jak to, co nastąpi potem – odpowiada, a mój żołądek skręca się z przyjemnego bólu, który poznałam tak niedawno.

Nie wiem, jak dotarliśmy do domu tak szybko i znaleźliśmy się w windzie w drodze do mieszkania Dominica. Całujemy się znowu, gorąco i z pasją. Zerkam na nasze odbicie w lustrze. Sposób, w jaki splecione są nasze ciała, nasze usta przyciśnięte do siebie – ten widok sprawia, że na wskroś przeszywa mnie podniecenie. Pragnę go rozpaczliwie, moje ciało domaga się go rozdzierająco, łaknie jego dotyku.

Mój oszołomiony umysł zastanawia się, jak daleko to się posunie, ale nie mam pojęcia, czemu mielibyśmy się powstrzymać. Pożądanie, które we mnie buzuje, u Dominica jest najwyraźniej jeszcze mocniejsze. Całuje mnie po całej szyi, jego ciemny zarost ociera się o moją skórę, aż wzdycham z wrażenia. Drzwi windy są już otwarte od kilku sekund, zanim to zauważamy.

– Chodź – mruczy ochrypłym głosem, pociągając mnie i prowadząc do swojego mieszkania. Chwilę później jesteśmy już u niego, drzwi zamykają się za nami. Wreszcie zupełna prywatność. Drżę na całym ciele z żądzy, gdy potykając się, idziemy do sypialni. Nie potrafimy oderwać od siebie nawzajem rąk na tyle długo, żeby nie plątać kroków.

Sypialnia jest zaciemniona, mimo że na zewnątrz jasno świeci słońce. Łóżko okazuje się ogromne, arcyszerokie, z tapicerowanym pluszowym wezgłowiem, nieskazitelnie białymi poduszkami i pościelą w stonowanym odcieniu błękitu. Całości dopełnia szara kaszmirowa narzuta.

Teraz, gdy jesteśmy już w środku, Dominic odwraca się w moją stronę, a jego czarne oczy płoną, wpatrując się we mnie. Cała twarz wyraża pożądanie – to nieprawdopodobnie ekscytujące spojrzenie, nikt tak na mnie nigdy nie patrzył.

– Czy tego właśnie chcesz? – pyta ochryple.

– Tak – odpowiadam, na wpół z westchnieniem, a na wpół z bolesną potrzebą. – O Boże, tak.

Podchodzi blisko mnie i intensywnie bada wzrokiem moją twarz.

– Nie wiem, czemu tak na mnie działasz… ale wiem, że dłużej nie mogę się temu opierać.

Sięga do moich pleców i sunie palcami do zamka sukienki. Rozpina go sprawnie, ubranie rozchyla się i czuję nagość własnej skóry. Dominic szybkim ruchem odpina mi z tyłu pasek i teraz cała sukienka łagodnie opada na podłogę, zostawiając mnie w prostej bieliźnie, jaką noszę na co dzień: białym staniku z koronkowym brzegiem i pasującymi figami ze skromnej białej koronki.

– Jesteś taka piękna – mówi, gładząc palcem moje biodro.
– Niewiarygodnie.

Niezwykłe jest to, że naprawdę się taka czuję – dojrzała, pociągająca i gotowa dla niego. Piękniejsza, niż byłam kiedykolwiek przedtem.

– Chce cię już teraz – szepcze i przyciska wargi do moich. Jego język pieści mi usta, a ręce wędrują po moim ciele – plecach i pośladkach, gdzie zatrzymują się dłużej, delektując się krągłościami.

– Twoja pupa jest dla mnie stworzona – mruczy mi prosto w usta. – Idealna.

Nie mogę się oprzeć i wciskam pośladki w jego dłonie, a on jęczy przy tym miękko. Płonącymi pocałunkami znaczy ślad od moich ust przez szczękę, w dół szyi i ramion. Teraz to ja pojękuję, gdy jego zarost muska mi skórę. Desperacko pragnę go pieścić, czuć tę ciepłą brązową skórę pod palcami i wdychać jego zapach. Chcę zedrzeć z niego koszulę i całować kępkę ciemnych włosów na jego smagłej piersi, ale on mocno trzyma mnie za ręce, nie pozwalając na nic takiego.

– Moja kolej – szepcze z uśmiechem. – Twoja będzie potem.

„Obiecanki cacanki… ale, o Boże, to jest boskie…".

Jego usta są tak kuszące, gdy przemieszczają się w stronę moich piersi, które teraz wznoszą się i opadają wraz z przyśpieszonym oddechem, lecz on nie śpieszy się, całuje każdy centymetr mej skóry pomiędzy szyją a linią koronki biustonosza. Sutki mi już od dawna sterczą, zrobiły się niesamowicie wrażliwe, gdy tak napierają na materiał stanika. Bezwiednie odchylam głowę do tyłu, wypinając piersi w przód, i w końcu jego usta dosięgają krawędzi bielizny. Zaraz też są tam jego palce, te eleganckie, wypielęgnowane palce, mające w sobie tyle obietnicy w kwestii tego, co mogą ze mną zrobić. Odsuwają koronkę, uwalniając moją prawą pierś z ubrania. Ukazuje się twarda, stercząca brodawka, błagająca, żeby ją wziął do ust. On przesuwa się ku niej wolno, jego język podąża miękką krzywizną, aż wreszcie wargi trafiają na miejsce i sutek znika w jego ustach. Czuję się, jakby prąd przebiegł od mojej piersi do pachwin. Zalewa mnie intensywna żądza.

– Proszę – mówię błagalnie. – Proszę, nie mogę się doczekać.

Śmieje się i droczy ze mną:

– Cierpliwość, młoda damo, jest cnotą.

Ale ja czuję wszystko, tylko na pewno nie cnotę: jestem rozpalona pożądaniem, niespełniona, łaknę go, potrzebuję. On trzyma mnie tak ciasno, że ledwie to mogę znieść.

Drugą dłonią chwyta mnie za lewą pierś, jego palce drażnią brodawkę przez materiał. Oddech mam gorący i ciężki, nie mogę się powstrzymać od lekkich westchnień, a ogarniająca mnie przyjemność sprawia, że zamykam oczy i otwieram usta.

Kładę mu ręce na ramionach.

– Proszę, pozwól mi, żebym ja też cię pieściła.

Lekko szarpie zębami mój sutek, tarmosi go, po czym puszcza. Cofa się o krok i patrzy na mnie, a jego wargi zaokrąglają się w uśmiechu. Rozpina z guzików koszulę i pozwala jej opaść na podłogę. Podziwiam jego szeroką klatkę piersiową, brązowe brodawki sutkowe, smagłą skórę i ciemne włosy, imponujące barki i mięśnie ramion.

„Czy to naprawdę dla mnie?".

Wysuwa stopy z butów, a wtedy moja uwaga skupia się na jego krótkich spodniach. Widać wybrzuszenie, ale kiedy Dominic rozpina rozporek i wyjmuje to, co tam się kryje, wyrywa mi się cichy okrzyk. Jego erekcja jest niewiarygodna – jego długi, nabrzmiały i gruby penis sterczy dumnie, wyznając szczerze, jak bardzo mnie pragnie.

Dominic robi krok w moją stronę, a jego oczy są w tej chwili przesłonięte żądzą. Otacza mnie ramionami, obejmuje i całuje z pasją. Czuję między nami jego sterczącą męskość – napiera na mój brzuch, jest gorący i twardy, a moja jedyna myśl to wszechogarniająca potrzeba, żeby już czuć go w środku.

Tymczasem Dominic rozpina mi biustonosz i strąca go na podłogę. Moje piersi naciskają na jego tors i wreszcie mogę go objąć, poczuć pod palcami jego szerokie, gładkie plecy, napawać się dotykiem jego napiętych mięśni, przesunąć dłonie w dół, ku twardym pośladkom.

„Nic tam nie ma".

Nieproszona myśl wyskakuje z podświadomości jak korek spod wody. Co to ma znaczyć? Co mi się snuje bezwiednie po głowie?

„To lanie, które widziałaś wczoraj. Nie ma na skórze żadnych śladów. Poczułabyś je.

To zdecydowanie nie był on! – uświadamiam sobie z ulgą. – Nie mam pojęcia, kto to mógł być ani dlaczego działo się to w mieszkaniu Dominica, ale to nie był on…".

Ta myśl coś we mnie wyzwala. Moje pożądanie przekształca się z drżącej oczekiwaniem ekstazy w coś, co wyraża potrzebę, jakiej nigdy dotąd nie odczuwałam. Ciaśniej owijam wokół niego ramiona, palcami lekko drapię go po plecach, opuszczam twarz ku jego piersi i przebiegam zębami i językiem po skórze, delikatnie przygryzając tu i tam. Biorę jego ciemny sutek do ust i drażnię go.

– Chryste – mówi, kiedy go ssę, pociągając zębami. A potem niemal ostro: – Chcesz, żebym cię zerżnął?

Głos mu się rwie. Kiwam głową i wypuszczam napęczniały sutek z ust. Cały lśni od mojej śliny.

– Chcesz?

– Tak!

– Poproś…

Nie powiedziałam nigdy nic takiego głośno, ale zaszłam już za daleko, żeby się tym przejmować.

– Tak, proszę, zerżnij mnie. Tak bardzo tego chcę…

Nagle on uwalnia swoją siłę. Bierze mnie na ręce i przenosi na łóżko z taką łatwością, jakbym była piórkiem. Kładzie mnie na plecach. Rozgrzaną skórą dotykam chłodnej pościeli.

Dominic sięga do bocznej szafki, otwiera drzwiczki i wyjmuje paczkę prezerwatyw. Rozrywa ją szybkim ruchem, wyciąga krążek i wkłada go na penis.

„To się dzieje naprawdę".

Pragnę tego, jestem na to gotowa, rozpaczliwie chcę poczuć go, jak mnie wypełnia od środka. On wraca, staje w nogach łóżka. Zaczepia palcami o brzeg moich majtek i zaczyna je delikatnie ciągnąć w dół. Zdejmuje je całkiem, a potem klęka, łagodnie rozsuwa mi uda i kładzie usta na kępce mych włosów łonowych. Czuję, że się otwieram jak kwiat, wszystko nabrzmiewa i wypełnia się gorącą wilgocią. Jestem taka spragniona, taka chętna. Moje ciało żebrze, domaga się go.

– Jesteś niesamowita – mówi niskim głosem.

Czuję jego oddech na spęczniałej łechtaczce i znów wyrywa mi się westchnienie. On przebiega ustami po jej koniuszku i drażni ją językiem, sprawiając mi niewysłowioną słodką udrękę.

– Nie wytrzymam – dyszę. – Proszę, Dominic...

Podnosi się i zatrzymuje się nade mną przez chwilę, a jego wspaniały penis stoi przy tym dęba. Potem Dominic opada, przyciskając swoją twardość do mojej łechtaczki, aż się zaczynam pod nim wiercić. Tak dobrze jest czuć na sobie jego ciężar. Nogi rozsuwają mi się jeszcze szerzej, żeby mógł we mnie łatwiej wejść, biodra unoszą się na spotkanie, a wszystko dzieje się bez mojego udziału. Ciało odpowiada niezależnie od świadomości. Wie tylko, że tego pragnie, tu i teraz.

Dominic cofa się nieco i koniec jego penisa naciska na moje wnętrze.

– Proszę, proszę – niemal skamlę z oczyma zaćmionymi pragnieniem.

Jego spojrzenie jest ciemne i intensywne. Dominic wyraźnie napawa się chwilą i całą jej rozkoszą. Czuję, jak moje wewnętrzne wargi rozchylają się, ciało pulsuje podnieceniem. Unoszę się lekko, wyciągam ręce i kładę je na jego biodrach, a potem przyciągam go do siebie, aż w końcu wchodzi we mnie. Wślizguje się łatwo, bo jestem strasznie mokra, ale porusza się niezmiernie powoli, wciska się, wypełniając mnie cudownym uczuciem.

Jęczę i zaciskam się na nim, podczas gdy wsuwa się coraz głębiej. Na twarzy Dominica maluje się jakaś zawziętość, jak gdyby walczył z sobą, powstrzymując się przed czymś. Wpycha się we mnie ostro, a moje biodra wysuwają się ku niemu same. Pławię się w rozkoszy, gdy tak wchodzi głęboko. Nie przypomina to niczego, co do tej pory przeżyłam. Nabiera teraz szybkości i ja też znajduję swój rytm, wypychając biodra i wyginając plecy w łuk przy każdym jego pchnięciu. Wtem zmienia trochę taktykę, ciężar ciała opiera bardziej na kolanach, wsuwa dłonie pod moje pośladki, chwyta je i przyciąga do siebie. Wywołuje to we mnie nowe odczucia – teraz jest bardziej ostro, natarczywie i każde dźgnięcie gdzieś tam w głębi zapiera mi dech w piersi. Sapię i krzyczę, a on ściska mi mocno pośladki obiema rękami i kołysze się zaciekle w przód, przygniatając moją gorącą, rozpaloną łechtaczkę. Kłębi się we mnie jakieś niewiarygodne wrażenie, przetacza się coraz większymi falami, wzbiera i narasta. To błogie, nieopisane uczucie wynosi mnie wyżej i wyżej, jakby nadciągał przypływ zmierzający do szczytowania. Rozkładam nogi jak najszerzej, sztywnieję w oczekiwaniu na nieuchronne. Dominic przyśpiesza, najwyraźniej działa na niego bliskość mojego orgazmu, oczy mu płoną, gdy widzi, że jestem już na krawędzi. Szarpnięcie rozkoszy porywa mnie i kołysze całym ciałem. Nic się w tej chwili nie liczy, tylko zalewająca mnie krańcowa przyjemność spełnienia. Słyszę, jak Dominic dochodzi z krzykiem. Potem opada na moje piersi i leżymy tak przez dłuższy czas, wciąż złączeni, zdyszani i wyczerpani.

W końcu podnosi głowę i uśmiecha się do mnie promienny, szczęśliwy.

– Jak ci się podobał dzień poza domem, Beth?

– Cudowny był dzień w środku – chichoczę w odpowiedzi.

– Cudowny był dzień w tobie – odpowiada i śmiejemy się oboje.

Jesteśmy w tej chwili tak blisko, tak intymnie związani. Dominic zsuwa się ze mnie, przetacza na bok, wprawnie zdejmuje kondom i pozbywa się go. Potem znów bierze mnie w ramiona i całuje miękko.

– To było zdumiewające, Beth. Jesteś bardzo zaskakująca.

Wzdycham uszczęśliwiona.

– Przyznam szczerze, że było nadzwyczajnie.

– Chcesz zostać na noc?

– A która godzina?

– Po ósmej.

– Już? – dziwię się. – Tak, proszę, jeśli mogę.

– Zaraz coś zjemy na kolację – mówi, ale łóżko jest ciepłe i cudowne. Wkrótce oboje zasypiamy znużeni.

Rozdział dziewiąty

Budzę się, słysząc odgłosy prysznica dobiegające z sąsiadującej z sypialnią łazienki. Kilka minut później wychodzi stamtąd Dominic owinięty w ręcznik. Jest absolutnie wspaniały; włosy ma mokre, krople wody opadają mu na ramiona.

– Cześć – mówi z uśmiechem i jaśniejącymi oczami. – Jak się masz? Dobrze spałaś?

– Bardzo dobrze – uśmiecham się szeroko i przeciągam zmysłowo.

– Wyglądasz apetycznie – zauważa, patrząc na mnie z podziwem. – Szkoda, że muszę dziś iść do biura. Nie chciałbym robić nic innego, tylko wskoczyć z powrotem do łóżka i urządzić powtórkę wczorajszych atrakcji.

– Co cię powstrzymuje? – pytam i zerkam kokieteryjnie. Sam jego widok znów mnie rozpalił, aż zapiekła skóra.

– Mam pracę do zrobienia, kochanie. I już jestem spóźniony. – Bierze mniejszy ręcznik i zaczyna wycierać sobie włosy. – A ty dzisiaj nie idziesz do pracy?

Przez chwilę nie wiem, o czym mówi, aż dociera do mnie i siadam wyprostowana.

– O Boże! Galeria! – W wirze podekscytowania zupełnie zapomniałam o swojej posadzie. – Która godzina?

– Dochodzi ósma. Muszę znikać.

Rozluźniam się trochę.

– Phi. Ja zaczynam dopiero o dziesiątej.

Potrząsa głową ze śmiechem.

– Wy z branży artystycznej macie łatwe życie.

Myślę właśnie, że powinnam wrócić do mieszkania Celii, by się ubrać, gdy nagle zasłaniam sobie usta ręką, tłumiąc okrzyk.

– Co się stało? – Dominic unosi pytająco jedną brew.

– De Havilland! Nie dałam mu jeść wieczorem. – Gramolę się z łóżka i sięgam po swoje rzeczy. – Biedny kotek! Jak mogłam o nim zapomnieć?

– Nie przejmuj się, mam przeczucie, że wciąż jeszcze żyje. I nawet się cieszę, że wczoraj nie poprosiłaś o przerwę, przejęta troską o swojego kota.

– Kota Celii! To dlatego tak panikuję. – Szybko wciągam sukienkę i pośpiesznie mówię: – Dziękuję! Dziękuję za wczorajszy dzień i wieczór.

Przyciąga mnie do swojej wciąż jeszcze mokrej piersi. Czuję bicie jego serca oraz mieszankę zapachu mydła, kremu po goleniu i naturalnego ciepłego piżma.

– To ja powinienem ci podziękować – mruczy, a głos brzmi gdzieś głęboko w jego wnętrzu. Potem pochyla się i bierze telefon. – Nie mam twojego numeru. Mogłabyś mi go dać?

Szybko dyktuję numer, a on wstukuje go w pamięć komórki.

– Świetnie. Wyślę ci SMS-a, wtedy wyświetli ci się mój numer. – Składa na moich ustach miękki, słodki pocałunek. Smakuje miętą i miodem. – Teraz już lepiej idź. Nie spóźnij się pierwszego dnia.

Oczywiście De Havilland jest na mnie wściekły. Słysząc obracający się w zamku klucz, od razu głośno wyraża niezadowolenie, a kiedy wchodzę, jego żółte oczy zdają się miotać we mnie błyskawice gniewu.

– No dobrze, dobrze. Przepraszam! Zapomniałam o tobie, to było podłe, ale już wróciłam.

Biegnie przede mną do kuchni z wyprostowanym jak struna puszystym czarnym ogonem, co ma manifestować rozdrażnienie, a potem, gdy mu sypię karmę, staje przy swojej misce, wciąż miaucząc. Następnie zabiera się do jedzenia z taką rozkoszą, jakby nic nie miał w pyszczku od tygodni.

Sprawdzam czas. Powinnam się pośpieszyć. Muszę wziąć prysznic, i to szybko. Lecz pod strumieniem wody z ociąganiem zmywam z siebie zapachy wczorajszego wieczoru. Było tak cudownie, samo przelotne wspomnienie znów wprawia mój żołądek w sensacje. Niczego takiego nigdy nie doświadczyłam z Adamem, to pewne. Tak, kochaliśmy się, lecz zawsze niezmiennie – z przyjemnością, ale spokojnie i przewidywalnie. Nigdy nie rozbudził we mnie odczuć choćby w jednej dziesiątej tak ekscytujących jak nieskrępowana ekstaza, która mnie ogarnęła wczorajszego wieczoru. Kiedy Dominic wszedł we mnie, zalało mnie uczucie dogłębnej intymności, a nasze szczytowanie przyniosło zaspokojenie, jakiego nigdy dotąd nie zaznałam. Spoglądam na swoje ciało, piersi pokryte śliskim mydłem, miękki brzuch, wzgórek łonowy porośnięty jasnym meszkiem, i czuję się, jak gdybym po raz pierwszy zrozumiała, do czego jestem zdolna.

„Czy to naprawdę byłam ja? Czy mogę to zrobić znowu? O mój ty świecie, mam nadzieję, że tak".

Już teraz go pragnę.

„Dominic".

Jego imię przyprawia mnie o dreszcz rozkoszy.

„Ale przecież masz pracę, pamiętasz? Czas przestać myśleć o tym, co się wydarzyło w sypialni, moja panno! Spłucz mydło i bierz się za siebie".

Przybywam do galerii Riding House punkt o dziesiątej. Widzę, że James jest już w środku. Na dźwięk mojego pukania podchodzi do drzwi i wpuszcza mnie.

– Dzień dobry! Jak się masz, Beth? Udany weekend? – Uśmiecha się przyjaźnie.

Prezentuje się bardzo elegancko, w typie angielskiego dżentelmena, w bawełnianych spodniach koloru khaki, różowej koszuli i ciemnoniebieskim bezrękawniku z dzianiny. Jest wyższy i szczuplejszy, niż go zapamiętałam, na jego orlim nosie połyskują okulary.

– Tak, dziękuję – odpowiadam radośnie. – Weekend był wspaniały.

– Miło mi to słyszeć. Pokażę ci teraz, co i jak... Przede wszystkim kawa, to główna zasada. Zaparza ją ten, kto przychodzi pierwszy. Żadnego jedzenia na wynos, to też zasada.

– A dużo jest tych zasad? – pytam z uśmiechem, podczas gdy prowadzi mnie przez galerię do małej kuchni na tyłach.

– Och, nie, pracujemy w luźnej atmosferze. Ale mam swoje standardy.

Nie zaskakuje mnie to, James wygląda na człowieka o ustalonych przyzwyczajeniach. Należy do nich świeżo zmielona kolumbijska kawa, mocno palona, przyrządzona w lśniącym, srebrzystym ekspresie firmy Gaggia. Po chwili właściciel galerii podaje mi pysznie pachnącą latte, a swoje oleiste espresso pije z maleńkiej porcelanowej filiżanki.

– Taak – mówi – teraz możemy zaczynać.

W miarę upływu godzin coraz bardziej utwierdzam się w przekonaniu, że polubię tę pracę. Za chłodną, elegancką powierzchownością Jamesa kryje się dowcipny, zabawny mężczyzna o niespodziewanych zasobach żartów i uśmiechu. Moje zajęcie będzie raczej niewymagające. Mam odpowiadać na telefony, pomagać wchodzącym klientom i ogólnie doglądać lokalu. Oczywiście, jako że w tej chwili nie jestem obyta, James robi to jeszcze sam, ale szybko przyswajam jego zalecenia.

– Przykro mi, że traktuję cię jak podwładną – mówi przepraszająco. – Z czasem praca stanie się bardziej interesująca, obiecuję.

– Nie mam nic przeciwko temu, że zacznę od samego dołu – zapewniam.

– To dobrze. – Znów się uśmiecha. – Myślę, że dobrze będzie się nam współpracowało.

I tak jest w istocie. Świetnie do siebie pasujemy. James jako pracodawca nie stwarza problemów, przeciwnie: cały czas mnie rozbawia. Jeśli miałam jakieś podejrzenia co do tego, czy przypadkiem nie próbuje ze mną flirtować, rozwiewają się one po południu, kiedy wchodzi blondyn w średnim wieku o zniszczonej twarzy, która zaskakująco kontrastuje z eleganckim białym garniturem. Podchodzi prosto do Jamesa, całuje go w policzek i zaczyna rozmowę w nieznanym mi języku. James mu odpowiada, a potem spogląda na mnie.

– Beth, pozwól, że ci przedstawię Erlenda, mojego partnera. Jest Norwegiem, musisz mu wybaczyć.

Erlend zwraca się do mnie i wita się bardzo uprzejmie:

– Jak się masz, Beth? Mam nadzieję, że dobrze ci się pracuje z Jamesem. Nie pozwól, żeby się za mocno rządził, zawsze lubi dowodzić.

– Nie pozwolę. – Uśmiecham się.

„Więc James definitywnie nie flirtował ze mną".

Podczas gdy dwaj mężczyźni dalej rozmawiają swobodnie po norwesku, rozglądam się po jasnej, czystej galerii i mam ochotę uściskać się sama ze szczęścia.

„Dostałam tę pracę i mam Dominica. Czy mogło mnie w życiu spotkać coś lepszego?".

Późnym popołudniem dostaję SMS-a.
Cześć, o której kończysz? Wyszłabyś ze mną na drinka po pracy? Dx

Wysyłam odpowiedź:
Świetny pomysł. Kończę o 6. Bx

Kolejny SMS przychodzi po krótkiej chwili.
Spotkajmy się przed All Souls przy Regent Street, koło BBC. 6.30. x

– Dobre wieści? – zagaduje James.

Płonę rumieńcem i potakuję głową.

– Yhm.

– Twój chłopak?

Płonę jeszcze bardziej.

– Em... nie...

– Jeszcze nie – dokańcza z uśmiechem. – Ale masz nadzieję.

Muszę już być szkarłatna na twarzy.

– Tak jakby. Tak.

– Szczęściarz z niego. Mam nadzieję, że będzie cię dobrze traktował.

Przebiega mi przez myśl, jak Dominic potraktował mnie poprzedniego wieczoru, i ogarnia mnie podniecenie, jakbym właśnie skoczyła z wysokiej trampoliny ku majaczącej gdzieś w dole tafli basenu. Znowu kiwam głową, niezdolna, by wykrztusić choć słowo.

Galerię zamykamy o szóstej, a do kościoła Wszystkich Świętych, o którym wspomniał Dominic, jest bardzo blisko (James powiedział mi, jak tam dotrzeć), toteż przybywam na miejsce, mając w zapasie mnóstwo czasu. Kościół jest stary, zbudowany z ciemnego, złotobrązowego kamienia. Staję w okrągłym, okolonym kolumnami portyku, spoglądając na Regent Street. Przed imponującą fasadą sąsiedniego gmachu BBC nie ustaje ruch uliczny. Przyjemnie się patrzy na przechodniów, ale wypatruję Dominica. To cudowne oczekiwanie, jak wtedy, gdy człowiek budzi się rano i przypomina sobie, że jest Boże Narodzenie, dzień smakołyków i prezentów.

Czytam jakąś informację na kościelnej tablicy ogłoszeń, gdy się zjawia Dominic. Aż podskakuję na dźwięk jego głosu.

– Beth?

– Cześć! – Obracam się na pięcie, promieniejąc. – Jak ci minął dzień?

Dominic wygląda tak samo oszałamiająco jak zwykle. Tym razem ma na sobie ciemnogranatowy garnitur, elegancko skrojony nawet jak na moje niewprawne oko, i posyła mi uśmiech, gdy mnie całuje w policzek, kładąc jednocześnie dłoń na moich plecach.

– Bardzo dobrze, dziękuję. A tobie?

Zaczynam mu opowiadać o swoim pierwszym dniu w galerii, a on prowadzi mnie na drugą stronę Regent Street i dalej na zachód, na Marylebone. Dominic słucha, ale nie zadaje pytań. Wydaje się pochłonięty czymś innym.

– Dobrze się czujesz? – pytam z troską. Wchodzimy właśnie do nastrojowej winiarni o sklepionym kamiennym suficie i stolikach ustawionych dyskretnie we wnękach. W kryształowych kandelabrach płoną świece, rzucając dziwne cienie na ściany. Mój towarzysz nie odpowiada, póki nie usiądziemy w odosobnionej wnęce i nie zamówi dla nas dwojga drinków – lampek schłodzonego Puligny-Montrachet. Gdy się wreszcie odzywa, od razu zauważam, że unika mojego wzroku.

– Tak, dobrze, nic mi nie jest – mówi. – Szczerze.

– Dominic? – Kładę dłoń na jego ręce i on ściska ją przez moment, ale zaraz potem puszcza. – O co chodzi?

Patrzy w stolik, marszcząc brwi.

– Martwię się o ciebie. No, powiedz, co jest?

Podchodzi kelnerka z naszym winem i nie odzywamy się, dopóki nie odejdzie. Żołądek mi się skręca z nerwów. Czemu Dominic jest taki chłodny i zachowuje dystans? Jeszcze rano był ciepły, bliski, zalotny. Teraz czuć wyraźnie, że się odcina.

– Dominic – podejmuję, gdy znów zostajemy sami – proszę, powiedz, co jest nie tak.

W końcu podnosi na mnie oczy i przeraża mnie ich wyraz: pełen smutku i żalu.

– Beth – mówi wolno – bardzo cię przepraszam…

Natychmiast przejmuje mnie groza.

– Nie! – wyrywa mi się, zanim się zdołam powstrzymać. Wzbiera we mnie gniew. Nie zrobi mi tego!

– Przepraszam – powtarza. Splata palce i wbija w nie wzrok, a na twarz występuje mu grymas jakby bólu. – Myślałem o tym przez cały dzień i…

– Nie mów tak. – Nie chcę, by mój głos brzmiał zbyt proszą-co, ale nie umiem temu zapobiec. – Nawet nie dałeś nam szansy.

Znowu podnosi na mnie oczy.

– Wiem, ale właśnie o to chodzi. Nie mogę dać nam szansy.

– Dlaczego? – Czuję się, jakby porwała mnie lawina, pochwy-ciła potężna siła i wirowała ze mną wkoło, lecz mówię sobie, że muszę zachować spokój. – To, co się wydarzyło między nami wczoraj wieczorem, było zdumiewające, niewiarygodne… Czy jestem głupią naiwną dziewczyną, czy takie rzeczy to dla ciebie codzienność? Myślałam, że coś dla ciebie znaczyło, że było czymś szczególnym…

– Było! – przerywa mi z udręczoną miną. – Chryste, było. To nie tak, Beth.

– Więc jak? – Nachodzi mnie myśl, która dotąd tkwiła ukry-ta gdzieś na spodzie umysłu, ta, którą uparcie wypierałam z gło-wy. „Ty wiesz czemu – szepcze coś we mnie niemal z zadowole-niem. – Widziałaś coś, o czym on nie wie, że widziałaś…". – Czy jest ktoś inny? Ktoś, o kim mi nie mówiłeś?

Zamyka oczy i potrząsa głową.

– Nie, nie.

– Zatem…

„Dawaj – odzywa się zły podszept. – Nie zgrywaj tępej. Wiesz więcej, niż on myśli. Powiedz mu".

Chcę mu odkrzyknąć: „Ale wiem, że to nie był on, nie ma śladów na plecach!".

„Może sprytnie się przed nimi uchronił" – podsuwa usłużnie mój wewnętrzny głos.

„O Boże, nie pomyślałam o tym…". Wszystko się we mnie zapada. Pytam niepewnie, niemal z obawą:

– Czy to z tego powodu, co robisz razem z Vanessą?

Teraz to ja go zaszokowałam. Na moment kamienieje, potem otwiera usta, jakby chciał coś powiedzieć, ale nie wiedział co. Zbieram całą odwagę i mówię:

– Widziałam…

– Co widziałaś?

Myślałam, że będzie na mnie zły, lecz wyraz jego twarzy świadczy raczej o tym, że jest zbity z tropu. Waham się, ale jego wzrok wwierca się we mnie. Wygląda poważnie, w oczach pojawia się lodowaty błysk, którego się boję.

– Beth, chcę wiedzieć. Co widziałaś?

W głowie migają mi obrazy: pochylony mężczyzna całujący narzędzie kary, rytmiczny ruch kobiecej ręki, scena chłosty w teatrze cieni.

– Widziałam… – Głos mi się znów łamie i teraz to ja unikam jego wzroku. – W sobotę wieczorem. Widziałam z mojego mieszkania, co się działo w twoim. Zasłony były zaciągnięte, ale są półprzejrzyste, świeciło się światło, więc… Widziałam ciebie i Vanessę. Przynajmniej myślę, że to była ona. Nie wiem.

– Patrzę w piękną głębię tych czarnych oczu, w których migocze złoty płomień świecy, i bardzo chcę, bym nie musiała mówić tego, co właśnie zamierzam. – Widziałam, jak ona cię bije. Najpierw przewieszonego przez jej kolana jak niegrzeczne dziecko, potem w innej pozycji, a jeszcze później, jak cię chłostała pasem, podczas gdy ty leżałeś na tym dziwnym meblu, który masz w salonie.

Wpatruje się we mnie i mogłabym przysiąc, że blednie.

– Widziałam – powtarzam tępo. – Wiem, że jesteście razem. Czy to dlatego chcesz skończyć ze mną, zanim jeszcze daliśmy sobie szansę?

– O, Beth. – Widać, że z trudem szuka słów. – O Boże, nie wiem, co powiedzieć. Widziałaś to w moim mieszkaniu?

Potakuję głową.

– I doszłaś do wniosku, że to ja i Vanessa?

– A co miałam sobie pomyśleć? To twoje mieszkanie. Wcześniej widziałam was tam razem. Kto inny mógłby to być?

Zastanawia się przez chwilę, a potem mówi:

– Okej, wiem, co się tam działo. Masz rację co do jednej rzeczy. Tą kobietą była Vanessa. Ma klucz do mojego mieszkania, przypuszczalnie się tego domyśliłaś, gdy weszła do nas tamtego wieczoru. Ale… – Przykuwa mnie nieruchomym spojrzeniem. – Tym mężczyzną nie byłem ja. To ci mogę przysiąc.

– Więc… komu pozwalasz korzystać ze swojego salonu, żeby go tam zbito?

– Cóż, tak naprawdę nie pozwalam. To znaczy, nie podoba mi się to. Jednak Vanessa wiedziała, że tamtej nocy nie będzie mnie w domu, a miała klienta, którego szczególna fantazja polega na tym, że jest zamożnym potentatem zdominowanym we własnym luksusowym mieszkaniu. Zabrała go do mnie i wykorzystała scenerię do zrealizowania fantazji. – Potrząsa głową. – Nie zabroniłem tego, ale powiedziałem, że chcę, aby ze swoją pracą trzymała się z dala od mojego domu. Za dużo sobie pozwala w imię naszego dawnego związku.

Jestem zmieszana.

– Zaczekaj… jej klient? Jej praca? Vanessa jest… prostytutką?
– Nie mogę w to uwierzyć. Piękna, wypielęgnowana, wyrafinowana Vanessa to dziwka? Nie wydaje mi się to możliwe. Dlaczego miałaby robić coś takiego?

Dominic wypuszcza powietrze ze świstem i odchyla się na krześle.

– O mój ty świecie. Puszka Pandory została już na dobre otwarta. Widzę, że będę musiał być wobec ciebie zupełnie szczery.

– Byłabym wdzięczna, naprawdę – mówię z sarkazmem.

– W porządku. Chciałem ci opowiedzieć o sobie, ale zaczęliśmy od Vanessy. – Pociąga łyk wina, jakby musiał zaczerpnąć odwagi z alkoholu. Unoszę swój kieliszek, chłodny, pokryty mgiełką, i łykam odrobinę przejrzystego, mineralnego białego trunku. Mam przeczucie, że mnie też będzie potrzebna odwaga.

Dominic poprawia ramiona, składa ręce i patrzy na mnie.

– Przede wszystkim Vanessa nie jest prostytutką, w każdym razie nie w tym sensie, w jakim ty postrzegasz ten zawód. Bierze opłatę za swoje usługi, ale rzadko, jeśli w ogóle, uprawia seks ze swoimi klientami. Oferuje coś zupełnie innego. Vanessa jest profesjonalną dominatrix, mistrzynią dominacji. Specjalizuje się w zaspokajaniu specyficznych potrzeb w prywatnych, bezpiecznych miejscach, w których klienci mogą przeżyć swoje fantazje i nacieszyć się nimi.

Nie odzywam się, przyjmując te informacje. Słyszałam o czymś takim, ale w moim rozumieniu dominatrix były jedynie zabawnymi postaciami z filmów i książek. Nigdy nie przypuszczałam, że istnieją naprawdę. Vanessa zarabia w ten sposób na życie?

– Większość ludzi postrzega seks i romans bardzo prosto. Na ogół w parze damsko-męskiej, nago, w misjonarski sposób. Seks waniliowy, jak to mówią. Oczywiście na pewno widziałaś męskie czasopisma w kioskach, te pokazujące fantazje zwykle akceptowane przez mężczyzn: duże kolorowe zdjęcia gołych cycków i mokrych pip, żeby faceci mogli przy nich walić konia.

Tak dziwnie jest słyszeć wulgarne słowa wychodzące z ust Dominica, w dodatku wypowiada je z jakąś chłodną pogardą, która sprawia, że jeszcze bardziej wprawiają mnie w zakłopotanie. Pochyla się do przodu i całkowicie skupia na mnie.

– Lecz wielu, wielu z nas jest innych. Nasze fantazje nie są takie, potrzebujemy czegoś odmiennego, nie chcemy poprzestawać jedynie na wyobraźni. Chcemy tego na żywo.

„Mówi »my«. Musi mieć na myśli samego siebie. O mój Boże... Co on mi zaraz powie?".

– Pamiętasz tamten bar w piwnicy, The Asylum? – mówi nagle, a kiedy kiwam głową, ciągnie dalej: – Należy do Vanessy, podobnie jak cały tamten dom. Ludzie przychodzą tam, żeby realizować swoje fantazje, bez strachu zaspokajać potrzeby. To naprawdę bezpieczne miejsce. Stworzyła je dla takich ludzi jak ona.

Przyjmuję to do wiadomości, pamiętając poddańczą postawę ludzi w klatkach.

– Ona jest dominatrix – mówię z namysłem.

– Dominujący potrzebują uległych, inaczej nic by z tego nie było – mówi Dominic i po raz pierwszy tego wieczoru uśmiecha się. – Muszą być góra i dół, yin i yang. – Potem zamyśla się, najwyraźniej przywołując w pamięci sceny z przeszłości. Po chwili mówi dalej: – Poznałem Vanessę w Oxfordzie, kiedy tam studiowałem. Od razu mi się spodobała, niewiarygodnie pociągaliśmy się nawzajem. A ona miała bardzo niezwykłe spojrzenie na świat. Nie minęło wiele czasu, gdy wprowadziła mnie w swoje... zainteresowania. Zaczęło się od dość niewinnych zabaw. Początkowo tylko związywała mnie w łóżku podczas seksu, podniecając mnie i drażniąc przez długi czas, nieomal dręcząc swoimi technikami. A mnie to bardzo odpowiadało. Wkrótce wprowadziła do sypialni dodatki: szale, liny, opaski na oczy. Lubiła mnie kneblować, zawiązywać oczy, pogrywać w różne gierki. Potem przyszła kolej na spanking, czyli klapsy. Początkowo łagodne, kilka uderzeń dłonią w pośladki, z czasem coraz poważniejsze. Używała do tego paletek i pasów, stopniowo chlastała mnie coraz dłużej, aż zajmowało to więcej czasu niż cokolwiek innego. Uwielbiała tę zabawę. I to jak uwielbiała. – Oczy mu migoczą na samo wspomnienie.

„Więc w końcu nie różni się od tamtego mężczyzny". – Nie podoba mi się uczucie, które mnie ogarnia na wyobrażenie Vanessy i Dominica uprawiających seks. Po części bierze mnie paląca zazdrość, a po części potajemne podniecenie na myśl o tym, jak leży goły, rozciągnięty na łóżku, doprowadzony na skraj przyjemności.

– A… ty? Ty też to uwielbiałeś?

Znów wzdycha i pociąga kolejny łyk wina.

– Tak trudno to wyjaśnić komuś, kto tego nie próbował. Wiem, brzmi niewiarygodnie, ale ból i przyjemność są ze sobą blisko powiązane. Ból nie musi być najgorszą rzeczą na świecie, może stymulować i ekscytować, przynosząc bardzo, ale to bardzo intensywną przyjemność. Jeśli się wiąże z pewnymi fantazjami albo skłonnościami, które już istnieją w naszej psyche, jak powiedzmy, chęć podporządkowania się dominującej osobie, otrzymania od niej kary czy potraktowania przez nią, jakbyśmy byli nieznośnym dzieciakiem lub rozbrykaną dziewczyną potrzebującą poskromienia… cóż, wówczas doznanie może być po prostu wybuchowe.

Próbuję to sobie wyobrazić, lecz wciąż nie potrafię zrozumieć, jak poddanie się chłoście czy innej karze może być zabawne. A przynajmniej nie widzę w tym nic dobrego dla siebie. Nie sądzę, żebym miewała tego rodzaju fantazje. Jestem pewna, że moje są czysto miłosne.

Dominic ciągnie swoją opowieść, najwyraźniej chcąc to z siebie wyrzucić:

– Do tamtej pory chętnie brałem w tym udział, lecz Vanessa chciała iść dalej. Pragnęła wykonywać na mnie pełnowymiarową chłostę, ale ja nie miałem ochoty. Lubiłem jej zabawy do pewnego momentu, jednakże poza tą granicą były dla mnie nie do przyjęcia. Wobec tego założyła Klub.

– Klub?

Potakuje.

– Sekretne zebrania ludzi o podobnych upodobaniach. Spotykali się w starym magazynie łodzi nad rzeką. Budynek z zewnątrz niczego nie zdradzał, a w środku praktykowano sztukę chłosty. Mieścił się tam sprzęt, który raczej trudno byłoby trzymać w prywatnym domu: belki, krzyże, koła tortur i tak dalej.

Wyrywa mi się cichy okrzyk. „Izba tortur? Mój Boże, czy to zgodne z prawem?! Czy Amnesty International wie o tym?".

Dominic widzi mój wyraz twarzy.

– Wiem, że to brzmi kiepsko. Ale wszystko się dzieje za obopólną zgodą. Nikt nie jest chłostany, jeśli tego nie chce. Moje pierwsze doświadczenie było niesłychane. Widziałem, jak mężczyzna biczuje kobietę, zupełnie na poważnie. – Ma coś nieobecnego w oczach i wiem, że w wyobraźni znów to widzi. – Była przywiązana łańcuchami za nadgarstki i kostki do krzyża Świętego Andrzeja, wiesz, takiego w kształcie litery X, a ten człowiek wypróbowywał na niej różne narzędzia. Zaczął od delikatnych, jak biczyk z końskiego włosia, a skończył na pejczach i kańczugach, i to z dwudziestoma końcówkami. Pociął ją prawie na strzępy. To było zdumiewające.

Staje mi przed oczami wizja: kobieta krzycząca z rozdzierającego bólu, poszarpana, skrwawiona skóra na plecach, mężczyzna oszalały z zapamiętania, trzaskający ją bizunem z całej siły. „Czy to ma być zabawne?".

– A kiedy uprawiali seks? – pytam niepewnie.

– Seks? – Dominic ma zaskoczoną minę.

– To jakiś rodzaj aktywności seksualnej, prawda? Albo zupełnie mi coś umknęło. Więc kiedy uprawiali seks?

– Zasady Klubu zabraniają współżycia, czyli penetracji, o ile członkowie nie robią tego na osobności i z góry uzgodnią, że oboje to akceptują. Ale mnóstwo ludzi odczuwa seksualną przyjemność bez tego, co określasz seksem. Seks jest chłostą, chłosta jest seksem. Albo nie jest. Wszystko zależy. Powstająca relacja i wymiana sił między partnerami często w zupełności wystarcza im do zaspokojenia.

Gapię się na niego. Ma rację: nigdy nawet sobie nie wyobrażałam rzeczy, o których mi opowiada.

– Zostaliście członkami tego Klubu, tak?

Kiwa głową.

– Vanessa była w siódmym niebie. Właśnie takich kręgów szukała, więc poczuła się, jakby odnalazła rodzinę. The Asylum jest właściwie oddziałem Klubu, ale bardziej wyrafinowanym, ponieważ wychodzi naprzeciw również innym potrzebom, nie tylko dominacji.

– To jest ich więcej? – pytam słabo.

Dominic śmieje się.

– O, tak. Znacznie więcej. Ale nie odbiegajmy od tematu. Staram się wyjaśnić, dlaczego nigdy nie mógłbym być tamtym mężczyzną, którego widziałaś w moim mieszkaniu.

– Dlaczego?

Patrzy mi prosto w oczy.

– Ponieważ gdy byłem świadkiem tamtego biczowania, wiedziałem na pewno, że nie chcę być przykuty do krzyża i potraktowany tymi wszystkimi narzędziami. – Przerywa na sekundę, po czym kontynuuje: – Chciałem być tym człowiekiem z batem. Nie chciałem otrzymać kary. Chciałem ją wymierzyć.

Nie wiem, co powiedzieć. Wpatruję się w niego rozszerzonymi oczyma.

Dominic wzdycha, na jego twarzy nagle pojawia się wyraz porażki.

– Nie miałem zamiaru opowiadać ci o tym w ten sposób. Nie wyszło to najlepiej.

Ledwie go słucham, ponieważ mój umysł jest zajęty kojarzeniem.

– Więc to właśnie miałeś na myśli, mówiąc kiedyś, że potrzeby twoje i Vanessy nie przystawały do siebie.

Wolno kiwa głową.

– Tak. Obawiam się, że tak. W jednym związku nie może być dwóch dominujących, zwłaszcza jeśli to na tym ma się opierać seksualna dynamika. Ale, wracając do sedna sprawy, już się nie kochamy. Związek dobiegł końca i jesteśmy dla siebie tym, kim mieliśmy być: przyjaciółmi. Bardzo silnie łączy nas to, że należymy do jednego kręgu.

– Łączy kajdankami, jeśli już o tym mowa – zauważam cierpko i czuję się lekko urażona, kiedy zaczyna się śmiać. – To nie miało być śmieszne. Wszystko to jest dla mnie dziwne. – Nachylam się w jego stronę, patrząc mu w oczy. Powinnam była wiedzieć, że człowiek takiej urody może mieć każde upodobania, byle nie normalne. – Więc powiadasz, że masz potrzebę chłostania kobiet?

Upija kolejny łyk. „Czy ja mu działam na nerwy?".

– Niezręcznie mi o tym mówić, Beth, bo nic nie wiesz o tym świecie i to, co dla mnie jest zupełnie normalne, w twoich uszach brzmi szokująco. Wierz albo nie wierz, ale jest mnóstwo kobiet, którym uległość sprawia ogromną przyjemność. A ja czerpię wielką radość z tego, że nad nimi panuję.

Znów nie wiem, co powiedzieć. Próbuję sobie wyobrazić tego człowieka, na pozór tak normalnego, jak okłada batem plecy związanej kobiety. Gniew miesza się we mnie ze smutkiem, lecz nie wiem, skąd te emocje się biorą. Zanim je zdążę przemyśleć, zrywam się na równe nogi; ciężkie krzesło ze zgrzytem przesuwa się po kamiennej posadzce.

– Zatem już wiem, czemu chciałeś skończyć – mówię drżącym głosem. – Zdaje się, że wczoraj miałeś za mało wrażeń. Myślałam, że było cudownie, ale przypuszczam, że skoro nie zbiłeś mnie na kwaśne jabłko, kiepsko się bawiłeś. Dzięki za uświadomienie.

Uraziłam go, w jego oczach pojawił się nagły ból.

– Beth, nie, to nie tak.

– Daj spokój, rozumiem – ucinam. – Pójdę już.

Odwracam się i wychodzę szybkim krokiem. On wstaje, woła mnie, ale wiem, że nie może pójść za mną, bo nie zapłacił jeszcze rachunku. Wypadam na ulicę i wzywam taksówkę.

– Proszę na Randolph Gardens – rzucam bez tchu, wsiadając. Przez całą drogę do Mayfair drżę, jakby temperatura spadła do zera, choć jest ciepły, letni wieczór.

Rozdział dziesiąty

K iedy następnego dnia przychodzę do pracy, James od razu zauważa, że coś się u mnie zmieniło.

– Czy coś się stało? – pyta, spoglądając na mnie sponad okularów. – Nie tryskasz energią tak jak wczoraj.

Próbuję się uśmiechnąć.

– Wszystko w porządku. Naprawdę.

– Ach, kłopoty z chłopakiem, jeśli się nie mylę. Nie martw się, kochana, też przez to przechodziłem. Nie umiem wyrazić, jak bardzo jestem zadowolony, że Erlend i ja jesteśmy zasiedziałą starą parą, a wzloty i upadki okresu zalotów już dawno za nami. Braki na polu ekscytacji z nawiązką wynagradza błogi spokój. – Na jego twarzy maluje się współczucie. – Ale to nie znaczy, że zapomniałem, jak to boli. Nie będę zadawał pytań, po prostu oderwę od tego twoje myśli.

Nie jestem pewna, jak James może sprawić, żebym przestała rozpamiętywać rewelacje zeszłego wieczoru. Od tamtej pory wciąż chodzi mi to po głowie, o niczym innym nie myślę. W nocy długo leżałam w łóżku z szeroko otwartymi oczyma. Sen raz po raz wymykał mi się nieuchwytnie, kiedy wyobrażałam sobie Dominica wymachującego najróżniejszymi narzędziami i śmiejącego się maniakalnie za każdym razem, kiedy je spuszczał na grzbiet jakiejś kobiety.

„Mężczyzna, który lubi bić kobiety. Jak on może? Nie rozumiem. I nie wiem nawet, czy chcę zrozumieć".

Próbuję to sobie jakoś poukładać w głowie, ale prawda jest taka, że nie umiem pozbyć się moich uczuć do niego. Wciąż za nim tęsknię pod każdym względem, stale wypełnia moje myśli, mimo że James dokłada starań, żeby mnie zająć korektą katalogów przygotowywanych na najbliższą wystawę. Nie mam żadnych wiadomości od Dominica i w miarę upływu czasu coraz bardziej przygniata mnie ciężar rozpaczy na myśl, że mogłabym go nigdy więcej nie zobaczyć.

Wieczorem idę do domu, zatrzymując się po drodze na zakupy spożywcze. Oszukuję sama siebie, udając, że wcale nie zaglądam do mieszkania naprzeciwko z nadzieją dostrzeżenia jakiegoś znaku życia. Łaknę widoku Dominica tak bardzo, jak narkoman pragnie działki. Boję się jednak, że jeśli go już zobaczę, nie będę się umiała powstrzymać i od razu do niego pobiegnę.

O ósmej tamto mieszkanie wciąż tonie w ciemności, a ja pogrążam się w szaleństwie, chodząc nerwowo tam i z powrotem. Co chwila biorę telefon, żeby wysłać do niego SMS-a, ale się powstrzymuję, za każdym razem wyobrażając sobie, gdzie on być może teraz jest i co robi. Jestem już bliska tego, by pójść znów do The Asylum i sprawdzić, czy go tam nie ma, kiedy rozlega się pukanie do drzwi.

Zamieram. „Dominic. Na pewno on. O ile nie portier…".

Otwieram niepewnie, serce mi bije dziko. To on, jedną ręką opiera się o futrynę i wygląda okropnie – po raz pierwszy, odkąd go znam. Jest nieogolony i ma worki pod oczami, a same oczy – zmęczone i nabiegłe krwią. Zdaje się, że niewiele spał. Zaniedbane jest też ubranie: wymięte dżinsy i szara koszulka. Patrzy w podłogę, ale podnosi wzrok, gdy się ukazuję powoli w drzwiach.

– Cześć – mówi cicho. – Przepraszam. Pewnie jestem ostatnią osobą, którą masz teraz ochotę widzieć. Ale musiałem przyjść i cię zobaczyć.

– Nie. – Uśmiecham się słabo. – Też chciałam cię zobaczyć. Tęskniłam za tobą.

Wygląda żałośnie i marnie.

– Ale to, jak uciekłaś wczoraj. Byłaś wyraźnie przerażona. Zszokowana. Przejęta obrzydzeniem. – Przesuwa palcami po czarnych włosach, aż końcówki sterczą od tego na wszystkie strony. Niedorzecznie seksowny efekt. Myślałam, że podoba mi się wypielęgnowany, stylowy Dominic, ale teraz widzę, że ten zaniedbany jest chyba jeszcze bardziej pociągający. Czarne oczy patrzą wręcz błagalnie. – Wszystko wyszło mi nie tak, jak miało, Beth. Nie powinienem był ci tego mówić w taki sposób. Źle mnie zrozumiałaś.

W gardle mi zasycha. Przełykam ślinę i pytam:

– A jak to należy rozumieć?

– Pomyślałaś, że lubię bić kobiety. To nie tak, przysięgam. Pozwolisz, że spróbuję wyjaśnić? Proszę, mogę?

Wpatruję się w niego przez chwilę. Oczywiście mogłabym odmówić i odprawić go, ale jego obecność tak na mnie działa, że mało co do mnie dociera.

– Jasne, wejdź.

Cofam się do ciemnego przedpokoju, a on wchodzi za mną. I to wystarczy. Moment, gdy znajduje się blisko, gdy wdycham jego cudowny zapach: słodki, cytrusowy, piżmowy i nie do odparcia. Teraz, kiedy stoi tuż obok mnie, moje wnętrzności topnieją, kolana mi się uginają i gapię się w jego usta, uchylając swoje pod wpływem nagłego pożądania.

– Beth – mówi gardłowo i wtem jego wargi są już przyciśnięte do moich. Całujemy się namiętnie, nie mamy siebie dość. Uczucie jest rozkoszne, jakby mnie porwało tornado – przemożne, wirujące, przyprawiające o dreszcze, a zarazem miękkie i ciemne. Smak ust Dominica i siła jego pożądania budzą we mnie nieznaną dotąd żądzę. Pragnę go tak bardzo, że w chwili, gdy jego język dotyka mojego, jestem natychmiast gotowa: gorąca i wilgotna. Naciskające na mnie twarde wybrzuszenie w okolicy jego pachwin podpowiada, że on też jest gotowy. Czuję, że oboje nie potrafimy się już kontrolować, działamy instynktownie, pociągani siłą pożądania.

Jego ręce wędrują pod moją bluzkę, unoszą ją, ściągają przez głowę. Zostaję w samym staniku. Głowa Dominica opada ku moim piersiom i na miękką skórę ponad biustonoszem sypie się deszcz gorących pocałunków. Zaraz jednak jego usta wracają do moich i witam je spragniona, nie mogąc znieść, gdy ich chociaż przez chwilę nie ma. Podciągam jego koszulkę, a on przejmuje ją ode mnie, ściąga szybkim ruchem i zaraz przyciskamy się do siebie, a dotyk nagich ciał wywołuje niesamowicie intensywną przyjemność.

Nasze usta znowu są złączone, Dominic szczypie mnie w wargi i zasysa mój język. Jego namiętność jest bardziej gorąca niż poprzednio, a moja rozgrzewa się, aby mu dorównać. Przesuwam lekko paznokciami po jego szerokich, umięśnionych plecach, sprawiając, że jęczy mi prosto w usta, a potem sięgam do guzika jego dżinsów i pośpiesznie je rozpinam. Promieniuje stamtąd gorąco jego erekcji, czuję wielki pal sterczący pod miękką bawełną bokserek. Wślizguję dłoń do rozporka i obejmuję gorącą, twardą, a zarazem aksamitnie miękką męskość. Pocieram ją, skóra przesuwa mi się delikatnie w ręce, a Dominic znów jęczy. Jego ręka z kolei mocuje się z zapięciem mojej spódnicy i po sekundzie ubranie leży już na podłodze. Jego palce wśliznęły się tymczasem do moich majtek i teraz sięgają rozgrzanego, wilgotnego wzgórka. Przemieszczają się na nabrzmiałą łechtaczkę, pocierają ją i obracają, a ona odpowiada z siłą, od której przeszywa mnie dreszcz, tak że mocniej zaciskam rękę na jego ogromnym penisie. Przez chwilę pieścimy się, potem jego palce suną przez moją wilgoć do wejścia i najpierw jeden, a zaraz po nim drugi wślizgują się do wnętrza. Odrzucam głowę do tyłu i krzyczę z niewysłowionej przyjemności. On znów popycha palce, i znowu, wciskając je we mnie głęboko.

– O niczym innym nie myślałem, odkąd się pieprzyliśmy – mówi. – Nie mogłem odegnać pragnienia, żeby cię poczuć i smakować.

W odpowiedzi zaczynam mu ściągać spodnie. Musi wyjąć rękę z moich majtek i pozwolić mi zsunąć dżinsy oraz bokserki ze swoich silnych ud i łydek. Kiedy jestem już przy podłodze, klękam przed nim. Przyciskam twarz do jego brzucha, wdycham cudownie miękki zapach jego włosów łonowych, a jego penis grzeje mnie przy tym w policzek. Czuję na głowie dłonie Dominica – gładzą mnie, nawijając delikatnie pasma włosów na palce. Jego penis jest niewiarygodny i chcę go kochać tak, jak – mam nadzieję – on wkrótce będzie kochał mnie. Wodzę ustami po jego całej długości, znów podziwiając słodką miękkość skóry i kryjącą się pod nią niemal żelazną twardość. Kiedy dosięgam czubka, biorę go w jedną rękę, podczas gdy drugą ujmuję od spodu jądra i delikatnie je głaszczę. Jego oddech staje się urywany. Nie przestaję pieścić mu jąder, zamykam usta na główce penisa i ssę ją, obracam wokół niej językiem, jednocześnie przesuwając dłonią w górę i w dół prącia. Dominic zaczyna poruszać biodrami, jego palce zaciskają się na mojej głowie, podczas gdy ssę i pocieram, wiedząc, że sprawiam mu ogromną przyjemność. Szybko przechodzi ona na mnie i nie jestem pewna, jak długo wytrzymam, gdy nagle on wyrywa mi się i mówi gardłowo:

– Zaraz sprawisz, że dojdę.

Klęka obok mnie na podłodze i jego usta znów łączą się z moimi. Całuje mnie głęboko i mocno, popychając lekko w tył, aż w kocu leżę rozciągnięta na chłodnym marmurze. Kontrast naszych gorących ciał z zimną podłogą okazuje się rozkoszny, wiercę się od tego i wzdycham. Potem czuję, że Dominic naciska, by we mnie wejść, i po chwili wślizguje się do środka. Obejmuję go nogami, żeby mógł wniknąć jak najgłębiej. Chcę go, nie: pragnę całym sercem, a on popycha mnie ku rozdzierającej rozkoszy. To gwałtowna, ostra namiętność. On przyciska swoje biodra do moich i znów dźga. Nasze języki spotykają się, rozdzielają i znowu są razem w jednym rytmie z ruchami ciał.

Nagle Dominic chwyta mnie jedną ręką za nadgarstki i unieruchamia mi ręce nad głową. Wzbiera we mnie kolejna fala podniecenia. Więc tak to jest, gdy się zostanie przygwożdżoną, zablokowaną pod jego ciałem, które przejmuje kontrolę. Niewiarygodne uczucie.

– Tak, moja piękna, tak – mówi Dominic z zaciśniętymi zębami, oczami płonącymi od jego własnych wrażeń. – Chodź, dochodź dla mnie.

Jego słowa podniecają mnie jeszcze bardziej. Tak jakby on wziął w posiadanie mój orgazm. I nawet w uścisku tego gwałtownego, erotycznego momentu zastanawiam się, czy właśnie czuję smak prawdziwej uległości wobec Dominica. Jeśli tak, być może jest to bardziej ekscytujące, niż sobie uświadamiałam. Każde dźgnięcie sprawia, że jego miednica przygniata moją łechtaczkę, a on wpycha się we mnie głębiej. Czuję wzbierające fale, zaczynającą się w pachwinach przyjemność, która przetacza się po ciele i promieniuje na brzuch. Każda fala wynosi mnie wyżej w stronę szczytowania, a intensywność, jakiej doświadczam, staje się coraz bardziej rozdzierająca. Gdy mam wrażenie, że dłużej już tego nie zniosę, porywa mnie orgazm i rzuca w otchłań potężnej przyjemności. Krzyczę bez słów, sztywnieję i daję się ponieść dreszczom, a jednocześnie czuję, że on dźga mnie ostro i po kilku gwałtownych szarpnięciach dochodzi z jękiem, kończąc długimi, intensywnymi pchnięciami.

Przez dłuższą chwilę leżymy nieruchomo, oszołomieni, dysząc i dochodząc do siebie. Dominic wciąż jest we mnie. Uśmiecham się zmysłowo, przesuwając dłonią po jego plecach. Gdy ze mnie wychodzi, widzę, że ma zmarszczone brwi.

– O co chodzi? – pytam.

– Nie założyłem gumki.

– No… ja biorę pigułki – wyznaję. – Łykam od wielu lat i nie przerwałam po rozstaniu z Adamem. Ale…

– Wiem. Bezpieczny seks – przytakuje. – To ważne. Nie powinienem był tak dać się ponieść. – Ma poważną minę. – Słuchaj, badam się regularnie, również od tej strony. Nic u mnie ostatnio nie wykryto, więc nie musisz się martwić, że cię czymś zarażę.

Chcę powiedzieć to samo, ale przypominam sobie, że przecież Adam po kryjomu pieprzył się z kimś innym, a ja nie mam pojęcia, z kim ona jeszcze sypiała albo czy używali prezerwatyw. Do oczu napływają mi łzy.

– Co się stało, kochanie? – pyta łagodnie Dominic, gładząc mnie po włosach.

Wyjaśniam mu głosem nabrzmiałym od łez.

– Nie sądzę, żebyś musiała się tym przejmować, ale jeśli cię to uspokoi, mogę cię umówić z moim lekarzem. Przyjmuje niedaleko stąd, przy Harley Street. Jest fantastyczny. Mają tam też panią doktor, gdybyś wolała. Jeśli cię to tylko uspokoi.

Jestem poruszona jego troską i całuję go w policzek.

– Tak, chyba wypadałoby się przebadać. Potem będę mogła i Adama, i wszystko, co się z nim wiąże, zupełnie wyrzucić z pamięci.

– Dobrze. – Całuje mnie lekko w usta. – A teraz… może wstaniemy? Podłoga nagle zrobiła się zimna i twarda.

Kolejno bierzemy prysznic, a kiedy Dominic wychodzi z łazienki z powrotem ubrany w swój T-shirt i dżinsy, w salonie czeka na niego lampka wina i ja – ubrana w jedwabny szlafroczek, zwinięta w kłębek na sofie, ze swoim kieliszkiem w ręce.

– Właściwie nie taki miałem zamiar, gdy do ciebie szedłem – mówi z uśmiechem, siadając obok mnie. – Albo może właśnie taki, sam nie wiem…

Odpowiadam uśmiechem.

– Taka dziś byłam nieszczęśliwa...

– Ja też. – Znowu przybiera poważny wyraz twarzy. – Wciąż mamy sprawy do omówienia.

– Wiem. – Wzdycham. – Ciężko mi z tym, Dominic. Trudno zrozumieć, dlaczego nie wystarcza ci coś takiego, co właśnie razem przeżyliśmy. Chcesz więcej. Pragniesz tego dziwnego innego świata, w który wprowadziła cię Vanessa.

Wolno potakuje głową.

– Naprawdę nie umiem tego wyjaśnić, może tylko porównać do przyjmowania narkotyków. Kiedy się przyzwyczaisz do tego rodzaju przyjemności, trudno jest wrócić na poprzednią drogę. To, czego doświadczamy ze sobą we dwoje, jest niewiarygodne, po prostu nie do wiary. Nie da się zaprzeczyć. – Przez twarz przemyka mu wyraz smutku. – Wiem jednak, co się stanie potem. Po jakimś czasie przestanie mnie to zaspokajać, nie w takiej samej postaci. Będę chciał zbliżyć się do niebezpiecznej krawędzi. Zapragnę dreszczu panowania. – Patrzy mi prosto w oczy, jego spojrzenie jest czyste i przeszywające. – A ty nie chcesz mieć nad sobą kontroli.

– Tego nie wiesz – protestuję. – Może bym chciała.

Kręci głową.

– Nie. Większość uległych ma do tego silne ciągoty już w młodym wieku, to rozwija się w nich wraz z seksualnością. Widzisz, nie chodzi o to, że pragnę bić kobiety, niezupełnie. Chcę sprawować kontrolę nad uległymi osobowościami, które pragną, by im wymierzano karę. A ponieważ jestem heteroseksualny, czerpię przyjemność, gdy robię to z kobietami. Nie chodzi o to, żeby się nad kimś znęcać. Obie strony się na to godzą, wtedy jest bezpiecznie i są wyznaczone granice. Ale ty tego nie chcesz. Gdybyś pragnęła kary, chłosty czy choćby klapsów, przypuszczalnie już byś o tym wiedziała.

Odpowiadam mu spojrzeniem równie przeszywającym jak jego wzrok.

– Ty nie wiedziałeś.

– Co masz na myśli? – pyta z zaskoczeniem.

– Według twoich własnych słów nie miałeś takich pragnień, dopóki Vanessa ci nie pokazała, czego od ciebie chce. Nawet nie wiedziałeś, że wolisz być dominującym panem, póki nie zobaczyłeś chłosty.

Następuje długa przerwa, podczas której on najwyraźniej rozmyśla, z nieobecnym wzrokiem, pocierając oparcie krzesła. W końcu mówi:

– Masz rację. Nie wiedziałem. Ale nie mam pojęcia, czy to samo dotyczy uległych, to wszystko.

– Czemu nie mielibyśmy ciągnąć tego dalej i zobaczyć, co się stanie? – pytam, a w moim głosie niemal słychać beznadzieję. – Może tym razem nie czułbyś takich zapędów?

– Nie mogę tego obiecać, Beth, a prawda jest taka, że zawsze do nich dochodziło w przeszłości. Nie chcę sprawić, żebyś coś do mnie czuła, i potem cię zostawić, bo coś się nie układa.

– Trochę już na to za późno – mówię cicho.

– Wiem. Przepraszam. – Skubie oparcie krzesła, nie mogąc podnieść na mnie wzroku.

Patrzę na jego długie, piękne ciało, za duże jak na delikatne krzesło Celii, i zastanawiam się, jak do tego wszystkiego doszło.

– A więc uważasz, że mimo tego, co właśnie zrobiliśmy, to już koniec i nie możemy iść dalej?

Kiedy podnosi na mnie oczy, przepełnia je smutek.

– Obawiam się, że tak.

Czuję się nieskończenie podle.

– Zatem to był pożegnalny numerek, tak? – wychodzi mi bardziej cynicznie, niż zamierzałam.

– Wiesz, że to nie tak – odpowiada miękko.

Ogarnia mnie gniew i w równiej mierze rozpacz.

– Nie wiem tylko, jak możesz mówić, że mnie chcesz, że nie myślałeś o niczym innym, zachowywać się tak jak przed chwilą, a potem zwyczajnie odejść.

Na chwilę zamyka oczy. Gdy je otwiera, ma w nich jeszcze więcej smutku, niż w momencie kiedy otworzyłam drzwi. Powoli wstaje z krzesła ze słowami:

– Wiesz co, ja tego też nie rozumiem. Ale tak będzie najlepiej, Beth, wierz mi.

Podchodzi do mnie, pochyla się i całuje mnie w usta. Bliskość jego ciała jest upajająca, ale zamykam oczy, próbując go od siebie odciąć.

– Beth. – Głos niewiele głośniejszy niż ciche mruczenie. – Niczego innego nie pragnę, jak zabrać cię w najciemniejsze zakamarki samego siebie. Chciałbym ci pokazać każdy skrawek pożądania, jakie do ciebie czuję, i uczynić cię całkowicie swoją. Ale ty nie wróciłabyś z tego miejsca, Beth, a ja nie zniósłbym tego, gdybym cię tam utracił. – Następuje mgnienie ciszy, a potem szept: – Przepraszam.

Mam wciąż zamknięte oczy, choć wiem, że się ode mnie odsunął. Jego kroki brzmią coraz dalej, wychodzi do przedpokoju, słychać zamykające się za nim drzwi wejściowe. Czuję, że serce mi pęka.

Rozdział jedenasty

Nie, wszystko u mnie w porządku, naprawdę, mamo – robię minę do Jamesa, który stawia przede mną na biurku filiżankę kawy. Daję mu znak, że zaraz skończę rozmowę. Odpowiada gestem „spokojnie, nie śpiesz się" i oddala się na dyskretną odległość, żeby mi nie przeszkadzać.

– Na pewno, kochanie? – W głosie mamy słychać niepokój. – Martwię się o ciebie. Jesteś sama w tym wielkim mieście.

– Naprawdę w porządku. A teraz jestem w pracy i nie mogę rozmawiać...

– Obiecaj, że zadzwonisz później, dobrze? Mogę złapać pociąg i odwiedzić cię, gdybyś mnie potrzebowała.

– Nie ma takiej potrzeby, ale na pewno oddzwonię. Teraz muszę kończyć.

– W takim razie dobrze. Uważaj na siebie. Do widzenia. Kocham cię!

– Też cię kocham, mamo. Pa.

Odkładam telefon, pocieszona tą rozmową. Mimo że nie wspomniałam jej o tym, co się wydarzyło między mną a Dominikiem, wyczulona matczyna antena wyłapała w moim głosie nutę przygnębienia, której nie byłam w stanie ukryć.

James wraca, żeby sprawdzić, jak sobie radzę z korektą katalogu. Pokazuję, że już prawie skończyłam.

– Dobrze – mówi. – Masz znakomite oko do szczegółów, Beth. To zdejmuje z moich barków spory ciężar. Muszę przyznać, że sam nie jestem w tym zbyt dobry. Czasami proszę, żeby Erlend sprawdzał po mnie, ale nie najlepiej u niego z angielską ortografią i może narobić więcej błędów, zamiast poprawić te, które już są. – Potrząsa głową ze śmiechem. – Jesteśmy parą staruszków. Teraz, kiedy korekta gotowa, mam kilka spraw, którymi należałoby się zająć.

Zleca mi kilka zadań. Będę organizowała najbliższą prywatną wystawę, która odbędzie się za dwa tygodnie. Muszę się też zająć rozebraniem bieżącej ekspozycji i zainstalowaniem kolejnej. Czeka mnie mnóstwo zajęć, a dzięki temu James będzie miał więcej czasu dla klientów. Miałam już okazję widzieć go podczas pracy, gdy podszedł do klienta, który wszedł z ulicy, i rozmawiał z nim o dziełach wyeksponowanych na ścianach. Gość początkowo ostrożnie podchodził do możliwości kupienia którejś z prac, ale dzięki delikatnym wskazówkom Jamesa znalazł obraz, który mu się spodobał, i wkrótce transakcja została zawarta.

Byłam pod wrażeniem. Na pewno nie jest łatwo nakłonić kogoś, żeby się ot tak rozstał z pięcioma tysiącami funtów.

– W dzisiejszych czasach ludzie postrzegają dzieła sztuki jako inwestycję – wyjaśnił James. – Poświęciłem trochę czasu, żeby zapewnić klienta o potencjale rynkowym tego artysty: że nie straci na wartości, a przypuszczalnie zyska. Obecnie właśnie to najbardziej interesuje klientów, ale oczywiście nabywca musi też kochać sztukę. To inwestycja, która wnosi w życie dużo przyjemności.

Teraz patrzy na mnie tym swoim mądrym spojrzeniem sponad okularów, przypominając sowę z dziecięcych książek z obrazkami.

– Wyglądasz dzisiaj nieswojo. Wszystko w porządku?

– Tak, świetnie – odpowiadam automatycznie, ale matowy odcień głosu zdradza, że kłamię.

– No, dobrze. Zdaje się, że potrzebna nam porządna pogawędka. W sklepie nikogo nie ma, korekta prawie skończona. –

Przysuwa sobie krzesło i stawia je obok mojego. Opiera łokcie na biurku, a podbródek na dłoniach. – A teraz... mów.

Patrzę na niego. Trudno uwierzyć, że znam go zaledwie od kilku dni. Tak dobrze się ze sobą zgadzamy, zdumiewająco łatwo mi się z nim rozmawia, jest jednym z tych ludzi, których absolutnie nie da się niczym zszokować. Odnoszę wrażenie, że James ma mnóstwo życiowego doświadczenia, a jego charakter sprawia, że doskonale się nadaje na doradcę w sprawach osobistych. „Mogę mu powiedzieć prawdę?".

– Noo... – Biorę głęboki wdech i wszystko ze mnie wypływa, od samego początku, czyli od wieczoru, gdy po raz pierwszy ujrzałam Dominica w jego mieszkaniu, po ostatnią noc i niewzruszoną odmowę, kiedy prosiłam o szansę dla naszego związku. Czuję ulgę, pozwalając sobie na takie zwierzenie, a James – nawet jeszcze zanim skończę – wygląda na trochę zdezorientowanego.

– Beth – mówi wreszcie, kręcąc głową – muszę przyznać, że nie są to zwyczajne miłosne kłopoty. To stare jak świat uwikłanie.

– Nie wiem, co robić – stwierdzam ponuro. – Nie mogę go zmusić, żeby się ze mną związał, skoro on tego nie chce.

– Och, nie w tym problem, kochana, on z całą pewnością tego chce – oznajmia James.

– Tak myślisz? – W moim pytaniu jest tyle nadziei i żarliwości.

– Oczywiście. On najwyraźniej szaleje za tobą, ale stara się postąpić względem ciebie właściwie. Poświęca się dla ciebie.

– Ależ nie musi! – zawodzę. – Wcale nie chcę, żeby to robił.

– Nie... Oczywiście też szalejesz na jego punkcie, a w takim stanie emocjonalnym zrobiłabyś wszystko. On umie przewidzieć kłopoty z wyprzedzeniem i nie chce cię w to wciągać, ale ty chętnie się zgadzasz na przyszłe cierpienia, byle teraz dostać przyjemność.

Myślę nad tym przez chwilę ze wzrokiem utkwionym w jasnych deskach podłogi i w stosie kolorowych wydruków katalogu, a potem mówię cichym głosem:

– A jeżeli już teraz przyjmę ból?

James patrzy na mnie pytająco.

– Co masz na myśli?

– Dominic opisuje swoją potrzebę dominacji jako rodzaj uzależnienia, porównywalnego z narkotykiem. Może mogłabym wejść w ten świat razem z nim i wspólnie udałoby się nam znaleźć lekarstwo, sposób na wydobycie go z nałogu i radzenie sobie bez niego. – Kiedy to mówię, widzę sensowność takiego rozumowania. Czuję przypływ szczęścia, jakbym się nagle natknęła na idealne rozwiązanie. Oczywiście, jeśli ceną za związek z Dominikiem jest wejście w jego świat, tak właśnie zrobię. Pamiętam, jak zacisnął dłonie na moich nadgarstkach, gdy się kochaliśmy, a kiedy powiedział, że mam dojść, porwał mnie wir namiętności, przez ciało przebiegł dreszcz rozkoszy. Może ta wyprawa odkrywcza ujawniłaby ukryte przyjemności…

– To poważna sprawa, Beth – mówi James, a na jego twarzy maluje się troska. – Dominic wyraźnie zaznaczył, że nie chce, abyś uczestniczyła w tej części jego życia. Niewykluczone, że chodzi o jakiś aspekt jego charakteru, ukryty gdzieś w głębi, którego nie chciałby z tobą dzielić.

– Jeżeli nie chce tego ze mną dzielić, nie będziemy się mogli związać – oznajmiam stanowczo. – A ja tak rozpaczliwie tego pragnę. I… – Czuję rozlewający się na policzkach rumieniec. Nigdy bym się nie spodziewała, że powiem coś takiego głośno, a co dopiero swojemu szefowi. – I jestem też trochę ciekawa. Chcę zrozumieć władzę, jaką ten świat ma nad ludźmi. Od lat żyję tylko na pół gwizdka i nie zamierzam znowu wracać do tej sennej rzeczywistości.

James unosi brwi.

– W porządku. W takim razie rzecz się ma inaczej. Jeżeli chcesz to robić dla siebie, a także dla niego… Rozumiem. To mniej niebezpieczne, że tak powiem. Byłbym bardzo przeciwny temu, gdybyś chciała w to wejść tylko ze względu na niego. – Zamyśla się z zatroskaną miną. – Nigdy mnie nie pociągało BDSM, praktyki związania i dyscypliny, dominacji i uległości, sadyzmu i masochizmu. Ale wielu gejów ma takie skłonności. To ci w skórach, krępujący lub skuwający swoich partnerów, lubujący się w dominacji i karze. Miałem znajomych: parę, która w domu oraz wśród zaufanych przyjaciół żyła w związku typu „pan i niewolnik". – James marszczy brwi na to wspomnienie. – Muszę przyznać, że wielce mnie to dziwiło. I w najmniejszym stopniu do mnie nie przemawiało. Czułem się niezręcznie, gdy odgrywali te sceny. Gareth był panem, a Joe niewolnikiem, z tym że Gareth mówił o nim „to" albo „jedynka". Joe żył dosłownie jak niewolnik: gotował, sprzątał, usługiwał Garethowi na każdym kroku i zwykle czołgał się przed nim na kolanach. Mieli w domu piwnicę, w której bawili się po swojemu: Gareth całymi godzinami torturował Joego. Zresztą ku ich obopólnemu zadowoleniu – wyjaśnia pośpiesznie. – Szczerze mówiąc, było to dla mnie nieprzyjemne. Mój mały na ten widok raczej kurczył się i chciał ukryć niż stawać do akcji, jeśli wiesz, co mam na myśli.

Szeroko otwieram oczy i czuję jakieś nerwowe trzepotanie.

– Czy myślisz, że tego właśnie pragnie Dominic?

– Niewolnicy? – James wolno kręci głową. – Nie sądzę. Uległy partner to nie to samo co niewolnik, tak myślę. Gareth powiedział mi kiedyś, że Joe jest skończonym masochistą, *pain pig*, jak to określają.

– Co?

– Wiem, brzmi nieprzyjemnie. Życzył sobie tak srogich form kary, że nawet jak na standardy BDSM wykraczał poza granice tego, co jest ogólnie przyjęte za bezpieczne. Nie wydaje mi się, żeby Dominic potrzebował kogoś takiego. Właściwie ten wyraźnie zdrowy stan waszego związku seksualnego, zanim zdążyliście powąchać rzemienia, pozwala mi wyciągnąć wniosek, że on jest bardzo daleki od zatwardziałego sadysty.

Znów płonę rumieńcem, lecz wszystko to w ogromnym stopniu mi pomaga. Czuję, że zaczynam wreszcie co nieco orientować się w tym intrygującym, skąpanym w mroku świecie.

– Jestem ci bardzo wdzięczna za pomoc – mówię szczerze.

– Nie ma za co, kochana. Nie wiem tylko, co jeszcze mógłbym dla ciebie zrobić.

– Właściwie – mówię wolno – jest coś. Wiem, że prosiłabym o bardzo wiele, ale...

Pochyla się ku mnie z zainteresowaniem.

– Mów śmiało. O co chodzi?

W głowie dojrzewa mi pewien pomysł. Waham się przez chwilę, zbieram myśli, a potem przedstawiam mu swój plan.

Po powrocie do domu dopada mnie zmęczenie związane z intensywnymi przeżyciami kilku ostatnich dni. Wzloty i upadki – od niewiarygodnej ekstazy po najgłębszą rozpacz – krańcowo mnie wyczerpały. Kolacja, gorąca kąpiel i pogawędka z De Havillandem pomagają mi wrócić do życia. Ponadto podnieca mnie myśl o tym, co zamierzam zrobić. Gdy o tym myślę, w brzuchu kłębią mi się motyle i nie mogę uwierzyć w to, co zaplanowałam, ale zapowiada się ekscytująco.

Czyściutka i świeżutka po kąpieli wślizguję się w jedwabną podomkę, ciesząc się chłodną gładkością materiału na skórze, po czym przechodzę do salonu. Po raz pierwszy mam nadzieję, że mieszkanie naprzeciwko będzie ciemne, lecz oczywiście nie jest. Dziś żaluzje są podniesione, zasłony niezaciągnięte i widzę miękko oświetlone wnętrze, w którym jednak nie ma Dominica. Ten piękny widok od razu mnie do niego zbliża. Zazwyczaj nie zapalam świateł w mieszkaniu Celii, dzięki czemu pozostaję dla niego raczej niewidoczna, ale nie dzisiaj. Chodzę po salonie i włączam kolejno lampy, aż cały pokój wypełnia się łagodnym blaskiem. Srebrzyste płyciny z laki nabierają życia w elektrycznym świetle, błyszcząc i migocząc niczym powierzchnia wody.

Wtem, zgodnie z moimi oczekiwaniami, Dominic wchodzi do swojego salonu. Ma w ręce szklankę z czymś, co wygląda na mocny trunek – whisky, brandy czy coś takiego, jak podejrzewam. On sam sprawia wrażenie, jakby właśnie wrócił z pracy; marynarka i krawat leżą gdzieś na łóżku, lecz ich właściciel jest zbyt znużony, by zmienić garnitur na wygodniejszy ubiór. Serce bije mi szybciej, gdy go widzę, i zalewa mnie pożądanie. Chcę go objąć, całować te idealne usta, gładzić jego zmęczoną twarz, przeczesać palcami ciemne włosy. Już czuję rozkoszny zapach jego skóry. W rzeczywistości jednak jesteśmy rozdzieleni. Przechodząc przez swój salon, Dominic rzuca okiem w stronę mieszkania Celii i staje jak wryty na mój widok. Mam świadomość, że jestem dobrze widoczna, lecz sama nie patrzę wprost na niego. Mimo że doskonale zdaję sobie sprawę z jego obecności oraz dokładnie wiem, gdzie stoi i co robi, udaję, że nie mam pojęcia o jego spojrzeniu.

„Niczym aktorka na scenie, obojętna na wzrok widzów".

Chodzę po pokoju, robiąc drobne porządki: poprawiam zdjęcia i ozdoby, zbieram książki i zaglądam do nich. Wiem, że Dominic przysunął się bliżej okna. Stoi teraz dokładnie naprzeciwko, patrzy na mnie, szklankę trzyma na wysokości piersi, drugą rękę ma w kieszeni. Czeka, żebym spojrzała w jego stronę, nawiązała z nim kontakt. Ale ja nie zamierzam tego robić.

„Nie w taki sposób, jakiego się spodziewa".

Najpierw, żeby sobie pomóc, puszczam płytę. Celia zostawiła w odtwarzaczu krążek z klasyczną muzyką gitarową. Dźwięk rozkręca się i napełnia mieszkanie łagodnym napięciem. Może to nie najlepszy podkład muzyczny do mojego planu, lecz ostatecznie do przyjęcia. Przechadzam się po pokoju, rozluźniając się, pozbywając sztywności kończyn. Na stole wcześniej postawiłam lampkę wina – czerwonego, aromatycznego. Pociągam łyk i niemal natychmiast w żołądku czuję ciepło, a w żyłach – wpływ alkoholu. To mi pomoże.

Dominic nawet nie drgnie. Wciąż na mnie patrzy. Upewniam się, że jestem blisko okna, i zaczynam sobie pieścić ramiona, przesuwam dłonią po szyi i klatce piersiowej, wkładam rękę głębiej pod dekolt podomki. Chłodne palce prześlizgują się po skórze, dotykają piersi. Pachnę różanym olejkiem do kąpieli, po którym moja skóra jest miękka i gładka. Unoszę ręką włosy i puszczam je, by swobodnie opadły.

„Wyglądam zmysłowo? – zastanawiam się. – Sexy?".

Wiem, że jeśli to ma zadziałać, będę musiała wyłączyć świadomość i zatracić się w zupełności. „Zrób to dla siebie".

Zamykam oczy i zapominam o Dominicu, który stoi tak blisko i patrzy. W zamian przywołuję z pamięci Dominica, który mnie tak dobrze pieprzył. Wyobrażam sobie jego twarz ogarniętą gorącym pożądaniem, intensywne napięcie rysów, gdy wciskał się we mnie silnymi pchnięciami. Przypominam sobie, jak wzięłam jego penisa w usta, ssałam, a on jęczał z rozkoszy. Moje ciało przebiega dreszcz i od razu czuję rosnące podniecenie i mrowienie zakończeń nerwowych. Jestem wilgotna i gotowa na to, co nastąpi.

Znów wsuwam rękę pod podomkę, ale tym razem obejmuję dłonią pierś, pocieram kciukiem sutek, który sterczy już ściągnięty i sztywny, ciemnoczerwony na końcu i twardy. Odpowiada na mój dotyk, roziskrzając małe zapalniki w pachwinach i wywołując westchnienie. Robię to samo z drugą piersią – budzę ją pocieraniem i szczypnięciem, co rozpętuje dodatkowy wir podniecenia gdzieś w żołądku. Potem powoli rozchylam ubranie i ruchem ramion zrzucam je, żeby opadło. Teraz podomka trzyma się tylko na pasku, biust mam ukryty w czarnym koronkowym staniku, mocno wyciętym i wzmocnionym fiszbinami, tak że piersi wyglądają jak miękkie kule podtrzymywane od dołu koronkowymi miseczkami.

Spod półprzymkniętych powiek spoglądam na stojącego naprzeciwko Dominica. Wiem, że na mnie patrzy. Wyobrażam sobie, jak mu przyśpiesza oddech, kiedy sobie uświadomi, co robię. Nagle wykonuje szybki ruch i jego mieszkanie pogrąża się w ciemności. On sam wraca do okna, lecz teraz widzę już tylko zarys sylwetki, cień, w dodatku stojący nieco głębiej niż przedtem, tak że ledwie w ogóle daje się dostrzec.

Zwykła sytuacja zostaje odwrócona. To on z ciemności patrzy na mnie, w pełni oświetloną.

„Tyle że ja wiem dokładnie, co robię. Wiem, że mnie obserwuje".

Czuję świeżą falę podniecenia i znowu pocieram piersi. Bawię się sutkami, które teraz sterczą jeszcze mocniej, napierając od wewnątrz na koronkę miseczek. Przesuwam dłońmi po ramionach, barkach i szyi, pieszczę brzuch, a potem znów wracam do piersi. Tym razem uwalniam je górą z biustonosza – wyskakują, pokazując twarde sutki. Sięgam po kieliszek, pociągam łyk wina, a potem zanurzam końce palców w trunku i rozprowadzam wilgoć po czubkach piersi.

Ta delikatna zabawa działa zgodnie z oczekiwaniami. Oddycham szybciej, moja kobiecość nabrzmiewa i pulsuje, wypełniając się rozkoszną gorącą wilgocią. Ciało, niedawno rozbudzone przez Dominica, domaga się więcej, spragnione tego, czego ostatnio doznało. Instynktownie kieruję dłonie w dół. Jedna znika w fałdach podomki, przesuwa się coraz niżej i zostaje tam, a ja czuję żar między nogami.

„Patrzysz na mnie jeszcze? Podnieca cię to?".

Wolno odwiązuję pasek podtrzymujący podomkę i ubranie ześlizguje mi się po nogach, opada na podłogę. Zostaję w samym biustonoszu i koronkowych bokserkach. Jedną ręką pocieram i pieszczę sobie piersi, a drugą wsuwam do majtek i sięgam do mojego sekretnego miejsca. Wciskam palec w gorącą wilgoć. O, mój ty świecie, jestem taka gotowa, spragniona dotyku, chętna, by poddać się przyjemności pod wpływem najlżejszej pieszczoty. Przebiegam palcem po nabrzmiałych wargach, przez gęsty sok, przenoszę go na łechtaczkę, ten wrażliwy pączek, który wysyła przejmujące sygnały do wszystkich moich zakończeń nerwowych.

Pocieram go i przechodzi mnie takie drżenie, że oblizuję sobie usta. Jeszcze i jeszcze. Drażnię łechtaczkę mocniej, kręcę wokół niej palcami, naciskam coraz bardziej. A ona błaga, żeby to robić ostrzej, szybciej. Pragnie szczytowania, całe moje ciało tego chce…

„Dominic". Wyobrażam sobie, że mnie dotyka, jego duże, silne palce podniecają mnie, zanurzają się w moim wnętrzu, podczas gdy kciuk naciska mocno na dołeczek powyżej.

Nie mogę się już dłużej opierać żądzy. Nogi mi drżą, nabieram prędkości, trę ostro długimi ruchami moje najwrażliwsze miejsce.

– Dominic – dyszę głośno, a potem dochodzę, orgazm wybucha we mnie i wstrząsa całym ciałem. Drugą ręką muszę się chwycić stołu, żeby nie upaść, tak mocno nogi reagują na zalewającą mnie intensywność. Dygoczę cała, ciałem wstrząsają gwałtowne drgnienia, a potem fala opada. Echo rozkoszy wywołuje lekkie wzdrygnięcia i westchnienia.

Pochylam głowę, oczy mam zamknięte. Biorę głęboki wdech, potem schylam się po podomkę. Ubieram się, odwracam i gaszę lampy.

Nie wiem, co się dzieje w mieszkaniu naprzeciwko. To nie w mroku, ale i tak nie patrzę. Pokazałam mu się w najintymniejszy sposób. Teraz wie, że mogę się posunąć dalej, niż się spodziewał.

„A to, Dominicu, dopiero początek".

Rozdział dwunasty

Jesteś na to gotowa? Na pewno? – James patrzy mi w twarz badawczo, z zaniepokojeniem, chcąc się upewnić, że nie pomaga mi wejść na ścieżkę, którą lepiej omijać z daleka.

– Zdecydowanie tak – mówię zdeterminowana.

Jestem ubrana w seksowną czarną sukienkę, którą sobie kupiłam w dniu swojej metamorfozy, i mam makijaż zrobiony zgodnie z podpatrzoną wtedy sztuką. Postarałam się o jak najbardziej „wieczorowy" wygląd.

– W porządku. – Podaje mi ramię, a ja wsuwam pod nie dłoń. – Wyglądasz uroczo. Jestem bardzo dumny, mając cię u boku.

Z tymi słowami ruszamy w zapadającym zmierzchu w stronę Soho. Mam nadzieję, że postępuję właściwie. Mimo tego, co się wydarzyło zeszłej nocy, Dominic się nie odzywa. Na pewno nie stracił ani sekundy z wieczornego przedstawienia, ale dziś moja komórka milczy przez cały dzień. Ani SMS-a, ani telefonu. Mam tylko nadzieję, że nie wywołałam odwrotnego efektu, niż zamierzałam.

„Cóż, co się stało, to się nie odstanie".

Ale tym razem robię coś innego. Wciskam się nieproszona w jego świat. To ryzykowne i niebezpieczne, ponieważ nie mam pojęcia, jak Dominic zareaguje.

James mówi do mnie, pomagając mi oderwać myśli od kłębiącego się w głowie chaosu.

– Przyznam, że starałem się dowiedzieć czegoś o tym miejscu – oznajmia, gdy tak idziemy pod rękę niczym zwyczajna elegancka para zmierzająca do teatru czy drogiej restauracji. Prawda przedstawia się jednak całkowicie inaczej od tego, co mógłby przypuszczać przypadkowy obserwator.

– Czego się dowiedziałeś?

– Nie było łatwo. Klub ma stronę internetową, ale oprócz mglistego wstępu reszta jest przeznaczona tylko dla członków. Sądzę, że to kwestia znajomości, zazwyczaj tak bywa. Podzwoniłem tu i tam i w końcu znalazłem kogoś, kto jest członkiem.

– Och! – Nadstawiam uszu. – Co powiedział?

– Same pochwały – odpowiada James lakonicznie. – Uwielbia to. Zapisał się, kiedy znalazł prawdziwą miłość. Jeszcze nie poinformował swojej dziewczyny, że największą przyjemność sprawiają mu lewatywy i złoty deszcz, więc od czasu do czasu chodzi po to do klubu. Członkostwo jest bardzo drogie, ale on twierdzi, że to warte każdych pieniędzy.

Szczęka mi opada. James zauważa to i śmieje się.

– O, moja droga, naprawdę nie masz o tym pojęcia, tak? – Klepie mnie po ręce w niemal ojcowski sposób. – Twoja niewinność przypomina mi moje szczęśliwsze lata. Nie szkodzi. Nie martw się, nie będziemy oglądać ludzi robiących takie rzeczy na oczach innych. Ten klub jest na to zbyt wyrafinowany. Sama się przekonasz, gdy już tam wejdziemy.

James doskonale wie, dokąd się kierować. I bardzo dobrze, bo ja zaczynam odczuwać mdłości. Gdyby nie szedł tak pewnym krokiem, ze szczerym zamiarem wsparcia mnie w moich planach, na pewno ociągałabym się i w końcu rozmyśliła. Szybko, zbyt szybko, przemierzamy ruchliwe ulice Soho i odnajdujemy uliczkę prowadzącą do dziwnie zacisznego zaułka, w którym wysokie georgiańskie domy kryją swoje tajemnice za zamkniętymi okiennicami. Staroświecka latarnia uliczna rozsiewa słaby blask, żelazne ogrodzenia połyskują w mroku. Łatwo sobie wyobrazić, że się cofnęliśmy w czasie. Za chwilę usłyszę stukanie końskich kopyt na bruku i skrzypienie kół dorożki, może pojawi się też zagadkowa postać we fraku i cylindrze.

– Zatem… – odzywa się James, gdy stajemy przed wiadomym budynkiem. Jesteśmy na miejscu. Oto The Asylum. Czy wstąpimy do środka i dołączymy do szaleńców?

Biorę głęboki wdech.

– Tak – mówię stanowczo.

Schodzimy więc po metalowych stopniach ku widniejącym w dole czarnym drzwiom.

Wewnątrz za stolikiem siedzi człowiek, którego widziałam tu wcześniej. Wygląda tak samo dziwacznie i przerażająco, jak go zapamiętałam. Ciemny tatuaż wije się na połowie jego twarzy i czaszki, oczy są dziwnie blade, wręcz białe. Podnosi na nas wzrok i jego spojrzenie natychmiast kieruje się na Jamesa. Mam nadzieję, że odźwierny zapomniał o krótkiej wizycie, jaką tu złożyłam ostatnio, ale na wszelki wypadek spuszczam oczy.

– Tak? – pyta nieprzyjaznym tonem.

– Dobry wieczór. Nie jestem członkiem, niestety – mówi James, a w jego głosie brzmi znacznie więcej zdecydowania, niż sama potrafiłabym z siebie wykrzesać. – Lecz mój przyjaciel Cecil Lewis, który należy do klubu, zapewnił, że zaaranżuje dla nas wstęp na dzisiejszy wieczór.

– Cecil? – Wytatuowany recepcjonista nachyla ku nam głowę, wciąż najeżony, ale już bez wrogości. – Oczywiście wszyscy znamy Cecila. Chwileczkę.

Wstaje i znika w ciemnym przejściu po lewej stronie, które, jak sądzę, prowadzi do podziemi ciągnących się pod ulicznym chodnikiem. Wymieniam z Jamesem ukradkowe spojrzenia, moje jest pełne zdenerwowania, jego – rozbawione. Pokazuje, że trzyma kciuki. Po chwili odźwierny wraca.

– W porządku, Cecil to potwierdza. Wydam państwu tymczasowe karty członkowskie i będzie jednorazowa opłata za dzisiejszą rozrywkę.

– Nie ma problemu – odpowiada gładko James, sięgając po portfel.

– Nie przyjmujemy tu pieniędzy – oznajmia portier takim tonem, jakby gotówka była beznadziejnie wulgarna. – Prześlemy fakturę. Proszę o wpisanie swoich danych w tej księdze. Ponieważ Cecil ręczy za państwa, rozumiecie zapewne, że w razie odmowy płatności z waszej strony, to on zostanie obciążony kosztami.

– Oczywiście. Mój klub też ma takie zasady – odparowuje James, nie dając się wyprowadzić z równowagi. Pochyla się, bierze staroświeckie srebrne pióro i zanurza końcówkę w kałamarzu. W ciszy słychać skrobanie stalówki o papier. – Proszę. Gotowe.

Odźwierny zwraca się do mnie.

– Teraz pani.

Posłusznie biorę pióro i wpisuję swoje dane z adresem Celii, a potem odkładam na podkładkę.

Portier wydobywa z biurka dwie karty z grubego papieru w kolorze kości słoniowej. Czarnym pismem stylizowanym na odręczne wydrukowano na nich: „Tymczasowy Członek The Asylum". A pod spodem: „Prosimy o dyskrecję". Ściskam swoją kartę w dłoni. To moja wejściówka do tajemnego świata.

– Teraz mogą państwo wejść. – Odźwierny wskazuje głową wejście po prawej. Wiem, dokąd ono prowadzi. Do samego klubu.

– Dziękujemy. – James rusza przodem i przechodzimy do czekającego na nas mrocznego wnętrza. Wygląda tak samo jak wtedy, gdy byłam tu po raz pierwszy, ale teraz mam więcej czasu, żeby się rozejrzeć. Staram się nie gapić, lecz moje oczy od razu wędrują na tył pomieszczenia, gdzie wisiały klatki. Nadal tam są, tyle że teraz puste, przez co wyglądają, jakby z nich pouciekały ptaki. Łańcuchy zwieszają się luźno.

– Przedtem byli tam w środku ludzie – mówię cicho do Jamesa, pokazując mu głową klatki. – Dziewczyny w obrożach i kajdankach.

– Ciekawe, czemu dziś ich nie ma – odpowiada. Prowadzi mnie między stolikami i znajduje jeden niezajęty. – Usiądźmy tutaj.

W sali jest bardzo ciemno. Jedyne światło pochodzi z maleńkich czerwonych latarenek ustawionych na stołach oraz z mocno przesłoniętych lamp ściennych. Atmosfera jest duszna. Wokół nas przy innych stolikach siedzą ludzie obsługiwani przez kelnerów w czarnych koszulkach polo i czarnych spodniach. Same drinki, nie widać, żeby ktoś coś jadł. Odnoszę wrażenie, że tu zaspokajane są apetyty innego rodzaju.

Podchodzi do nas kelner i wręcza nam kartę drinków. James zapoznaje się z nią przez chwilę i zamawia:

– Poproszę butelkę Chateau Pichon Longueville Comtesse de Lalande rocznik dziewięćdziesiąty szósty.

– Tak. I… – Kelner patrzy na nas chłodno. – Jaki rodzaj pokoju życzą sobie państwo następnie?

– A… – James po raz pierwszy wpada w zakłopotanie. – Ee, cóż, właściwie nie jestem pewien. Nie zdecydowaliśmy jeszcze.

Kelner ma zaskoczoną minę.

– Naprawdę?

– To znaczy… jesteśmy tymczasowymi członkami. Nie wiem dokładnie, co macie w ofercie.

– Ach, rozumiem – odpowiada kelner i twarz mu się rozjaśnia. – Przyniosę państwu menu, żeby zaprezentować propozycje.

– Zaraz się czegoś dowiemy – mruczy do mnie James, gdy kelner już się oddalił.

Popatruję na innych ludzi. Na pierwszy rzut oka wyglądają normalnie, piją drogie wina i koktajle, ale jeśli się przyjrzeć bliżej, widać, że klientela jest nietypowa. Przy jednym stoliku, jak mi się zdawało, siedzą dwie kobiety, ale wkrótce uświadamiam sobie, że jedna z nich jest mężczyzną w damskich ubraniach i z pełnym makijażem na twarzy. Oczy ma stale spuszczone, porusza się tylko wtedy, gdy napełnia towarzyszce kieliszek, a odzywa się wyłącznie, kiedy zostanie zapytany.

– Patrz tam – mówię do Jamesa. Dyskretnie zerka, a ja pytam:
– Czy to transwestyta?
– Nie sądzę – odpowiada szeptem. – Ale nie pytaj mnie o takie rzeczy.

Przy innym stoliku siedzi kobieta – na pozór sama, jednak kątem oka dostrzegam jakiś ruch i widzę pod stolikiem skulonego u jej stóp mężczyznę, który gorliwie liże jej skórzane buty – starannie i rytmicznie jak kot myjący sobie łapy.

Pojawia się kelner z naszym winem i kartą pokoi. Stawiając butelkę na stole, mówi:

– Dziś w programie mamy kabaret. Wspaniały występ z udziałem niektórych członków. Po takim pokazie zwykle jest ogromne zapotrzebowanie na pokoje, dlatego najlepiej rezerwować je wcześniej.

Zostawia nam otwarte wino i menu. Biorę kartę pokoi i przeglądam ją, na ile pozwala półmrok.

– Żłobek – czytam cicho Jamesowi do ucha. – Dostępne dwie sale, każda w pełni wyposażona do zaspokojenia wszelkich potrzeb niemowlęcia. Szkolna klasa: odpowiednia do kształcenia i ostrego karcenia uczniów. Sala tronowa: luksusowe wnętrze stosowne dla królowej. Góra Olimp: niebiański buduar, zaprojektowany dla bogini i jej pazia, lecz także doskonały dla bogów i ich niewolnic. Mokry pokój: do wszelkiego rodzaju zabaw. Loch: trzy oddzielne podziemne cele wyposażone w narzędzia, którymi pan czy pani może swojej niewolnicy czy niewolnikowi wymierzyć każdy rodzaj kary. – Odkładam kartę, czując, że mi trochę słabo. – O Boże. Co to za miejsce?

– Dominic nic ci o nim nie mówił? – dziwi się James, unosząc brew.

– Powiedział, że jest bezpieczne dla ludzi, którzy chcą realizować swoje fantazje. Po prostu nie zdawałam sobie sprawy, czym mogą być te fantazje.

James kręci głową.

– Nie ma ograniczeń, kochana. Żadnych limitów.

– Ale… żłobek?

– Założę się, że znajdziesz w nim największe, najbardziej męskie bobasy, jakie widział świat – odpowiada James ze śmiechem. – Pomyśl o tym w ten sposób. Niektóre samce alfa chcą się na chwilę oderwać od dyrygowania światem, odreagować ogromną odpowiedzialność, jaka na nich ciąży w związku z wymagającą pracą lub finansami. Pragną więc wrócić do bezpiecznego dzieciństwa.

– Chyba rozumiem – mówię niepewnie. – Ale żeby się przebierać za niemowlę… I to też uważają za seksowne?

– Zdziwiłabyś się, z czego ludzie mogą czerpać seksualną radość. Przypuszczam, że niektórzy podniecają się nawet przy zwrocie nadpłaconych podatków. Pewna moja znajoma rozpalała się seksualnie za każdym razem, gdy rozwiązywała sudoku. Miała koło łóżka całe stosy książeczek z tymi łamigłówkami i kiedyś wpadła w panikę, gdy jej się wypisały długopisy. – Śmieje się. – Przesadzam, ale wiesz, o co mi chodzi.

Nalewa nam wino do kieliszków. Płyn lśni rubinowo w świetle latarenki.

– Myślę, że ci posmakuje, jest dość dobre – mówi, podziwiając trunek w kieliszku. Upija łyk. – O, fantastyczne.

Kosztuję odrobinę. Ma rację. Nie znam się za bardzo na winach, ale to na pewno jest wyjątkowe, łagodne i pyszne.

Podczas gdy delektujemy się trunkiem, zapala się kilka świateł i dopiero teraz zauważam z przodu sali niewielką scenę. Skierowane są na nią dwa niebieskie reflektory. W chłodny krąg światła wchodzi jakaś kobieta. Piękna, krągła, ma na sobie wspaniałą lśniąco czerwoną suknię i buty na wysokich obcasach. Przy wtórze muzyki śpiewa niskim, lekko zachrypniętym głosem o tym, że chce być kochana, choć troszeczkę. Wszystko wygląda jak zwykły kabaret do momentu, gdy wokalistka zaczyna się rozbierać. Suknia spada z niej w dwóch osobnych częściach, ukazując gorset mocno zasznurowany na cieniutkiej talii i wypychający w górę spory biust; widać też jedwabną bieliznę, pas do pończoch i same pończochy.

– Babka niczego sobie – mruczy James.

Jak na razie mamy popis burleskowy. Kobieta śpiewa lubieżny kawałek rodem z nocnych klubów i zdejmuje gorset, ukazując piersi większe, niż można się było spodziewać. Wije się ponętnie, kręci biodrami i wygina się lekko na swoich szpilkach. Wtem buty idą na bok i artystka teatralnie zsuwa pończochy. Teraz zostały już tylko jedwabne majtki i gdy piosenka sięga zenitu, wokalistka odpina coś z tyłu i bielizna opada, eksponując wielkiego penisa osadzonego ponad parą wygolonych jąder. Z widowni dobiega mieszanina odgłosów zdziwienia i westchnień. Występująca przez chwilę szarpie się za członka, pokazując, jaki jest duży, a potem uśmiecha się do publiczności, jakby prosiła o podziw dla swojego atrybutu.

– Och – mówi zaskoczony James. – Tego się nie spodziewałem.

Chichoczę.

Wkracza druga kobieta w gorsecie i beszta pierwszą, ta zaś doskonale odgrywa zdumienie, a potem zawstydzenie. Druga – wyglądająca na prawdziwą, na ile mogę stwierdzić – wydobywa skądś szpicrutę. Na ten widok śpiewaczka okazuje przerażenie. Opada na podłogę, podczas gdy druga kobieta okłada ją batem po białych plecach i ramionach, wciąż ostro strofując za jej dziwaczny ekshibicjonizm.

Przedstawienie najwyraźniej podoba się publiczności. Może właśnie dlatego przyszło tu dziś tyle dominujących kobiet ze swoimi poddanymi.

– Nie mam pojęcia, co powiemy, kiedy zapytają, który chcemy pokój – mruczy James, dolewając nam wina.

– Może się po prostu jakoś wymówimy – sugeruję, wciąż patrząc na scenę. Ktoś się wynurza z mroku i zmierza w naszą stronę. – Chyba nadchodzi kelner – mamroczę do Jamesa. – Lepiej od razu przygotujmy wymówkę.

Lecz w miarę jak się zbliża, widzę, że to bynajmniej nie kelner. Idzie ku nam Dominic z bladą, zaciętą twarzą i lodowatym wzrokiem. Coś mi ściska wnętrzności, mieszanina zadowolenia i strachu, cała drętwieję, gdy on jest coraz bliżej.

– Beth – mówi cicho – co ty, u licha, tu robisz? – Posyła Jamesowi okropne, wrogie spojrzenie. – I kto to jest, do cholery?

– Witaj, Dominicu. – Staram się zachować spokój, choć to trudne, kiedy stoi obok. Ma na sobie czarną kaszmirową bluzę i ciemne spodnie: wygląda cudownie. – Nie wiedziałam, że dziś tutaj będziesz.

– No, jestem – odpowiada niemal drżącym głosem. Widzę, że z trudem panuje nad sobą.

„Czemu jest na mnie wściekły? Nie ma prawa! Nie jestem jego własnością, na litość boską. Przecież sam ze mną skończył".

Ta myśl pozwala mi zebrać w sobie siły.

– Skąd wiedziałeś, że tutaj jestem? – pytam śmiało.

– Twoje imię i nazwisko pojawiło się w systemie – pada krótkie wyjaśnienie, a ja nadal nie wiem, jak ta informacja do niego dotarła. Dominic znów spogląda na Jamesa. – Kto to jest? – warczy.

– Przyjaciel – mówię szybko.

W ciemnych oczach Dominica migoczą iskry. Wie, że nie mam w Londynie przyjaciół, ale nie chce mnie wypytywać przy

Jamesie. Wpatruje się we mnie przez chwilę, a potem mówi chłodno:

– Nie chcę, żebyś tu była.

Te słowa głęboko mnie ranią, ale udaję, że je przyjęłam obojętnie.

– Nie obchodzi mnie, czego nie chcesz – odpowiadam spokojnym głosem. – Mam wolność wyboru.

– Nie w tym wypadku. To prywatny klub. Mogę sprawić, żeby cię wyproszono.

– Zatem wyjdziemy – wtrąca się James. – Lecz może pan pozwoli, że dokończymy butelkę? Wie pan, to dobre wino...

Dominic patrzy na niego jak na robaka, który właśnie przemówił, wreszcie zgadza się:

– W porządku. Dokończcie i idźcie. – Zwraca się do mnie: – Beth, czy przy tym człowieku jesteś bezpieczna? Mogę cię wsadzić do taksówki.

Wzruszam ramionami i zuchwale podnoszę brodę.

– Nie potrzebuję twojej pomocy. Umiem o siebie zadbać.

Dominic otwiera usta, ale je zaraz zamyka. Znów wlepia we mnie wzrok, tym razem płonący, a potem mówi krótko:

– W porządku.

Następnie odwraca się na pięcie i oddala, idąc przez salę. Patrzymy za nim, lecz reszta publiczności skupia się na wykonywanej na scenie chłoście.

– Cóż, jedno mogę powiedzieć na pewno – zauważa James, podnosząc kieliszek do ust. – Ten młody człowiek najwyraźniej z tobą nie zerwał pod żadnym względem. Ściśle rzecz biorąc, jest dokładnie na odwrót. – Uśmiecha się do mnie. – Jeżeli chciałaś wetknąć kij w mrowisko, myślę, że ci się udało.

James odwozi mnie taksówką do domu, mimo że sam zmierza w zupełnie innym kierunku.

– Nieważne – stwierdza. – Mogę się przejechać trochę dłużej do Islington. Na pewno chcesz tej nocy być sama?

Kiwam głową.

– Jestem przyzwyczajona, no i De Havilland dotrzyma mi towarzystwa.

Dopada mnie czarna chmura przygnębienia i naprawdę nie umiem sobie przypomnieć, czego się spodziewałam po tym całym doświadczeniu. Jeśli myślałam, że Dominic powita mnie z otwartymi ramionami, najwyraźniej byłam w błędzie.

– Skoro tak – mówi James. Na pożegnanie całuje mnie lekko w policzek i ściska mi dłoń, po czym wysiadam z taksówki. – Zobaczymy się jutro. Zadzwoń, gdy będziesz czegoś potrzebować.

– Dobrze, zadzwonię. Dobranoc.

Wspinam się wolno po schodach, czując cały ciężar swojej niedoli. To, co przeżyłam w klubie, mocno zachwiało moimi dotychczasowymi postanowieniami. Chciałam kuszącym krokiem wyjść Dominicowi naprzeciw, tak by mnie powitał w połowie drogi, ale nie mam pojęcia, jak mogłabym się posunąć dalej. Do tej pory tylko James mi pomagał, nie ma nikogo innego, kto mógłby mnie wesprzeć.

Chyba że… Przed oczami staje mi twarz Vanessy. Oprócz Jamesa to jedyna osoba, jaką znam w Londynie, i zapewne w ogóle jedyna, która ma taki wpływ na Dominica. Czy mogłaby… czy by mi pomogła? Raczej nie, jak sądzę, a może jednak… Ale jak się z nią skontaktuję?

W mieszkaniu podchodzę do okna w salonie i wyglądam przez nie, ale rzecz jasna, pokój naprzeciwko jest ciemny. Wiem, gdzie w tej chwili znajduje się Dominic. Pamiętam, jak stałam tu zeszłej nocy i co robiłam.

„Czy się upokorzyłam?".

Wzdycham. Nie mam pojęcia. Wygląda na to, że zdobycie biletu wstępu do świata Dominica będzie trudniejsze, niż myślałam.

Rozdział trzynasty

Następnego dnia w galerii jest dużo pracy i James zatrzymuje mnie do późna, żebym nadzorowała rozbiórkę obecnej wystawy. Przychodzi autor dzieł, by sprawdzić, jak nam idzie i czy jego obrazy są traktowane z należytą ostrożnością. James otwiera butelkę wina i robi się przyjemny wieczór. Myślę, że to zdecydowanie odpowiednia praca dla mnie. Zabawiać rozmową artystów i pić wino z szefem? Bomba!

Staram się nie rozmyślać o Dominicu, a w zmian skupiam się na planie, jak złapać Vanessę. Jedyne, co mi przychodzi do głowy, to znów wrócić do The Asylum i poprosić o rozmowę z szefową. Ale Dominic zapewne też tam będzie, a to zepsułoby mój pomysł. Zresztą nawet nie znam jej nazwiska, nic o niej nie wiem.

Później tego wieczoru czuję się bardziej przygnębiona niż kiedykolwiek. Zbliża się połowa mojego pobytu u Celii i czas zdaje się przyśpieszać. Bardzo podoba mi się moja praca, lecz jak ją będę wykonywać, gdy skończy się gościna u Celii? Nie zarabiam zbyt wiele i jeśli chcę zostać w Londynie, powinnam zacząć planować już teraz. A jednak właśnie teraz nie mogę niczego wymyślić. Perspektywa powrotu do domu jest okropna. Zrobiłam kilka kroków w stronę nowego życia i nie wyobrażam sobie, że mogłabym się cofnąć.

Do tego dochodzi jeszcze fakt, że nie posunęłam się ani trochę w kwestii namierzenia Vanessy.

Jedyne światełko w tym mroku to zaproszenie od Jamesa. Pójdziemy w weekend do teatru, a potem do jednej z jego ulubionych restauracji, gdzie na pewno zobaczymy kogoś sławnego, ponieważ w tym lokalu bywają celebryci.

Sadowię się, żeby pooglądać film na laptopie. W przerwie na lunch specjalnie kupiłam sobie DVD. Nie mając telewizji, zaopatrzyłam się w kilka płyt, które zapewnią mi rozrywkę w spokojne wieczory spędzane w mieszkaniu. Dzisiaj wybieram *Lady Eve*, jeden ze swoich ulubionych filmów, czarno-biały, z lat czterdziestych XX wieku, z Barbarą Stanwyck i Henrym Fondą. Ich cięte dialogi zawsze mnie rozśmieszają.

Właśnie się rozsiadam, zerkając na napisy początkowe, gdy rozlega się pukanie do drzwi.

Serce zaczyna mi walić, stopuję film i na miękkich nogach idę do przedpokoju, ledwie mogąc oddychać. Otwieram i w drzwiach stoi on. Ma na sobie dżinsy, jasną koszulę i ciemnoszary kaszmirowy sweter, a ten przydymiony kolor nadaje jego ciemnym oczom jeszcze większą intensywność.

– Cześć, Dominic. – Mój głos okazuje się szeptem.

– Cześć. – Wyraz twarzy ma chłodny, wzrok zimny jak kamień. – Masz kilka minut? Mogę z tobą porozmawiać?

Kiwam głową i cofam się, by go wpuścić.

– Oczywiście.

Wchodzi do salonu i zauważa otwarty laptop z zastopowanym filmem.

– Och, oglądasz coś. Przepraszam, nie chciałem ci przeszkadzać.

– Nie bądź niemądry. Wiesz przecież, że porozmawiam z tobą.

Podchodzę do sofy i siadam, żałując, że nie przewidziałam jego przyjścia; mogłabym się uczesać i zrobić porządek z twarzą.

Nic nie mówi, ale podchodzi do okna i wygląda przez nie. Jego profil ostro rysuje się na tle szyby, podziwiam prostą linię nosa. Usta podpowiadają, że szczęki są zaciśnięte. Dominic wygląda na sztywnego i spiętego.

– Czy coś się stało? – odważam się zapytać.

De Havilland wskakuje na sofę obok mnie i siada na łapach niczym nastroszony czarny kogut. Przebiegam palcami po jego miękkim futrze i kot zaczyna cicho mruczeć.

Dominic odwraca się do mnie z błyskawicami w oczach.

– Starałem się trzymać z daleka – wybucha. – Ale to mnie zabija. Muszę wiedzieć, kim jest ten człowiek i co z nim robisz. – Przemierza podłogę dwoma krokami i staje obok mnie. – Proszę, Beth. Kto to jest?

Patrzę na niego z dołu, usiłując zachować spokój. Skupiam się na powolnych, jednostajnych pomrukach dochodzących spod moich palców. De Havilland niewzruszenie trwa u mojego boku. Mam skłamać czy powiedzieć prawdę? Czuję, że to, co teraz powiem, wpłynie na bieg wszystkiego.

– Przyjaciel – odpowiadam miękko. Trudno jest mieć Dominica tak blisko i nie móc go dotknąć. – Przyjaciel, który obiecał mi pomóc.

– Pomóc w czym? – rzuca się na moje słowa.

Zanim coś powiem, wstrzymuję się na dłuższą chwilę, wpatrując się w jego twarz. Znam go od tak niedawna, a tak wiele dla mnie znaczy. Nie mam pojęcia, czy to, co zaraz powiem, wszystko zmieni, lecz wiem, że nie chcę, by sprawy utknęły w takim miejscu jak teraz.

– Pomóc mi wejść do twojego świata.

Z twarzy Dominica odpływa krew. Usta są blade i ledwie się poruszają, gdy mówi:

– Jak to zamierza zrobić?

– Ty uważasz, że nie mogłabym. – Wszystkie moje emocje, wrząc, wypływają na powierzchnię. Wbijam w niego intensywne spojrzenie. – Ale ja mogę. I chcę. A on mi w tym pomoże.

– O Boże… – Dominic opada na fotel i kryje twarz w dłoniach. Wiem, jakie myśli przebiegają mu przez głowę: wizja Jamesa ze mną. W jego wyobraźni pozwalam, by James robił mi wszystkie te rzeczy, których Dominic obiecał nigdy wobec mnie nie zastosować. To musi być dla niego torturą, rozumiem jego mękę. W końcu podnosi na mnie udręczone oczy.

– Pozwoliłabyś mu na to?

Nachylam się ku niemu, rozpaczliwie pragnąc, by pojął, o co mi chodzi.

– Chcę być blisko ciebie, chcę być z tobą. Jeśli taka jest cena, to się zgadzam.

– Nie – ucina łamiącym się głosem. – Nie tak. Zniosę, gdybyś się poddała, ale tego nie wytrzymam.

Wstaję, podchodzę do niego, przyklękam na podłodze i kładę ręce na jego kolanach w błagalnym geście.

– Ale nie musisz – mówię proszącym tonem. – To wcale nie musi być on. Możesz być ty.

Powoli odsłania twarz i spogląda na mnie, na wpół z rozpaczą, na wpół z niechęcią.

– Naprawdę wiesz, co mówisz? Czy tego właśnie chcesz?

– Tak, właśnie tak. A jeśli nie ty, znajdę kogoś innego, to jedyne wyjście.

Nasze oczy spotykają się i już tak zostają. Nigdy nie czułam się bardziej spełniona, niż patrząc na niego w ten sposób. Pochyla się i podnosi mnie wolno ku sobie.

– Beth – mówi gardłowo. – Boże, tak bardzo cię pragnę. Nie wiesz, o co prosisz. Ale zabija mnie myśl, że mogłabyś być z kimś innym.

– Więc pozwól, że będę z tobą. – Unoszę jego dłoń do swoich ust i całuję. Biorę jeden z jego palców do buzi i ssę delikatnie, owijając wokół niego język i pieszcząc go czule. Dominic patrzy, oczy zachodzą mu mgłą pożądania. Przysuwam się bliżej, uwalniam jego rękę, pozwalam, by prześliznęła mi się za głowę i przyciągnęła mnie do niego. Wolno, kusząco nasze usta stykają się wreszcie i przywierają do siebie. Czuję ciepło jego języka przemykającego po moich wargach i automatycznie rozchylam je, żeby mu zrobić dostęp. Język błądzi w moich ustach i wdycham jego znany, cudowny smak. Przyciskam wargi mocniej i zatracamy się w pocałunku, a dłoń Dominica jeszcze bardziej przyciska moją głowę.

Wreszcie się rozłączamy, oboje bez tchu. Znów intensywnie patrzymy sobie w oczy, żar między nami jest niewiarygodny, a potem on mówi:

– Widziałem cię. Tamtego wieczoru. Tutaj.

– To znaczy…

– Tak. Kiedy byłaś sama. – Oczy mu połyskują ciemno. – To było niezwykłe.

– Czy… sprawiło ci radość?

– Radość? – Gładzi mnie po dłoni. – Nigdy do tej pory nie zaznałem czegoś takiego.

Uśmiecham się zażenowana, ale zadowolona.

– To specjalnie dla ciebie.

– Wiem. Piękny podarunek. – Śmieje się i dodaje: – Miejmy nadzieję, że mieszkający nade mną pan Rutherford nie podglądał, bo pewnie dostałby tego ataku serca, o którym wciąż mówi.

W tym momencie oboje się rozluźniamy.

– Zostaniesz? – pytam.

– Nie wiem, jak mógłbym teraz wyjść – odpowiada z oczyma przyćmionymi pożądaniem.

– W takim razie… – Wstaję, biorę go za rękę i przechodzimy do sypialni.

Rozbiera mnie powoli, co chwila przerywając, żeby całować odsłanianą skórę. Dotyk jego ust podnieca mnie, krążący koniuszek języka doprowadza moje zakończenia nerwowe do szaleństwa. Gdy jestem już tylko w bieliźnie, nie mogę się oprzeć, aby go też nie pieścić.

– Pozwól mi – mówię, wsuwając dłoń pod jego ubranie, a on się zgadza. Zdejmuję mu przez głowę sweter, potem wolno rozpinam koszulę, całując jego tors po każdym rozpiętym guziku odsłaniającym kolejny kawałek klatki piersiowej. Kształt dżinsów zdradza, że jego męskość już sterczy dumnie, czekając na uwolnienie. Rozpinam więc również spodnie i zsuwam je po długich, napiętych udach.

Kiedy Dominic jest już w samych bokserkach, biorę go za rękę i prowadzę do łóżka. Leżymy obok siebie, wodząc dłońmi nawzajem po swoich ciałach. Ja podziwiam jego twarde muskuły, a on miękkie krzywizny moich piersi i brzucha.

Kieruję rękę w dół, przeczesując szlak czarnych włosów ciągnący się od jego pępka do gumki bokserek. Kiedy dotykam aksamitnej główki penisa, nabrzmiewa i porusza się pod moją dłonią.

Przez chwilę wodzę ręką w górę i w dół, potem nachylam się wolno, całuję jego brzuch i liżę delikatnie skórę, zmierzając w stronę erekcji.

Jęczy cicho.

– O, Beth… tak mi dobrze.

Przesuwam się, żeby ściągnąć bokserki przez kolana, łydki i kostki. Potem wolniutko sunę w górę jego ciała, aż wreszcie siadam okrakiem na jego udach. Oczy mu błyszczą, gdy wpatruje się w moje piersi wciąż schowane w staniku oraz majtki kryjące moją kobiecość przed jego wzrokiem.

Pochylam się, a włosy opadają mi przy tym lekko na jego skórę. Chwytam obiema dłońmi naprężonego penisa i delikatnie odsuwam napletek.

– Jesteś taki duży – mówię miękko.

Nic nie odpowiada, ma rozchylone usta i świszczący oddech.

– Chcę cię całować, wziąć do ust i ssać – szepczę gardłowo, patrząc mu prosto w oczy. Widzę, że reaguje na to dodatkową iskrą pożądania. Zsuwam się więc niżej i delikatnie pieszczę oddechem główkę – najbardziej miękką, najsłodszą część penisa. Wysuwam język i liżę ją, zataczam dookoła kręgi, po czym biorę do ust – najgłębiej, jak się da. Jedną ręką trzymam jego członek, a drugą wsuwam pod spód i bawię się ostrożnie jądrami. Palec wskazujący pociera punkt pod nimi, Dominic wzdycha, kiedy dotykam tego miejsca.

Jęczy i wypycha lekko biodra, wciskając swoją męskość głębiej w moje usta. Przez długie minuty ssę i bawię się nią, upajając się efektem, jaki wywieram: w jego oczach narasta żądza, twarde udo dociska się do mojej gorącej, wilgotnej kobiecości, pobudzając łechtaczkę.

– Beth – mówi ochryple – dłużej nie wytrzymam, dojdę ci w ustach…

Coś we mnie chce, żeby doszedł, ale łakomie pragnę własnych doznań. Cofam więc usta i osuwam się, żeby zdjąć majtki, po czym znów go dosiadam okrakiem, tym razem wyżej. Opieram ciężar ciała na kolanach i sadowię się nad nim, trzymając jego penisa pionowo. Ciężkie od pożądania oczy Dominica kryją się pod półprzymkniętymi powiekami w oczekiwaniu tego, co zamierzam zrobić. Opuszczam się na jego główkę, pozwalając, by zanurzyła się w mojej śliskiej wilgoci. Pragnę jego nabrzmiałej męskości, wszystko we mnie się jej domaga, ale napawam się tą nęcącą chwilą.

Dominic kładzie ręce na moich biodrach, gładzi je i przesuwa dłonie na pośladki.

– Zrób to – mówi. – Pragnę cię.

Schodzę więc na niego, wciskam go w siebie, pochłaniam. Wypełnia mnie i przez moment mam wrażenie, że coś mnie w środku przeszyło – tak jest daleko i tak głęboko. Wyrywa mi się cichy okrzyk, potrząsam głową, wyginam plecy w łuk pod wpływem zmysłowych doznań. Jego ręce poruszają się na moich biodrach wraz z jego ruchami. Jesteśmy idealnie zestrojeni, moje ciało wychodzi naprzeciw jego pchnięciom, tak że obydwoje sapiemy za każdym razem, gdy on uderza w słodki punkt w moim wnętrzu.

Narasta we mnie moc, czuję, że Dominic przyśpiesza. Długie chwile pieszczot oralnych skierowały go na drogę do wybuchowego orgazmu i teraz zmierza do niego silnymi uderzeniami. Jego podniecenie wywiera na mnie niewiarygodny wpływ. Za każdym razem, gdy dobija, moje odczucia stają się jeszcze bardziej intensywne, narasta we mnie mocny, wibrujący, elektryczny dreszcz. I kiedy jego uda sztywnieją pode mną, twarz wykrzywia się gwałtownością pulsującego doznania, a całym ciałem wstrząsa orgazm, jednocześnie z eksplozją w moim wnętrzu, ja też szczytuję, szarpana konwulsjami przyjemności. Potem opadam wyczerpana na jego pierś.

Dominic wzdycha, starając się ochłonąć, obejmuje mnie ramionami i gładzi po włosach.

– To jak powrót do domu.

– Nie chcę, żebyś mnie znów zostawiał – mówię, przesuwając dłonią po jego skórze. Jest wilgotna od naszego potu. – Chcę być z tobą. Zrobię, co tylko trzeba. Pokażesz mi? Pozwolisz?

Zamyka ciasno moją dłoń w swojej i przesuwa ustami po moim ramieniu. Potem, patrząc mi w oczy, mówi:

– Tak, pokażę. Zabiorę cię do tego świata. Obiecuję.

Przepełnia mnie uczucie głębokiego spokoju, choć wiem, że wygrałam bitwę, która może mi nie przynieść szczęścia.

– Dziękuję – odpowiadam miękko.

Wpatruje się we mnie ciemnymi, ciemnymi oczyma i już się nie odzywa.

Trzeci tydzień

Rozdział czternasty

Beth,
dziękuję za cudowny wieczór.
W ten weekend będę w podróży służbowej, ale zaczniemy od
poniedziałku. Wpadnę po Ciebie po pracy i pójdziemy na obiad.
D

Znajduję ten liścik na pustej poduszce obok siebie tuż po przebudzeniu. Czytam go kilka razy, a potem przyciskam do piersi, patrząc w sufit. Oto dowód na to, że mi się powiodło w zadaniu, które sobie postawiłam. Dominic zabierze mnie mroczną ścieżką do miejsca, którego właściwie nie umiem sobie wyobrazić. Zupełnie nie wiem, co mnie czeka. Nigdy nawet nie oberwałam po twarzy, żadnego kuksańca. Rodzice nie dawali mi klapsów, a bracia bili się między sobą, nie ze mną.

„Teraz poprosiłam, żeby mi to zrobił człowiek, którego pragnę jak nikogo w świecie. Nie mam pojęcia, co to naprawdę oznacza".

Wstaję i idę do łazienki. Zanim się zacznie, mam przed sobą weekend. James zabiera mnie do teatru i na kolację, na zewnątrz wciąż gorąco i słonecznie, jestem młoda, lato w pełni. A w moim życiu pojawił się wspaniały człowiek. Więc podsumowując – rozmyślam sobie o poranku – czasami bywa gorzej.

Cały weekend jest przesiąknięty oczekiwaniem na to, co ma się zdarzyć potem. Nawet w teatrze i w szykownej restauracji, podczas wycieczki nad rzekę i wygrzewania się w słońcu nie opuszcza mnie podekscytowanie i jakaś mroczna obawa.

James chce wiedzieć, jak się potoczyły sprawy z Dominikiem.

– Pomyślałem sobie: co za ognisty charakter! – mówi. – Ale jaki przystojniak! Nic dziwnego, że straciłaś dla niego głowę.

Nie opowiadam mu, co się dokładnie wydarzyło, ale daję do zrozumienia i James doskonale wie, o co chodzi.

– Tylko ostrożnie, Beth. Nie zapominaj, że nie da się oddzielić serca od ciała. U ciebie najsilniejsze są emocje. Jeżeli sądzisz, że twoje ciało to wytrzyma... Cóż, wówczas i ty to zniesiesz.

Wierzę w jego szczerość, kiedy zapewnia, że zawsze mogę się do niego zwrócić w potrzebie.

Mam tylko nadzieję, że taka potrzeba nie zajdzie.

Nadchodzi poniedziałek, a z nim narastają we mnie lęk i niecierpliwość. Przez cały dzień z trudem mi się udaje utrzymać myśli przy pracy. Muszę sobie sama przemówić do rozsądku, korzystając z lustra w toalecie.

Moje odbicie podpowiada, że wyglądam jakoś inaczej. Może sprawia to nienaganny strój, jaki noszę do pracy: idealnie wyprasowana biała bluzka koszulowa, czarna spódnica i rozpinany czarny sweter z paskiem, a do tego fryzura – staranny, ciasno spięty, połyskliwy koński ogon. Wiem jednak, że sprawiam wrażenie nieco starszej i mądrzejszej niż kilka tygodni temu. Może mam też w sobie trochę więcej śmiałości.

– Weź się w garść, Beth – mówię do siebie twardo w lustrze. – Myślisz, że powie „cześć", wyjmie bat i zacznie cię lać? Na pewno wcale tak nie będzie.

Mimo wszelkich swoich obaw mam niezachwianą pewność, że Dominic będzie miłym i łagodnym przewodnikiem po nieznanym mi świecie. Muszę się rozluźnić i mu zaufać. Oddać się całkowicie w jego ręce.

„I może o to właśnie w tym wszystkim chodzi. Czy już nie zgodziłam się poddać i przekazać mu kontrolę, którą tak uwielbia?".

Uderza mnie paradoksalność sytuacji, w której zbieram całą swoją siłę woli i determinację po to, żeby się dostać tam, gdzie je w całości oddam komuś innemu. Zaufałam jednak Dominicowi, wierzę, że będzie mnie chronił, i to uczucie jest ogromnie pocieszające.

„A dziś w nocy dowiem się więcej".

Oczy mi błyszczą. Wiem, że ekscytuje mnie ten dziwny obrót sprawy. Zostało jeszcze tylko kilka godzin oczekiwania.

Dominic przychodzi po mnie dokładnie w tym momencie, gdy James wystawia w drzwiach galerii tabliczkę „Zamknięte". Czuję przypływ dumy, gdy wchodzi, taki wysoki i przystojny, tak wspaniale prezentujący się w ciemnoszarym garniturze i złocistym jedwabnym krawacie. Jak zwykle wygląda nieskazitelnie, ale na jego twarzy maluje się zaskoczenie, kiedy dostrzega Jamesa i rozpoznaje w nim człowieka spotkanego wcześniej w The Asylum.

– Uroczo widzieć pana znowu – mówi James ze swoim zwykłym opanowaniem. – Życzę wam dwojgu miłego wieczoru.

– Dzięki, James. Do widzenia – mówię, biorę torebkę i dołączam do stojącego przy drzwiach Dominica.

– To twój szef? – pyta Dominic, całując mnie na powitanie.

Kiwam głową i uśmiecham się trochę swawolnie.

– Szybko się do siebie przywiązaliśmy.

Wychodzimy razem z galerii na ulicę. Dominic marszczy brwi, w jego oczach widzę błysk zazdrości.

– Ale nie za blisko, mam nadzieję. Naprawdę chce się z tobą jakoś związać?

– Zdradzę ci sekret – zagajam i przyciągam go bliżej, tak żeby jego ucho znalazło się na wysokości moich ust. – Jest gejem.

Dominic chyba się trochę udobruchał, ale i tak mruczy:

– W moim świecie to niekoniecznie ma znacznie, tyle ci mogę powiedzieć. Zdziwiłabyś się, widząc, co się może zdarzyć, gdy znikną bariery.

– Dokąd idziemy? – pytam, wsuwając rękę pod jego ramię i przytulając się do niego. Z jakiegoś powodu lgnę dzisiaj do niego bardziej niż przedtem, pragnę dotykać go i tulić się do jego ciała. Przez chwilę zastanawiam się, czy nie można by tego wszystkiego odwołać, pójść do domu i pomigdalić się na sofie. Zaraz się jednak strofuję w myślach: „Dominic nie jest zwyczajnym facetem do migdalenia się na sofie, nie pamiętasz? Albo ta droga, albo żadna inna".

– Idziemy do The Asylum – odpowiada. Wydaje się lekko rozkojarzony, ale może to dlatego, że ruchliwa ulica nie sprzyja takim rozmowom.

– O! – W głębi serca czuję się rozczarowana. Wyobrażałam sobie jakiś nowy grunt, ale może to ma sens. Ten lokal najwyraźniej zajmuje w życiu Dominica ważne miejsce, powinnam go zatem poznać.

Po chwili już zmierzamy metalowymi schodami ku drzwiom. Jest tak wcześnie, że wnętrze wygląda wręcz na opuszczone. W recepcji nie ma nikogo, ale Dominic prowadzi mnie pewnym krokiem do środka. Wytatuowany osobnik stoi za barem. Zapisuje coś pochylony i podnosi wzrok, gdy wchodzimy.

– Cześć, Dominic – mówi w przyjazny sposób, co zupełnie nie pasuje do jego złowrogiej aparycji.

– Cześć, Bob – odpowiada Dominic. – Jest u siebie?

– Na górze. Zaraz po nią zadzwonię. – Sięga po telefon i szybko mamrocze coś do słuchawki.

– Ma na imię Bob? – szepczę niedowierzająco. Chichoczę.

– Tak. Co w tym dziwnego?

– Noo… nie wygląda jak Bob, po prostu.

– Yhm, rzeczywiście, wygląda dziwacznie – przyznaje Dominic z uśmiechem. – Chyba się do niego przyzwyczaiłem.

– Bob – powtarzam cicho i śmieję się bezwiednie.

Rozglądam się po pustym barze i rozmyślam, jak inaczej prezentuje się to miejsce, gdy nikogo w nim nie ma, jak puste stoliki zmieniają jego charakter, gdy wtem otwierają się drzwi na tyłach baru i wkracza Vanessa.

Wygląda zdumiewająco w dwuczęściowym szkarłatnym damskim garniturze, śnieżnobiałej bluzce koszulowej i na wysokich obcasach. Usta ma pomalowane pod kolor ubrania, a krótkie faliste włosy są rozpuszczone, co dodaje nieco miękkości jej ostrym rysom. Kiedy się jednak zbliża, zimne oczy nie zapowiadają miłego powitania.

– Kochanie – mówi dźwięcznie, uśmiechając się do Dominica i całując go w policzek. Po czym zwraca się do mnie z chłodnym wyrazem twarzy: – Witaj. Znowu się spotykamy. Cóż za miła niespodzianka.

Nagle onieśmielona, odpowiadam skinieniem głowy.

– Przejdziemy do mojego apartamentu – oznajmia i rusza tam, skąd przyszła. – Chodźcie za mną.

„A więc to tak. Zabierają mnie poza strefę bezpieczeństwa".

Podążam za Vanessą, Dominic trzyma się tuż za mną i tak przechodzimy przez ciemne wygłuszone drzwi do najbardziej prywatnej części klubu. Wchodzimy na piętro i Vanessa zwraca się do Dominica:

– Czy chciałaby obejrzeć pokoje?

– Dlaczego jej nie zapytasz? – odpowiada Dominic cicho. – Stoi tuż obok.

Vanessa kieruje na mnie chłodny wzrok.

– Chciałabyś?

Biorę głęboki wdech. „Czemu nie?".

– Tak, proszę – mówię.

– Dobrze. – Vanessa podchodzi do najbliższych drzwi i otwiera je. – Dziś mamy słaby ruch. Ten pokój jest pusty. To część żłobka. Odsuwa się, żebym mogła zajrzeć. Wchodzę więc i rozglądam się.

Znalazłam się w typowym niemowlęcym pokoju z dawnych lat, przystrojonym niebiesko-różowymi kokardami i falbankami, z białą komodą, słodkimi króliczkami, kojcem i łóżeczkiem z rozrzuconą pościelą, tyle że wszystko to jest ogromne. W łóżeczku na pewno zmieści się dorosły mężczyzna; w kącie stoi wielki nocnik, potężny stół zapewne służy jako przewijak, ponieważ leżą na nim niemowlęce chusteczki i zasypki, kosz pełen jednorazowych pieluch dla dorosłych oraz butelki do karmienia, miśki, grzechotki i inne zabawki.

Patrzę na to w zdumieniu. Więc to się zdarza naprawdę. Ludzie rzeczywiście chcą odgrywać tę fantazję.

– Żłobek cieszy się dużą popularnością – zauważa Vanessa. – Drugi pokój jest w tej chwili zajęty. Sądząc po odgłosach, dzidziuś był dzisiaj niegrzeczny. Przejdziemy dalej?

Wychodzę za nią, przez moment walcząc z sobą, by nie parsknąć śmiechem. Ale odczuwam też dziwną pociechę w świadomości, że jeżeli ktoś naprawdę ma palącą potrzebę powrotu do żłobka, tu znajdzie dla siebie idealne miejsce.

– Możesz zajrzeć również tutaj – mówi Vanessa, wiodąc mnie do drzwi po przeciwnej stronie. Otwiera je i zaglądamy obie. To staroświecka szkolna sala z czarną tablicą, starodawnymi ławkami, półkami pełnymi podręczników, zeszytów, piór i ołówków. Jest tu też metalowy globus i podobne rzeczy, a także – bardzo widoczne – narzędzia do karcenia: szpiczasta czapka wyszydzająca nieuka, długa trzcina do bicia, rzemień, wielka drewniana kijanka do prania niekoniecznie ubrań... Widać ponadto drewniany przyrząd przypominający tunikę, który – jak się domyślam – również służy do wymierzania kary.

– Bardzo popularna. Nadzwyczaj – komentuje Vanessa. – Moim prawdziwym problemem jest nastarczenie z guwernantkami. Dobrze wyszkolone są na wagę złota.

Zamyka drzwi klasy i idziemy dalej. Rzucam Dominicowi pytające spojrzenie, lecz on potrząsa głową z uśmiechem i rozumiem, że wszystko to jest interesujące, ale z nami nie ma nic wspólnego.

– Zdaje się, że kolejne pokoje są w tej chwili zajęte – mówi Vanessa. – Pójdziemy prosto do mnie.

Znowu wspinamy się po schodach, na najwyższą kondygnację. Nasza gospodyni zatrzymuje się przed zielonymi drzwiami i otwiera je. Wchodzimy do zupełnie innych wnętrz. Przestronna, pięknie urządzona przestrzeń i zapierający dech w piersi widok ponad dachami miasta robią niesamowite wrażenie. Vanessa prowadzi nas i gestem wskazuje, żebyśmy usiedli, podczas gdy sama idzie po napoje.

– Dlaczego tu jesteśmy? – szepczę do Dominica, gdy już siedzimy na ciemnozielonej skórzanej sofie.

– Chcę, żeby Vanessa cię zaakceptowała. A poza tym sama masz do niej pytania. Wie o tym wiele z kobiecego punktu widzenia. – Dominic unosi moją dłoń do ust i całuje ją, patrząc na mnie ciepło. – Chcę to zrobić we właściwy sposób, Beth. Wydaje mi się, że tędy droga.

Vanessa wraca z tacą, na której stoi butelka wina, kieliszki i talerz solonych migdałów. Rozlewa trunek i wręcza nam szkło, po czym sama siada ze swoim kieliszkiem naprzeciwko nas, w eleganckim brązowym fotelu z zamszu. Mierzy mnie spojrzeniem, które nie jest już nieprzyjazne, raczej powściągliwe.

– Zatem, Beth, Dominic mówi, że jesteś zainteresowana członkostwem.

Potakuję głową.

– Co cię sprowadza do naszego szczęśliwego świata? – pyta, unosząc brwi. – Chciałabyś zostać panią?

Nie bardzo rozumiem, co ma na myśli, więc mówię:

– Nie jestem pewna.

– Niepewna? – Jej spojrzenie prześlizguje się na Dominica. – O, w takim razie można od razu stwierdzić, że nie chcesz. Pani jest zazwyczaj bardzo pewna tego, czego pragnie.

– Beth myśli o sobie raczej jako o poddanej – wtrąca Dominic.

– Ach. Rozumiem. Zatem świat dominatrix przypuszczalnie nie jest dla ciebie. Zdarzają się w nim kobiety jako poddane, ale na ogół panie dominują, a uległymi są panowie. W salach zabaw, które ci pokazałam, wszystko jest urządzone pod kątem mężczyzn karanych przez silne kobiety. W takich parach to on jest chłostany, to on znajduje spełnienie i zadowolenie w tym, że zostaje ukarany. Właściwie nie o samą karę chodzi, tylko o akt buntu, strach przed odwetem i ostatecznie radość z poddania się temu, czemu musi się poddać. – Vanessa wzdycha niemal ze szczęściem w głosie, jakby przypominała sobie przyjemne chwile. Bawi się kieliszkiem i zauważam, że paznokcie u jednej ręki ma długie, a u drugiej krótkie. Potem znów przenosi na mnie wzrok i ciągnie dalej:

– Rola dominatrix wiąże się ściśle z dyscypliną i karą. Pani odgrywa ją w odpowiednim ubraniu i scenerii, posługując się określonymi rekwizytami. Jest szorstka i surowa. Niegrzeczni chłopcy dostają taką karę, że na samą myśl można się popłakać. Natomiast niegrzeczne dziewczynki… – Oczy jej błyszczą, gdy się do mnie nachyla i mówi niskim, pieszczotliwym głosem: – Jak myślisz, Beth, jaka kara czeka niegrzeczne dziewczynki?

Czuję się dziwnie, jak gdyby świat zaczął pędzić szybciej, a ja wiruję wraz z nim.

– Nnie… nie wiem – jąkam się.

Jej głos przechodzi w hipnotyzującą nutę:

– Myślę, że takie dziewczynki chcą poczuć żądło gniewu swojego pana. Takie dziewczynki wiedzą, że dopiero wtedy będą naprawdę sobą, gdy się poddadzą rozkosznemu działaniu szpicruty albo bicza z trzaskiem opadającego na ich grzbiet, gdy wyruszą w nadzwyczajną podróż, w którą zabiera je chłosta. Takie dziewczynki pragną mieć kostki i nadgarstki związane linami, głodne cipki wypełnione nieprzyzwoitymi zabawkami, chcą, aby ból przeistoczył się w arcyintensywną przyjemność. – Przekrzywia głowę i posyła mi przesłodzony uśmiech. – Czy jesteś taką dziewczynką, Beth?

Serce bije mi jak oszalałe i oddech przyśpiesza, ale staram się to ukryć.

– Nie wiem. Może. – Mój głos trochę się łamie.

Uśmiech Vanessy gaśnie, gdy zwraca się do Dominica.

– Mam nadzieję, że wiesz, co robisz – mówi bezbarwnym tonem. – Wiesz, co się stanie, jeśli…

Dominic przerywa jej szybko:

– W porządku, Vanesso, naprawdę.

Ona zamyśla się przez chwilę, a potem znów spogląda na mnie.

– Chcę się upewnić, że rozumiesz, Beth. Są rzeczy, których życzą sobie niektórzy dorośli, lecz reszta społeczeństwa traktuje je z dystansem, a nawet odrazą. Nie przystaje to do powszechnie akceptowanych opisów seksualności i mówi nam coś niewygodnego o nas samych. Uważam jednak, że każdy człowiek ma prawo żyć takim szczęściem, jakiego sam pragnie, i jeżeli to szczęście polega na sporadycznych batach, może się nimi cieszyć. Urządziłam to miejsce, by było niebem dla takich ludzi, przestrzenią, do której mogą przyjść i bezpiecznie przeżyć swoje fantazje. Bezpieczeństwo i przyzwolenie to klucz do wszystkiego, co się dzieje w tym domu, Beth. Gdy to zrozumiesz, poczujesz się pewniej na drodze, na którą wkraczasz.

– Rozumiem – odpowiadam, czując nagle, że spotkał mnie niejako przywilej, skoro mogę tu być i wysłuchać tak doświadczonego praktyka w tej sztuce, jakim jest Vanessa.

– Dobrze – pociąga łyk wina. – Muszę się zbierać. Jestem tego wieczoru zajęta. Myślę, że Dominic chce ci pokazać coś innego.

– Odstawia kieliszek i wstaje. Uśmiecha się i niemal przyjaznym tonem mówi: – Do widzenia, Beth. Miło się z tobą rozmawiało.

– Do widzenia. I dziękuję.

– Dominicu, porozmawiamy później, bez wątpienia.

Potem idzie do drzwi i wychodzi.

Zwracam się do Dominica:

– Wow.

Wolno kiwa głową.

– Zna się na rzeczy. A teraz chodź, mamy jeszcze jedno miejsce do odwiedzenia.

Wracamy na poziom sutereny, mijamy wejście do baru i wchodzimy przez grube, wzmocnione drzwi. Za nimi są kolejne. Nie podoba mi się ich widok. Okute metalem drewno nabijane ćwiekami. Dominic idzie przodem, otwiera je i ukazuje się smolista czerń. Zapala światło – rozbłyskują reflektorki w suficie.

Aż mi zapiera dech w piersi. Nie mogę się powstrzymać i wydaję zduszony okrzyk. Przede mną rozpościera się średniowieczna sala tortur. Widzę ogromną drewnianą ramę z łańcuchami i kajdanami służącymi do mocowania rąk i nóg. Przy ścianie znajduje się wielki krzyż w kształcie litery X, wyposażony w pętle do przywiązywania kończyn. Z sufitu zwieszają się do podłogi łańcuchy, których przeznaczenia nie umiem odgadnąć, przynajmniej nie teraz. Dalej stoją dziwnie zdeformowane ławy, na których ludzie zapewne leżą w różnych pozycjach. W kącie widnieje duże pionowe pudło z wywierconymi otworami. Wszystko to wywołuje wystarczająco niedobre wrażenie, lecz jakby tego było mało, mój wzrok przyciąga inna ściana, na której dostrzegam szereg haków oraz wiszących na nich najrozmaitszych przyrządów – wszystkie wyglądają dla mnie przerażająco. To narzędzia kary. Niektóre mają grube uchwyty z przymocowanymi wieloma rzemieniami.

Inne składają się z kilku szerszych, grubszych skórzanych pasów zakończonych węzłami. Jedne wyglądają na miękkie, niemal puszyste, ze smukłą rączką i długimi pasmami końskiego włosia. Drugie jednak najwyraźniej służą do prawdziwego biczowania – splecione rzemienie, z guzami lub proste, jeden ze złowrogą rozwidloną końcówką. Są też takie przypominające szpicrutę – prosty, elastyczny pręt obciągnięty skórą; oberwanie czymś takim po gołych plecach czy pośladkach musi sprawiać rozdzierający ból. Nie brakuje również zwykłych batów – z grubą rękojeścią, zwężających się stopniowo na całej długości. Widzę trzcinki, mocne i twarde, oraz wszelkich rozmiarów paletki, niektóre podwójne, inne z otworami, jeszcze inne gładkie i te ostatnie z jakiegoś powodu napawają mnie największym strachem.

– Dominic – mówię, zaciskając palce na jego ramieniu. – Ja... Nie wiem... Nie jestem pewna.

– Ciii. – Bierze mnie w ramiona i tuli, głaszcząc po głowie.

– To celowo ma przerażający wygląd. W tym miejscu wyobraźnia ludzka sięga obszarów zazwyczaj uważanych za największy koszmar. Ale nie jest tak źle, zapewniam cię. Przychodzi się tutaj chętnie, zostaje z własnej woli i nie dzieje się nic, czego byśmy sobie nie życzyli.

Nie mieści mi się to w głowie, ale on uśmiecha się do mnie tak słodko.

– Przysięgam. Nie chcę ci zrobić krzywdy. Nie w taki sposób, jaki sobie wyobrażasz. I nie martw się, na pewno nie tu zaczniemy.

Drżę cała z przestrachu, obawiając się tego, co postanowiłam, na co się zgodziłam. Nie wiem, czy potrafię to zrobić.

Dominic bierze moje dłonie i całuje je. Gdy się odzywa, jego głos jest niski i gardłowy:

– Zaufaj mi. Nic więcej nie musisz robić. Zaufaj.

Rozdział piętnasty

Niewiele się odzywam w drodze do domu. Czuję się dziwnie, niedobrze mi. Nie mogę zatrzeć w pamięci obrazu tamtego miejsca ani znieść myśli o tym, co się tam musi dziać. Widzę płonące szaleństwem oczy, pianę na ustach, słyszę krzyki i smagnięcia bata ze świstem opadającego na miękką nagą skórę. To nie ma dla mnie sensu. Jak coś takiego może się wiązać z miłością, pragnieniem kochania i zadowalania kogoś, z chęcią łagodnego, słodkiego traktowania?

Dominic czuje moje obawy i daje mi czas, abym przetrawiła to, co zobaczyłam. W taksówce przez całą drogę nie puszcza mojej ręki, obejmuje mnie i trzyma głowę blisko mojej. Czuję, jak z wolna wsiąkają we mnie jego siła, spokój i pewność siebie, i to mi trochę pomaga.

– Chciałbym ci coś pokazać – mówi, kiedy taksówka odjeżdża już z Randolph Gardens, zostawiając nas na chodniku przed domem. – Coś przeznaczonego tylko dla nas.

Zaintrygował mnie.

– Chodź. – Jest zadowolony i podekscytowany. Bierze mnie za rękę i prowadzi do windy obsługującej jego część budynku. Tym razem jednak nie udajemy się na piąte piętro. Winda zatrzymuje się na siódmym, na samej górze.

– Dokąd idziemy? – pytam ze zdziwieniem.

– Zobaczysz. – Uśmiecha się, oczy mu błyszczą.

Prowadzi mnie korytarzem do drzwi, które otwiera kluczem.

Tego wieczoru zostałam rozbawiona, zaskoczona i przerażona, ilekroć dane mi było zajrzeć za zamknięte drzwi, lecz teraz – czuję – będzie to coś zupełnie innego. Od progu jestem zdezorientowana. To kolejne mieszkanie o znanym mi rozkładzie, ale nieco mniejsze od apartamentów Celii i Dominica. Z tego, co widzę, raczej zwykłe i prosto umeblowane.

– Patrz – mówi Dominic. Idzie przez mały przedpokój i otwiera drzwi do sypialni. Ruszam za nim.

– Przygotowałem to dla nas – wyjaśnia, gdy przyglądam się wnętrzu. – Pokój urządzono przez weekend.

Sypialnia jest pięknym buduarem, zdominowanym przez ogromne łoże – staroświeckie, z metalowym wezgłowiem, świeżą białą pościelą, górą poduszek i jedwabną narzutą w lawendowym kolorze. Cały pokój tonie w miękkich, zmysłowych tkaninach, od pluszowego fotela przez biały futrzany dywanik po coś, co wygląda jak małe piórkowe szczoteczki do kurzu ułożone rządkiem na szafce nocnej. Pod jedną ścianą stoi starodawna komoda, a pod drugą szafka z ciemnozłocistego drewna. Spostrzegam też dziwne krzesło, podobne do tego, które ma u siebie Dominic, lecz większe i dłuższe, tapicerowane miękką białą skórą; pod siedzeniem i niskim podnóżkiem widać coś, co wygląda jak skórzane lejce.

– Spójrz na to. – Dominic podchodzi do szafy i otwiera ją, ukazując moim oczom kolekcję przepięknej koronkowej bielizny, głównie czarnej, oraz innych rzeczy: długich jedwabnych i skórzanych pętli, które wydają się raczej sprzętem jeździeckim niż ubraniami. Widzę kółka i sprzączki, i stalowe pierścienie, ale nic z tego nie rozumiem. Są tu też sztywne gorsety z długimi tasiemkami i szerokie skórzane pasy ze sprzączkami i zamkami błyskawicznymi. Jedwabny przeźroczysty peniuar jest akcentem miękkiej zmysłowości.

Patrzę na Dominica z niedowierzaniem.

– Kupiłeś to wszystko dla mnie?

– Oczywiście. – Obejmuje gestem pokój. – W tym właśnie rzecz. Tylko dla ciebie i dla mnie. Wszystko świeże i nowe, bez żadnych skojarzeń, wyłącznie do naszej zabawy. – Zwraca się do mnie pytająco: – Podoba ci się?

– Miliony razy bardziej niż lochy – odpowiadam żarliwie, co go przyprawia o śmiech. – Naprawdę urządziłeś to wszystko w jeden weekend?

Nie mogę sobie wyobrazić organizacji tego przedsięwzięcia, nie mówiąc już o wynajęciu kolejnego mieszkania i wyposażeniu go w te wszystkie rzeczy.

Potakuje głową i podchodzi do mnie, przekazując mi wzrokiem więcej niż słowami.

– Zdumiewające, ile da się zrobić, jeżeli to ważne – mówi. Podnosi mi podbródek, przechylając moją twarz w górę, ku swojej. – Chcę, żebyś poznała przyjemność, jaką możemy osiągnąć we dwoje, wspięła się ze mną na najwyższe szczyty.

Żołądek zalewa mi pożądanie, znikają przerażające wizje bólu. Wszystko znowu jest piękne, radosne, łagodne.

– To dla mnie takie nowe – zwierzam się lekko schrypniętym głosem. – Ale chcę się nauczyć.

– Lekcje będą łatwiejsze i bardziej czarujące, niż sądzisz – odpowiada. – Przejdziemy je stopniowo, wolnym krokiem.

Jego usta muskają moje – miękko, jak skrzydła motyla, a kiedy myślę, że nie zniosę już tego dłużej, przyciska swoje wargi mocniej, rozchyla językiem moje i bierze je w posiadanie. Całujemy się w uniesieniu, wypływa na powierzchnię pożądanie, które narastało między nami od długiego czasu. Podnieca mnie to, że jesteśmy tutaj – nie w mieszkaniu Celii ani u Dominica, lecz w naszym wspólnym gniazdku.

On rozbiera mnie szybko między jednym pocałunkiem a drugim, a ja mu pomagam. Wkrótce już stoję przed nim naga, sutki mi sterczą twarde, napięte. On patrzy na mnie pełnym podziwu wzrokiem.

– Jesteś zdumiewająca – mówi niemal z niedowierzaniem. – Stworzona dla przyjemności. – Przesuwa dłonią po mojej pupie. – Cudowna. Na samą myśl od razu twardnieję. – Przyciąga moją dłoń do swojego krocza i rzeczywiście czuję tam twardość. – Widzisz?

O Boże, chcę tego. Chcę właśnie teraz. Zaczynam ściągać z niego marynarkę, on zdejmuje ją szybko, a potem równie pośpiesznie zrzuca resztę ubrań. Stoimy naprzeciwko siebie nadzy; gwałtowne oddechy, wzajemne napawanie się swoim wyglądem aż za bardzo świadczą o naszym podnieceniu.

– Czy to jest początek? – pytam, czując tłukące się w piersi serce. Niżej coś we mnie pulsuje równie mocno. Nigdy nie wiedziałam, że mogę odczuwać pragnienie w taki bolesny, fizyczny sposób.

Dominic się uśmiecha. Pochyla się, pieszczotliwie pociera mnie nosem w szyję, a potem lekko przesuwa językiem w górę, docierając do płatka ucha. Przygryza go delikatnie i szarpie, po czym szepcze mi w ucho:

– To przedsmak. Taki maleńki smaczek.

Jego oddech w moim uchu wywołuje wrażenie prawie nie do zniesienia, aż mnie skręca z rozkoszy.

Chwyta moją rękę, podnosi ją do ust i wsuwa między wargi koniec mojego palca wskazującego i środkowego. Czuję ciepłą wilgoć, gdy jego język bawi się opuszkami, a zęby delikatnie skubią skórę. Niczym mrowienie odzywa się świadomość niebezpieczeństwa – w każdej chwili mógłby boleśnie ugryźć mnie w palec i choć jestem pewna, że tego nie zrobi, możliwość wciąż istnieje. Ssanie jest bardziej podniecające, niż mogłabym się spodziewać, gdy jego język przebiega po moich palcach, wciągając je głębiej do ust. Wtem czuję jego drugą rękę w swoim kroku – tak delikatnie sunie przez włosy łonowe, że początkowo ledwie zdaję sobie z tego sprawę, potem gładzi nieco mocniej i bardziej natarczywie. Jeden z jego palców wślizguje się do środka, nieoczekiwanie mocno i szybko wpycha się głębiej. To rozkoszne, ale mi nie wystarcza. Chcę więcej, i to już. Język kusząco bawiący się moimi palcami rozpala mnie do żywego. Odchylam głowę do tyłu i wzdycham, ogarnięta pragnieniem. Dominic zdaje się to rozumieć, bo wkłada drugi palec i czuję, jak moje wewnętrzne ścianki rozciągają się cudownie, by go zmieścić. Och, ale to wciąż za mało. Wiem, czego chcę. Wolną dłonią sięgam do jego twardej, gorącej męskości, lecz on nie pozwala mi jej dotknąć, odsuwając się poza zasięg mojej ręki.

Uwalnia moje palce z ust i prowadzi dłoń w dół. Zachwycona myślę, że pozwoli mi dotknąć swojego penisa i napawać się jego gorącą gładkością, lecz on kieruje moją rękę gdzie indziej. Patrzę mu w oczy, a on odpowiada intensywnym, mocnym spojrzeniem, przesuwając moją dłonią po moim własnym meszku. Wyczuwam miejsce, gdzie jego druga ręka jest wepchnięta we mnie, i czuję pchnięcia jego palców w swoim wnętrzu. Rozkoszne wrażenie podkręca mnie jeszcze bardziej. Potem Dominic wyjmuje palce, ociera z nich wilgoć o mój brzuch i zachęca, żebym własną ręką zajęła jego miejsce.

– Dotykaj się – mruczy.

Przypomina mi się, jak patrzył na mnie przez okno, kiedy doprowadziłam się do orgazmu. Czy teraz mogłabym się czuć skrępowana? Przesuwam palcami po gorących wilgotnych wargach pod trójkątem włosów.

– Właśnie tak. – Patrzy, jak przebiegam palcami po swojej kobiecości. – Wejdź w siebie.

Wkładam palec w rozgrzane wejście pomiędzy nogami i wsuwam go do środka.

– A teraz wyjmij i skosztuj.

Waham się.

– Dalej – mówi i po raz pierwszy słyszę w jego głosie surowość. Czy to test?

Powoli podnoszę palec do ust. Obserwuje z napięciem, jak rozchylam wargi i wkładam palec do środka.

– Ssij – szepcze, a ja posłusznie zamykam usta i pozwalam, by smak rozpłynął mi się na języku. Jest ostry, niemal słodki i zdecydowanie czuć go kobiecością.

– Jesteś wyśmienita – mówi. – A teraz do łóżka.

Odwracam się i podchodzę do łoża.

– Co dalej? – pytam, ale na widok jego twarzy milknę.

– Nie mówisz. Tylko ja mówię – oznajmia.

„O Boże. A więc naprawdę się zaczęło. Ale powiedział, że to tylko przedsmak". Nie czuję strachu. Mój pierwszy krok w stronę uległości jest łatwy – jak na razie.

– Kładź się na łóżku, na plecach – komenderuje. – Ręce załóż za głowę. I zamknij oczy.

Robię wszystko, co każe. Świeża bawełniana pościel i lśniący jedwab narzuty przyjemnie pieszczą chłodem, kiedy się na nich kładę. Zamykam oczy, ręce kładę nad głową, lekko zgięte z powodu poduszek.

Słyszę, że Dominic podchodzi bliżej, potem otwiera i zamyka szufladę.

– Na początek coś prostego – mówi.

Na moją twarz opada pasmo miękkiego, lejącego się materiału. Dominic zasłania mi nim oczy i unosi mi głowę, żeby zawiązać z tyłu. Świat staje się czarny i czuję lekkie ukłucie paniki. „Nic nie widzę! Na to się nie decydowałam!".

– Wyluzuj. To wszystko dla ciebie – mruczy, jakby czytał w moich myślach. – Jesteś bezpieczna, zobaczysz.

Unosi jeden z moich nadgarstków i czuję, że przywiązuje go pasem miękkiej tkaniny do metalowej ramy wezgłowia.

A potem drugi. Wiązanie nie jest ciasne ani niewygodne, ale sam fakt skrępowania ruchów odczuwam bardzo dziwnie. Pociągam lekko i stwierdzam, że mogę poruszyć nadgarstkami tylko centymetr czy dwa.

– Zaufaj mi – szepcze. – To dla twojej przyjemności, daję słowo. A teraz rozłóż nogi.

Nie widząc go, czuję się niepewnie. Rozchylam nogi, eksponując swoją największą prywatność, a przy tym nie mam pojęcia, gdzie on jest ani co robi. Odkąd jednak wyłączono mi wzrok, każde wrażenie zostaje spotęgowane. Bardziej niż kiedykolwiek jestem świadoma wypełniającego pokój powietrza, na które otwarła się moja gorąca kobiecość. W pomieszczeniu panuje cisza, ale wyczuwam, że Dominic porusza się po nim. Słyszę trzask zapalanej zapałki i dociera do mnie ulotna woń płonącego drewienka. Chwilę później w nozdrza uderza słodki jaśminowo-cedrowy zapach.

„Ach, tak. Zapalił świecę zapachową. W porządku, to miłe".

Jak do tej pory podoba mi się wszystko w tym doświadczeniu: luksusowy pokój, piękne tkaniny, a teraz cudowny zapach. Lecz jestem też zaintrygowana. Przerwa wynikająca z przygotowań sprawia, że moje pobudzenie trochę przygasło. Wymyka mi się zatracenie zmysłów, wracam do przytomności.

Nagle Dominic znów jest przy mnie. Łóżko porusza się, gdy wchodzi na nie i przyklęka między moimi nogami.

– Gotowa? – pyta cicho.

– Tak, jestem gotowa – odpowiadam i natychmiast znów się rozgrzewam, krew pędzi z hukiem przez moje ciało. Jestem zagubiona w ciemności, otwarta i pozbawiona jakiejkolwiek ochrony. Mam związane ręce.

– Dobrze.

Krótka przerwa, a potem dziwne wrażenie. Kropla gorąca na mojej piersi natychmiast przeradzająca się w miłe ciepło. Potem następna na drugiej piersi. Kolejna na brzuchu i jeszcze jedna. Co to jest?

Jego palce przesuwają się po moich piersiach, z łatwością poruszają się po rozgrzanych miejscach. Już rozumiem. Pokropił mnie jakimś olejkiem i teraz go rozciera. Uczucie jest ponętne, zmysłowe, palce, rozprowadzając olejek, pieszczą mi skórę, która staje się od tego gładka i śliska. Dominic przyciąga trochę olejku na sutki i skubie je lekko końcami palców. Z powodu olejku trudno o tarcie, toteż pociera mocniej, szczypie je i ściska, sprawiając, że coraz bardziej go pragnę.

„Czemu sutki są bezpośrednio połączone z pachwinami?" – przemyka mi przez myśl, bo zaczynam się wiercić od intensywności wrażenia. On ściska coraz mocniej, czuję, że brodawki nabrzmiały i stały się twarde jak pociski. Im są sztywniejsze, tym ja robię się bardziej mokra i śliska.

– Nie ruszaj się – mówi Dominic i staram się leżeć spokojnie, lecz dyszę ciężko i trudno mi nie reagować na to, co odczuwam. Zaczyna masować mi piersi, bierze je w dłonie, gładzi, wraca do sutków, potem zostawia je i pieści miękkie wybrzuszenia. Następnie przemieszcza się w dół brzucha, wciera mi olejek w skórę, coraz bardziej miękką, nawilżoną i śliską.

– Jesteś bardzo piękna, Beth – mówi, podczas gdy jego duże, silne dłonie pocierają mi brzuch, zbliżając się do miejsca, które żebrze o jego pieszczoty. – Uwielbiam ten widok, gdy jesteś taka rozciągnięta, otwarta tylko dla mnie. Całe twoje słodkie ciało poddaje mi się.

Drżę na te słowa, ale się nie odzywam. Skupiam się na jego palcach – pocierających, zataczających okręgi, zbliżających się do rozwarcia nóg, gdzie tak mocno, tak strasznie go pragnę. Chcę, żeby te palce znowu się we mnie zanurzyły. A jeszcze bardziej pożądam jego męskości, chcę poczuć, jak wbija się we mnie teraz, już.

– Proszę – jęczę. – Dominic, nie wytrzymam.

– Będziesz się musiała nauczyć wytrwałości. – W jego głosie brzmi nutka rozbawienia.

Ku mojej frustracji zupełnie pomija strefę bioder i pachwin. Przenosi się niżej, gorące krople kapią na moje uda i łydki. Powoli, starannie wmasowuje olejek w skórę, przemieszczając się coraz niżej, ku stopom. Skupia się na jednej stopie, potem na drugiej. Pociera każdy palec z osobna, każdą opuszkę podeszwy, po czym przenosi się na podbicie. To cudownie stymulujące. Nie wiedziałam, że w moich stopach kryją się takie możliwości. Jednak gdy się odprężam pod wpływem przyjemności masażu stóp, Dominic szybko i gładko przenosi się wzdłuż nóg na biodra.

Bardzo bym chciała widzieć teraz jego twarz, ale za chwilę całkiem o tym zapominam, ponieważ rozprowadza olejek wśród moich włosów łonowych. Rozpościera palce na moich biodrach, a kciuki obrotowym ruchem łagodnie schodzą w dół, zbliżając się do łechtaczki, która czeka, dysząc z pragnienia. Czuję, że jest tak wielka i twarda jak moje sutki, że intensywnie pulsuje w oczekiwaniu na jego dotyk. Chcę się poruszyć, zakołysać biodrami, wygiąć plecy w łuk, ale pamiętam, że Dominic kazał mi leżeć bez ruchu, więc z całych sił staram się być posłuszna.

Wtem, kiedy zdaje mi się, że nie wytrzymam już ani sekundy, jego kciuk lekko trąca czubek łechtaczki, sprawiając, że wyrywa mi się okrzyk i bezwiednie zarzucam biodrami.

– Dziś nie obowiązują ścisłe reguły – mówi Dominic gardłowo. Po brzmieniu głosu poznaję, jak bardzo podkręciło go moje podniecenie. – Zatem możesz się teraz poruszyć, jeśli chcesz.

Zaczyna głaskać moją łechtaczkę mocniej i mocniej, aż wzdrygam się od promieniującej przyjemności. W moim czarnym jak smoła świecie odczucia narastają coraz intensywniej. Poruszając się na łóżku, czuję więzy krępujące mnie w nadgarstkach i dodatkowo mnie to podnieca. Niczego nie mogę zrobić. Potrzebuję go, żeby się wszystkim zajął. Bez niego nie dostanę się na szczyt ekstazy, którego tak desperacko teraz pragnę.

Wtem Dominic odsuwa się.

– W planie było więcej – mówi – ale sam już dłużej nie mogę. Czuję, że się podnosi. Jaka szkoda, że nie mogę zobaczyć jego wspaniałej erekcji! Dominic jest już między moimi nogami, trzyma swoją męskość przy moim wejściu, bawi się nią w oleistym, śliskim przedsionku.

Wyginam ku niemu biodra, starając się go popędzić, ale on jeszcze chwilę zwleka.

– Jesteś taka gotowa – mruczy. Potem potężnym pchnięciem wdziera się we mnie.

Krzyczę. „O, tak, tak".

Czuję go głębiej niż przedtem. Wycofuje się wolno, a potem znów wciska, twardo, szybko, głęboko. Wychodzi powoli i znowu wsuwa się silnym, ostrym dźgnięciem. Odnajduje swój rytm; zdecydowane, upojnie płynne ruchy za każdym pchnięciem trącają moją miednicę i gniotą łechtaczkę, sprawiając jej rozkosz, której ona tak bardzo pragnie.

– Chcę, żebyś doszła, właśnie teraz – rozkazuje mi gdzieś z głębi gardła. I zaraz przyciska usta do moich, nasze języki spotykają się w cudownym, lubieżnym pocałunku.

Wydaję dźwięk, którego sama nie rozpoznaję – nic, co bym kiedykolwiek u siebie słyszała. To najbardziej intensywne odczucia, jakich doznałam w życiu. Gdy jego penis uderza w sekretny punkt ukryty w mojej głębi, zatracam się w aksamitnej ciemności i porywa mnie niesamowity wir szczytowania.

– Dochodź – komenderuje.

Chwyta mnie i rozbija o nieznany brzeg potężna fala rozkosznej euforii, głęboka moc nie wypuszcza mnie – jak się wydaje – przez długie minuty, a potem czuję, jak Dominic tężeje, zatrzymuje się podczas pchnięcia, znów wciska się mocniej, jego penis robi się jeszcze większy, po czym porywającą siłą ogarnia go orgazm. Nie widząc tego, wszystko odczuwam jeszcze bardziej intensywnie, uwielbiam to wrażenie, kiedy pulsuje we mnie ostatnimi drgnięciami. Potem kładzie się obok mnie na łóżku, wolno uspokajając oddech.

Sama wciąż z trudem łapię powietrze, zdumiona mocą tego, co mnie właśnie spotkało. Dominic odwiązuje moje nadgarstki i zdejmuje mi z oczu opaskę. Uśmiecha się, po czym całuje mnie w usta.

– Jakie wrażenia po pierwszej lekcji? – pyta.

– Trzęsienie ziemi – odpowiadam i wzdycham przepełniona szczęściem. – Naprawdę… niesamowite.

– Tak brzmiało i dawało się odczuć. Bardzo ciasno ścisnęłaś mnie podczas swojego orgazmu. Niebywałe wrażenie. – Znów mnie całuje, tym razem w czubek nosa. – Łóżko zostało uczciwie, porządnie ochrzczone.

– Yhm. – Kołyszę się lekko z radości. – Jest cudowne.

– Cieszę się, że ci się podoba. To miejsce jest nasze i możemy w nim robić, co zechcemy. – Wbija we mnie badawczy wzrok. – Jutro zaczniemy na serio.

Rozdział szesnasty

Następnego dnia wciąż jestem w euforii. James nie zadaje pytań wprost, ale zaczyna nazywać mnie kotkiem.

– Wyglądasz jak kot, który się najadł śmietany i jest w siódmym niebie – oznajmia z wyrozumiałym uśmiechem.

To prawda. Przez cały dzień omal nie mruczę z zadowolenia. Wszystko, czego doświadczyłam poprzedniej nocy, było cudowne. Zastanawiam się, co mnie ominęło do tej pory.

„Ale to tylko dlatego, że byłam z Dominikiem".

Wiem, że dziś wieczorem dokądś wychodzimy. Wczoraj powiedział, że zanim posuniemy się dalej, powinniśmy omówić pewne rzeczy. Zabrzmiało złowieszczo i zapewne zauważył przestraszony wyraz mojej twarzy, ponieważ wyjaśnił, że chciałby przedstawić sprawę uczciwie i że nie ma się czym martwić.

Punktualnie o siódmej podjeżdżam taksówką pod restaurację, w której ma na mnie czekać Dominic. Nie znam tej części Londynu, ale po drodze rozpoznałam Tower of London i Tower Bridge. Zapewne mamy się spotkać w jakiejś wschodniej dzielnicy miasta.

Restauracja mieści się nad Tamizą, w zaadaptowanym magazynie ze wspaniałym widokiem na rzekę oraz South Bank.

Recepcjonista lokalu wstaje i kłania mi się, gdy napomykam, że mam się tu spotkać z panem Stone'em. Mówiąc to, uświadamiam sobie, że nawet nie wiem, czy to prawdziwe nazwisko Dominica. Po prostu powiedział, że mam je podać przy wejściu.

– Tak, proszę pani. Tędy, proszę. – Portier prowadzi mnie przez pełną gości salę na parterze do windy, która wywozi nas na przestronny, przeszklony dach magazynu. Widok w tej sali jest jeszcze bardziej zdumiewający – rozciąga się daleko ponad głowami gości.

– Pan Stone jest na prywatnym tarasie – oznajmia recepcjonista i prowadzi mnie na zewnątrz, gdzie pięknie zaaranżowana przestrzeń otwiera się na wieczorne niebo. Szklane przepierzenia i krzewy posadzone w granitowych gazonach dzielą ją na osobne zakątki. Wieje chłodny wietrzyk, niosący słony zapach rzeki.

Dominic siedzi przy stole, a przed nim stoi lampka wina. Wstaje, kiedy podchodzę, i przywołuje na usta uśmiech. W ciemnogranatowym garniturze wygląda wspanialej niż kiedykolwiek, tym razem ma na sobie bladoniebieską koszulę i srebrzysty jedwabny krawat.

– Panna Villiers. Co za radość.

– Pan Stone. Jak miło pana widzieć.

Podczas gdy recepcjonista odsuwa dla mnie krzesło i czeka, aż usiądę, wymieniamy z Dominikiem grzecznościowe pocałunki w policzek.

– Tak się cieszę, że pani przybyła – mówi Dominic.

Siadam, a recepcjonista podsuwa mi krzesło. Napełnia dla mnie kieliszek winem z chłodzącej się butelki, kłania się i zostawia nas samych.

Gdy się tylko oddalił, Dominic nachyla się do mnie z płonącymi oczyma i mówi:

– Smakowałem cię na palcach przez cały dzień.

Kontrast pomiędzy naszymi uprzejmościami a kryjącym się za nimi seksualnym kontekstem przyprawia mnie o chichot.

– Przypuszczam, że rano wziąłeś prysznic – droczę się. – Więc to na pewno nieprawda.

– W takim razie marzyłem o tym – odpowiada. Unosi kieliszek. – Za nasze nowe odkrycia.

Podnoszę swój.

– Za nowe odkrycia – powtarzam szczęśliwa i oboje pijemy. Rozglądam się w zapadającym zmierzchu letniego wieczoru, ciesząc oczy widokiem zapalających się świateł. W oddali widać oświetlone mosty nad Tamizą i ruch pojazdów na nabrzeżu. Świat wokół nas tętni życiem, lecz dla mnie liczy się tylko to, co jest na tym tarasie. Wszystko, czego chcę i pragnę, znajduje się tutaj. Dominic to dla mnie wymarzony mężczyzna: mądry, wykształcony, dowcipny i niesamowicie przystojny. Do tego uprzejmy i troskliwy, i zabiera mnie do krainy błogości, o której istnieniu do niedawna nawet nie miałam pojęcia. Pełne zachwytu uczucie, które mnie ogarnia, ilekroć o nim myślę, to z całą pewnością zakochanie. Głębsze i bardziej ekscytujące niż moje uczucie do Adama. Tamto wygląda teraz jak słodki, lecz powierzchowny romans nastolatki, swego czasu zrozumiały, ale obecnie będący tylko cieniem czegoś, co czekało na swoją kolej.

– Złożyłem już dla nas zamówienie – mówi Dominic.

– Okej. – Jestem zaskoczona. Nigdy wcześniej nie decydował za mnie w ten sposób.

„Ale zrobiłaś pierwszy krok, nie pamiętasz? To zapewne część gry".

Świetnie, myślę, otrząsając się z lekkiego rozdrażnienia. Ufam Dominicowi. Nie żebym miała jakieś uczulenia czy coś takiego – tak czy inaczej nie zapytał o nie – głównie chodzi o to, że on jest dla mnie źródłem edukacji. Jeżeli coś zamówi, na pewno będzie tego warte.

Wpatruje się we mnie spod lekko przymkniętych powiek. Ciekawe, czy przypomina sobie zeszłą noc i nasze szalone spotkanie. Mam taką nadzieję. Moje własne wspomnienia wywołują u mnie drobne fale przyjemności.

– A więc – zagaja – musimy omówić nasze podstawowe zasady.

– Podstawowe zasady?

Potakuje głową.

– Bez nich nie można wkraczać na naszą ścieżkę.

Przypominam sobie, co powiedziała Vanessa: „Bezpieczeństwo i przyzwolenie to klucz do wszystkiego, co się dzieje w tym domu, Beth. Gdy to zrozumiesz, poczujesz się pewniej na drodze, na którą wkraczasz".

– W porządku – mówię wolno. – Ale nie wiem, czy ich potrzebujemy. Ufam ci.

Na ustach Dominica gości uśmiech.

– U takiego człowieka jak ja tego rodzaju słowa wywołują dreszcz przyjemności. Jednak podstawowe zasady są niezbędne. Tylko najbardziej ekstremalne związki funkcjonują bez nich, a mnie to nie pociąga. Lubię dominować, ale nie jestem sadystą.

– Miło mi słyszeć, że istnieje różnica – mówię. Wciąż chłonę wszystkie te nowe pojęcia, choć o sadyzmie oczywiście słyszałam. Pewien kolega na studiach wpadł na pomysł, żeby na imprezie poczytać teksty markiza de Sade. Po kilku minutach zrobiło mi się tak niedobrze, że musiałam wyjść.

– Wywołuję ból – wyjaśnia Dominic – ale nie czuję potrzeby, by kogoś poddawać torturom, uprawiać prawdziwy sadyzm. Prawie nikt jej nie ma.

Nie chcę o tym nawet myśleć, więc odzywam się trochę niecierpliwie:

– No to zgódźmy się na jakieś podstawowe zasady, dobrze?

– Oczywiście. – Pochyla się w moją stronę. – Przede wszystkim musisz zrozumieć, że Dominic, którego poznałaś, kiedy się kochaliśmy, czy jak to zapragniesz nazwać, będzie dla ciebie panem. Poddasz się jego kontroli i zgodzisz się być posłuszna. Poza tamtym pokojem funkcjonujemy w rzeczywistości, w której obowiązują normalne reguły zachowania. Wewnątrz będzie inaczej. Na znak, że scenariusz się zaczął, masz zakładać obrożę.

– Och! – Jestem zaskoczona. – Taką jak w bondage?

Potakuje.

– Obroża to bardzo wyraźny symbol uległości.

Zamyślam się. Ma rację. Obroża oznacza podporządkowanie się panu. Zakłada się ją zwierzętom. I niewolnikom. To znak poskromienia. „Czy tego chcę dla siebie? Poskromienia?".

– Nigdy nie sądziłam, że potrzebuję poskromienia – mówię na głos prawie bez namysłu.

Dominic wygląda na zaniepokojonego.

– Umyka ci sedno sprawy – mówi, a w jego głosie słychać troskę. – Nie chodzi o ciebie w sensie prawdziwego ja. Chodzi o twoje ja z fantazji. Nie chcę cię złamać, poskromić ani zawładnąć tobą w realnym życiu. Ale w naszym szczególnym świecie zgodziłaś się na uległość wobec mnie. Rozumiesz?

Wolno kiwam głową. To ma sens. Nagle widzę, że to, co robię z Dominikiem podczas uprawiania seksu, niekoniecznie odzwierciedla moje prawdziwe ja. To łagodzi moje obawy, chociaż właściwie nie wiem czemu.

– Zgadzasz się więc na obrożę? – naciska.

– Tak.

– Dobrze. Mam taką piękną, czeka na ciebie w mieszkaniu.

Na wspomnienie wspaniałego mieszkania, które dla mnie urządził, coś we mnie topnieje.

– Chciałabym, żebyśmy tam teraz byli – mówię miękko.

Wiatr burzy mu włosy. Dominic składa dłonie, stykając je opuszkami palców, i zamyśla się.

– Ja też bym chciał – mruczy. – Ale najpierw musimy ustalić granice…

W tym momencie otwierają się drzwi tarasu i kelner wnosi coś, co wygląda jak wielka kilkupoziomowa patera na ciasto, tyle że wypełniona owocami morza. Stawia ją na naszym stoliku ze słowami:

– *Fruits de mer.*

Natychmiast pojawia się kolejny kelner z miseczkami z wodą, widelczykami i czymś, co przypomina dziadka do orzechów. Stawia przed nami również szklaną miskę majonezu i drugą, z fioletowym płynem, w którym pływają kawałki posiekanej cebuli. Na stole pojawiają się także owinięte muślinem połówki cytryny i buteleczka sosu tabasco.

Gdy wszystko już jest podane, jeden z kelnerów napełnia nasze kieliszki, po czym obaj odchodzą.

– Ostrygi – wyjaśnia Dominic, unosząc w moją stronę jedną brew. – Mnóstwo selenu i cynku. Samo zdrowie.

Ale przed sobą widzę nie tylko ostrygi. Każdy poziom patery jest wyłożony kruszonym lodem, na którym spoczywają najróżniejsze dary morza: langustynki, szczypce homarów, pobrzeżki i krewetki.

Dominic sączy wino.

– Ten riesling znakomicie pasuje do takiej przekąski – mówi zadowolony. – Zaczynajmy.

Postępuję według jego wskazówek. Widelczyki służą do wyławiania z muszli pobrzeżków, a „dziadek" do kruszenia skorupy szczypców homara – po otwarciu jej można wyjąć widelczykiem słodkawe białe mięso i zanurzyć je w gęstym majonezie. Szalotkowy winegret, gdy się nim skropi ostrygi, wydobywa z nich morski, metaliczny posmak – cudowny, rozpływający się w ustach. Rozumiem, dlaczego taki posiłek uchodzi za seksualny: rytuał wydobywania bogactwa słonych, soczystych kąsków jest szczególnie podniecający. Nigdy do tej pory nie jadłam ostryg, ale idę za przykładem Dominica i połykam śliskie owalne smakołyki skąpane w kwaśnym winegrecie albo skropione cytryną lub pikantnym tabasco. Są dziwne – prawie kremowe – lecz pyszne.

– Mamy do omówienia jeszcze inne rzeczy – odzywa się Dominic.

– Tak? – Przyjemność jedzenia, nadrzeczne powietrze i aura zmysłowego luksusu bardzo mnie rozluźniają. Nie bez wpływu jest też zapewne superwytrawny riesling, moim zdaniem jedno z najsmaczniejszych win, jakich kosztowałam w życiu.

– Tak. Przede wszystkim chcę, żebyś zrozumiała, że wszystko to dzieje się dla ciebie. Ludzie czasami uważają, że cała przyjemność leży po stronie dominującego. To całkowicie błędne mniemanie. Gdy się znajdziemy w naszym świecie, ty będziesz w jego centrum. Skupisz całą moją uwagę, a twoją nagrodą będzie intensywność doznań, spełnienie fantazji i… – w kąciku jego warg błąka się uśmiech – bardzo potężny orgazm.

Żołądek mi trzepocze na samą myśl. „Trudno się na to nie zgodzić".

– Ale ty też masz z tego przyjemność, prawda?

Kiwa głową.

– Pochodzi ona z dominacji, z tego, że wymuszam uległość. Chcę cię mieć w swojej mocy, żebyś robiła to, o co proszę. Czerpię swoją intensywność z realizacji fantazji. Piękno znajdujemy tam, gdzie spotykają się nasze fantazje.

– Rozumiem. – Naprawdę myślę, że rozumiem. To, co przeżyłam do tej pory w buduarze, pokazało mi, jak wszystko można podkręcić, gdy się wprowadzi element niepewności.

Dominic zanurza odwłok langustynki w majonezie i po chwili kontynuuje:

– W naszej komnacie, gdy już będziesz mieć na szyi obrożę, masz się do mnie zwracać „panie". To kolejna oznaka tego, że akceptujesz swoją uległość.

– A ty jak będziesz na mnie mówić?

Oczy mu rozbłyskują.

– Jak tylko zechcę. O to chodzi.

Czuję, że mnie utemperowano, ale i tak mówię:

– To nie fair.

– Przypuszczalnie nie będę się do ciebie zwracać po imieniu – przyznaje Dominic. – Zapewne znajdę jakieś określenia pasujące do okazji. Poza tym każda para wchodząca w tego rodzaju związek musi coś ustalić. Kiedy wkraczamy w świat fantazji, istnieje ryzyko tak mocnego jej przeżywania, że może nas ponieść. Trzeba się zatem umówić na słowo bezpieczeństwa, które będzie oznaczać: „Stop. Mam dość".

– Nie można po prostu powiedzieć: „Stop. Mam dość"?

– Nieraz będziesz mówiła: „Stop", „Nie", „Nie wytrzymam dłużej", lecz będzie to oznaczało zupełnie coś innego. Potrzebujemy słowa, które natychmiast wedrze się w fantazję i ją zatrzyma, zablokuje. Zazwyczaj stosuje się „czerwień", ale dla nas wolałbym coś innego. Co byś powiedziała na „szkarłat"? Myślisz, że zapamiętasz?

Kiwam głową.

– Oczywiście. „Szkarłat" znaczy „stop".

Nie spodziewam się jednak, bym go miała używać. Nie wyobrażam sobie, żebym chciała przerwania tych cudownych rzeczy, które Dominic ze mną robi.

– Powinniśmy też ustalić granice tego, co będziesz robić, a czego nie będziesz. Lecz w tej materii, Beth, chcę, abyś mi zaufała, że poprowadzę cię tą ścieżką powoli i nie posuniemy się do ekstremów.

– Na przykład jakich? – Marszczę brwi. – Takich, jak tamte w lochu?

Potakuje.

– Mam w pamięci twoje dotychczasowe przeżycia i znam już twoją naturę. Sądzę, że jesteś otwarta na wiele rzeczy, które chciałbym z tobą robić. Ogromna część mojej przyjemności będzie pochodziła z tego, że ci je zaprezentuję. A jeśli cokolwiek z tego nie spodoba ci się, słowo bezpieczeństwa będzie kołem ratunkowym. Zgadzasz się na to?

Rozważam to przez chwilę. Wszystko wydaje się bardzo niejasne, jednak sprzęt zgromadzony w buduarze bardzo się różni od tamtego, który widziałam w lochu. Ten jest seksowny, kobiecy, erotyczny. Nie zapowiada nieprzyjemności ani tym bardziej tortur, z którymi kojarzą się narzędzia z podziemi.

– Dobrze. – Dominic uśmiecha się. – Pozostała jeszcze tylko jedna rzecz do uzgodnienia. Chcę, żebyś mi dała trzy noce pod koniec tygodnia, począwszy od czwartkowego wieczoru. Umowa wygaśnie w sobotę, tak abyś w niedzielę mogła odpocząć. Oboje będziemy mieli wówczas możliwość renegocjowania warunków.

Gapię się na niego znowu zaskoczona. Kiedy nasz związek stał się kontraktem biznesowym? Myślałam, że raczej w smakowity sposób dryfujemy ku temu, żeby się stać parą. Nagle wygląda na to, że w weekend będzie po wszystkim, z opcją ewentualnego odnowienia kontraktu.

– To ze względu na ciebie – mówi Dominic miękko, widząc moją minę. – Dla twojej ochrony. Kiedy zgodzisz się na uległość wobec kogoś, możesz się czuć bezsilna, pozbawiona władzy nad sobą, ale prawda jest taka, że jedynie powstrzymujesz swoją władzę. Wciąż posiadasz wszystko to, z czym zaczynałaś. Ważne, żeby o tym pamiętać.

– W porządku – szepczę. Wolałabym zachować władzę nad sobą, ale naprawdę nie wiem, jak mogłabym teraz odmówić.

– Dobrze. Ustaliliśmy podstawowe zasady naszej umowy. Dokończmy ten pyszny posiłek. Potem zamierzam cię odesłać do domu, żebyś się dobrze wyspała.

Ogarnia mnie rozczarowanie.

– Nie spędzimy tej nocy razem?

Potrząsa głową, śmiejąc się delikatnie.

– Nie dzisiaj. Zobaczymy się w czwartek wieczór. Myślę, że odrobina oczekiwania dobrze zrobi nam obojgu. Poza tym jutro wyjeżdżam w sprawach zawodowych i muszę wyruszyć przed świtem.

– Dokąd jedziesz? – pytam z zainteresowaniem.

– Tylko do Rzymu.

– A po co?

– Na spotkanie biznesowe. Bardzo nudne, naprawdę.

– Rzym nie brzmi nudno. – W moim głosie na pewno słychać utęsknienie.

– To nie Rzym jest nudny, tylko spotkanie.

– Nadal za bardzo nie wiem, czym się zajmujesz…

– To dlatego, że potrafię rozmawiać o czym innym niż praca. – Podnosi kieliszek i zmienia temat: – Opowiedz mi o nowym artyście, którego prace wystawiacie w galerii. Jestem bardzo zainteresowany.

Rozmawiamy więc swobodnie, jakbyśmy byli normalną parą, ciesząc się kolacją na tarasie w atmosferze letniego wieczoru. Nic nie zdradza, że właśnie zawarliśmy dziwną erotyczną umowę dotyczącą poddania się czyjejś władzy. Jednak świadomość tego, co nas czeka, sprawia, że wokół mojego brzucha owija się mroczne pasmo podniecenia.

„Dokąd on mnie zabierze? Czy mu naprawdę pozwolę?".

Wkrótce się o tym przekonam.

Rozdział siedemnasty

Wiem, że Dominic poleciał do Rzymu, toteż następnego dnia z zaskoczeniem przyjmuję list dostarczony przez kuriera do galerii.

Kwituję odbiór w momencie, gdy James wychodzi z zaplecza.

– Czy to do mnie? – pyta.

– Nie. – Wpatruję się w grubą kremową kopertę z wydrukowanym z przodu moim imieniem i nazwiskiem. – Do mnie.

– O! – James ma zdezorientowaną minę, ale zaraz twarz mu się rozjaśnia. – To od tego czarującego Dominica, tak?

– Zdaje się, że tak. – Otwieram. W środku jest klucz i złożona kartka. Rozkładam ją i czytam.

Beth,
chcę, żebyś w czwartek wieczorem była w mieszkaniu. Oto klucz.
Musisz być świeżo po prysznicu, czysta i gotowa. Upnij wysoko
włosy, tak aby szyja była odsłonięta. Życzę sobie, żebyś włożyła
obrożę, znajdziesz ją koło łóżka. Na łóżku leży bielizna, którą dla
Ciebie wybrałem. Czekaj na mnie, zjawię się o 19.30. Chcę, żebyś
klęczała na podłodze koło łóżka, gdy wejdę.
Dominic

Płonę rumieńcem i szybko składam kartkę z powrotem.

– List miłosny? – pyta James. Jest umówiony, zaraz wychodzi, więc zbytnio nie zwraca na mnie uwagi, za co dziękuję losowi.

– Tak… tak jest. – Brzmi to dość niedorzecznie, ale przypuszczam, że ta dziwna, zdawkowa notka ma w sobie coś z czułości listu miłosnego. Zapewne niesie obietnicę czegoś niezwykłego i ekscytującego.

– Jak słodko – zauważa James.

„Jest na to jedno słowo".

Patrzę na list i uświadamiam sobie, że się podjęłam poważnej rzeczy. Ostrzegł mnie, dał mi czas na przygotowanie – zarówno psychiczne, jak i fizyczne. Dominic wie, co robi.

Czwartek wieczorem

Jestem w mieszkaniu na długo przed wyznaczonym czasem i posłusznie wypełniam polecenia z listu – skrupulatnie, jedno po drugim. Wyszorowałam się pod prysznicem, ogoliłam nogi i pachy, po czym natarłam się balsamem, żeby skóra była miękka. Włosy upięłam wysoko w ciasny kok, tak by nie opadały na twarz ani szyję. Czuję się rytualnie obmyta, jakbym się oczyściła przed nowym etapem życia.

W środę odwiedziłam dyskretną przychodnię medyczną przy Harley Street, gdzie w spokojnych i luksusowych warunkach poddałam się kompleksowym badaniom lekarskim i pobrano mi krew do analizy. Wyniki były gotowe tego samego dnia: jestem zdrowa.

Czuję, że to stosowne kroki, jak gdyby te badania oczyściły mnie również od środka.

Na łóżku, z którego zdjęto pościel aż do prześcieradła, znajduję przygotowany dla mnie zestaw bielizny – wygląda zwodniczo prosto, zaledwie skrawki gładkiego czarnego jedwabiu. Wkładam majtki uszyte z jedwabnej tkaniny i siateczki, z przezroczystymi wstawkami na biodrach i rombowym otworem w kroku. Przeglądając się w lustrze, widzę, że pupa jest wprawdzie zakryta, ale dolna część moich krągłości – nie, a obie dziurki są w pełni dostępne. Białe, miękkie pośladki wyraźnie prześwitują. Stanik to niewiele więcej niż kilka czarnych pasków. Miseczki są płytkie, stworzone tylko po to, by obramować biust, nie żeby go ukryć. Po włożeniu tej części bielizny efekt okazuje się zdumiewający. Smukłe, lśniąco czarne linie biegną po mojej skórze, okalają piersi, podkreślając ich zaokrąglenia i wysuwając do przodu niczym smaczne kąski.

Te ciuszki – seksowne, zachwycające dyskretnym wyrafinowaniem – zdecydowanie plasują się znacznie wyżej niż cokolwiek, co do tej pory nosiłam. Pozbawione ozdób czarne linie mają w sobie jakąś surowość, ale bardzo nieznaczną. Na widok tego, w jaki sposób moja kobiecość wydyma się w wolnej przestrzeni z przodu majtek, sutki od razu mi ciemnieją i sterczą dumnie. Z lekkim drżeniem przebiegam dłońmi po brzuchu i piersiach. Rozgrzewam się samym niecierpliwym oczekiwaniem.

Na stoliku koło łóżka dostrzegam obrożę. Podchodzę, biorę ją i przyglądam się jej. Nie jest to nabijana ćwiekami psia obroża z mojej wyobraźni. Lateksowa, z przebitymi maleńkimi dziurkami, które nadają jej wygląd delikatnej koronki, z lateksową wstążeczką z przodu i zatrzaskiem z tyłu. Unoszę obrożę i zakładam sobie na szyję.

W brzuchu mi się przewraca, kiedy ją czuję na skórze i przypominam sobie, co ma symbolizować. To oznaka mojej uległości. Wkładając ją, podporządkowuję się. Ku memu własnemu zaskoczeniu to uczucie przyprawia mnie o erotyczny dreszcz.

„Może mimo wszystko jest to częścią mojego najgłębszego ja" – rozmyślam. Zapinam zatrzask. Obroża pasuje idealnie i ładnie leży, niczym naszyjnik z czarnej koronki.

Spoglądam na zegar ścienny. Już prawie wpół do ósmej. Pamiętam instrukcje. Jestem ubrana, jak sobie życzył, toteż podchodzę do futrzanego dywanika leżącego z przodu łóżka i klękam na nim. Początkowo czuję się skrępowana tą pozycją, mimo że jestem sama. Przez pierwsze długie minuty owijam sobie wokół palców kosmyki dywanika i zastygam za każdym razem, gdy mi się wydaje, że słyszę jakiś dźwięk. Dochodzi dziewiętnasta trzydzieści, a ja czekam, nieruchoma, choć niecierpliwa, lecz nic się nie dzieje.

„Spóźnia się? Czy coś go zatrzymało?".

Nie wiem, czy mam się podnieść i napisać do niego SMS-a z pytaniem, czy wszystko w porządku, czy raczej powinnam nie ruszać się z miejsca.

Słucham wolnego tykania zegara i wciąż klęczę. Mija pięć minut, potem dziesięć i już nie mogę dłużej wytrzymać. Wstaję i idę do przedpokoju, gdzie zostawiłam torebkę; chcę zerknąć na telefon i sprawdzić, czy nie ma jakiejś wiadomości od Dominica. Gdy tylko dotykam stopami chłodnego marmuru podłogi w przedpokoju, rozlega się chrobotanie klucza w zamku. Serce mi wali, nachodzi mnie przejmujące uczucie strachu, aż ciarki przechodzą. Odwracam się, jednym susem wracam do sypialni i w niespełna sekundę znów klęczę nieruchomo koło łóżka. Słyszę odgłos otwierania drzwi wejściowych i wolnych kroków w przedpokoju. Długie przerwy między jednym a drugim dźwiękiem, znowu kroki i jakieś ruchy, ale nie w pobliżu sypialni. Jestem wdzięczna za to, że nie skierował się tu od razu. Mam nadzieję, że zanim wejdzie, serce mi trochę zwolni, a oddech się uspokoi, lecz ostatecznie nie udaje mi się nad tym zapanować. Wciąż zalewa mnie poczucie winy z powodu nieposłuszeństwa, drżę aż po końce palców.

„Co on, u licha, robi? Wykończy mnie to czekanie!".

Wtem kroki zmierzają w stronę sypialni. Staje w drzwiach, ale ja nie podnoszę wzroku.

– Dobry wieczór. – Głos ma głęboki, niski i władczy.

– Dobry wieczór – odpowiadam, unosząc oczy tylko na tyle, by widzieć jego spodnie. Ma na sobie dżinsy. Po dłuższej chwili przypominam sobie: – Panie.

Podchodzi do mnie.

– Zrobiłaś, co poleciłem?

Kiwam głową.

– Tak, panie. – Nadal nie patrzę mu w twarz. Denerwuję się przy tym nowym Dominicu; tym, wobec którego zgodziłam się być uległa.

– Na pewno? – Głos mu mięknie, ale wciąż słychać w nim trudne do pomylenia z czym innym stalowe nuty. – Wstań.

Podnoszę się, świadoma nagości piersi lubieżnie wychylających się z płytkich miseczek stanika oraz bezwstydnego zaproszenia, jakie dają pozbawione kroku majtki. Wiem jednak także, że wyglądam pięknie, a z przyśpieszonego oddechu Dominica wnioskuję, że on podziela moje zdanie. Po raz pierwszy podnoszę wzrok i patrzę mu w twarz. Jest zmieniona: nadal nieskończenie piękna, lecz ciemne oczy spoglądają twardo, a usta zaciskają się w grymasie, który prawie można by nazwać okrutnym, gdyby nie fakt, że rysuje się na nich również czułość.

– Posłuchałaś mnie? – pyta.

– Tak, panie – odpowiadam ponownie, ale policzki mi czerwienieją. Kłamię i on na pewno o tym wie. Serce mi znów przyśpiesza, ręce się trzęsą, a kolana słabną.

– Masz ostatnią szansę. Byłaś posłuszna?

Biorę długi, rozedrgany wdech.

– Nie, panie. Poszłam do przedpokoju, kiedy się spóźniałeś.

– O, rozumiem. – Oczy błyszczą mu przyjemnością, przez usta przebiega drgnięcie. – Nieposłuszeństwo, tak wcześnie. No, no. Musisz szybko dostać nauczkę, zdusimy niesubordynację w zarodku. Podejdź do szafki i otwórz drzwi po prawej.

Staram się opanować oddech i nerwowe trzepotanie w żołądku. Podchodzę do polerowanej szafki i robię, co każe. W środku na półkach leży dużo dziwnie wyglądających przedmiotów.

– Weź czerwoną linkę.

Na dolnej półce widzę zwój szkarłatnej liny. Podnoszę ją. Jest miękka i jedwabista w dotyku, nie szorstka, jak sobie wyobrażałam.

– Przynieś ją.

Wręczam linę Dominicowi. W czarnym T-shircie i dżinsach, z zaczesanymi do tyłu włosami wygląda na pełnego siły i władzy. Nie uśmiecha się, biorąc ode mnie sznurek.

– Nieposłuszeństwo to bardzo niedobra rzecz, Beth – szepcze. Chwyta koniec linki zabezpieczony szkarłatnym woskiem i zaczyna wodzić nim po moim ciele. Zatacza kręgi wokół sutków i kieruje się niżej, na brzuch.

Od środka ogarnia mnie podniecenie, czuję, jak moja kobiecość budzi się i wilgotnieje. „O raju, już teraz jest gorąco".

– Klęknij przy kolumience łóżka.

Robię kilka kroków i posłusznie klękam, zastanawiając się, czy będzie mnie bił tą linką.

– Obejmij kolumienkę i zaciśnij ręce razem po drugiej stronie.

Gdy tylko to wykonuję, podchodzi i kilkoma szybkimi ruchami związuje mi nadgarstki razem, kończąc zręcznie węzłem. Reszta linki opada na podłogę.

– Rozłóż nogi – rozkazuje.

Robię to, wiedząc, że moje białe pośladki są teraz wyeksponowane, cała pupa otwiera się dla niego, podobnie jak wydęte wargi poniżej. Czuję, że są już mokre. Jestem pewna, że on widzi lśniące ślady mojego podniecenia, a to rozgrzewa mnie jeszcze bardziej. Opieram rozpaloną twarz na przedramieniu, ciasno przylegającym do kolumienki łóżka. Więzy sprawiają, że nie mogę się ruszyć.

Czuję, że coś ociera się o moją wilgotność. Przez chwilę myślę, że to palec Dominica, ale jest za duży i za gruby, a jak na penisa – zbyt miękki i niegorący. Wtem uświadamiam sobie, że Dominic wodzi po mnie zawoskowanym końcem liny. Wrażenie jest cudowne.

– Och – mruczę.

– Cicho. Żadnych hałasów. Ani ruchów.

Czuję lekkie smagnięcie na pośladkach. To jedwabista część liny. Nie boli, ale jest zdecydowanie karcące. Staram się nie wydawać dźwięków.

Dominic odsuwa się ode mnie. Kątem oka widzę go przy szafce. Wyciąga z niej coś i kładzie na łóżku, tak że mogę to zobaczyć. To duży, ładny szklany przedmiot, gładki i lekko wygięty, długi na mniej więcej dwanaście centymetrów. Kiedy się już przyjrzałam, Dominic bierze to coś i zachodzi mnie od tyłu. Klęka tuż obok, czuję na plecach gorąco jego ciała. Przysuwa twarz blisko do mojej szyi i przebiega palcami po obroży.

– Podoba mi się – szepcze. – Urocza. Bardzo ci pasuje. – Opuszcza twarz i całuje mnie w kark, szczypiąc lekko skórę zębami. Mam ochotę westchnąć z rozkoszy, ale pamiętam, co mi przykazał, i staram się zachowywać jak najciszej.

Wtem coś nowego bawi się moim wejściem, coś zimnego i bardzo gładkiego. Wiem, że to ten szklany przedmiot.

– To dildo, Beth, sztuczny penis – mówi Dominic. – Wcisnę go w ciebie. Chcę, żebyś go dla mnie tam trzymała. Nie pozwól, żeby wypadł.

Jednocześnie czuję, że zimna rzecz wpycha mi się do środka. Wrażenie wypełnienia jest cudowne, a zimno nadaje stymulacji dodatkowy wymiar. Ale dildo jest gładkie i śliskie, a ja – bardzo mokra. Dominic wkłada je głęboko, przytrzymuje tam, po czym wycofuje palce, a ja mam wrażenie, że zabawka zaczyna mi się wymykać.

– Niegrzeczna dziewczynka – karci mnie, widząc, że szklany penis wysuwa się na zewnątrz. – Co ja powiedziałem?

Wpycha go z powrotem stanowczym ruchem, od którego znowu chce mi się głośno westchnąć. Zaciskam mięśnie miednicy, usiłując nie wypuścić zabawki.

– Bardzo dobrze. Widać, że się starasz – mruczy Dominic. – A teraz twój tyłek domaga się uwagi.

Jego dłoń gładzi moją pupę, pieści gładką powierzchnię, bawiąc się przejściem z jedwabistej siateczki majtek na gołą skórę pośladków. Nagle daje mi klapsa, nie mocno, ale zaszczypało. Bezwiednie pozwalam sobie na drgnięcie, a dildo podskakuje we mnie, sprawiając cudowne wrażenie wewnętrznego dźgnięcia. Dominic znów pociera moje pośladki, po czym wymierza mi klapsa, od którego się wzdrygam. Nie tyle boli, ile wywołuje mały wewnętrzny wstrząs, od czego szklany penis wykonuje w środku kolejne pchnięcie.

„O Boże".

– Masz taki piękny tyłek – mówi Dominic chrapliwym głosem. Znowu dostaję klapsa. „O raju, czuję, jak to narasta".

Opieram twarz o kolumienkę łóżka, związane ręce trzymam tuż poniżej. Widok szkarłatnej liny, która je pęta, jest podniecający. Moje piersi, chętne i tkliwe, napierają na chłodny metal, sutki pocierają o łóżko. W dole szklany penis, teraz rozgrzany, próbuje się wyśliznąć. Zaciskam wszystkie mięśnie, żeby go zatrzymać, i znów pulsuje we mnie wspaniałe gorąco.

– O, droga Beth, nie umiesz go dla mnie utrzymać – mówi Dominic z żartobliwą groźbą. – A przecież nie prosiłem o tak wiele. Cóż, za to…

Wymierza mi trzy twarde klapsy, szybko jeden po drugim, tak że gorąca fala bijąca z pośladków obejmuje mi całe ciało. To nieoczekiwane, ale cudowne uczucie. Klęczę przed nim otwarta, pozwalając, żeby mnie pieprzył szklaną zabawką. Dominic drugą ręką sięga tam, gdzie moja łechtaczka pulsuje tak mocno, że już się zastanawiam, czy przypadkiem nie dojdę bez dalszej zabawy. Lecz on zaczyna rytmicznie jeździć po niej palcami, przesuwa je w tę i z powrotem, mocno i zdecydowanie. Przez całe moje ciało przelewają się silne euforyczne fale przyjemności. Nogi pode mną słabną; gdybym nie była przywiązana do łóżka, osunęłabym się na podłogę. Drżę cała pod naporem zbliżającego się szczytowania.

– Jako że jesteś początkująca – szepcze mi Dominic ochryple do ucha – pozwolę ci dojść, ale pod warunkiem, że się bardzo postarasz. Dalej, oddaj mi się.

Niczego innego nie pragnę. Krzyczę, szczytując, porwana potężnym, wstrząsającym, wszechogarniającym orgazmem.

– O, tak – mówi. – To chciałem zobaczyć. A teraz, jeszcze nie skończyliśmy.

Wyciąga ze mnie dildo. Zabawka wyślizguje się łatwo, a on przesuwa nią między moimi pośladkami. Trzyma ociekającą sokami końcówkę przy moim drugim wejściu, przyciska ją delikatnie przez chwilę i kiedy – na wpół ze strachem, na wpół z zaciekawieniem – zastanawiam się, czy ją zamierza tam włożyć, zabiera zabawkę.

Po chwili odwiązuje mnie, lecz jeżeli myślę, że to koniec, jestem w błędzie.

– Kładź się na podłodze – rozkazuje. – Wypnij tyłek w górę, a głowę połóż na ramionach.

Przeczołguję się na dywanik i posłusznie przyjmuję żądaną pozycję, czując się nieskończenie zawstydzona, kiedy wystawiam pupę jak najwyżej, wiedząc, co mu pokazuję: obrzmiałe wargi sromowe, mokre i lśniące od soków, które wypłynęły ze mnie podczas szczytowania. Czuję, jak on przesuwa po nich palcami, przebiega przez włosy i gładzi śliską skórę.

– Cóż za wspaniały widok – mówi głosem ociężałym z pożądania. – I cały mój.

Słyszę, jak rozpina spodnie, ale ich nie zdejmuje. Klęka za mną, bierze penisa do ręki i przyciska go do mojego wejścia.

– Teraz cię bardzo ostro zerżnę – zapowiada. – Możesz sobie pohałasować, jeśli chcesz.

Cieszę się, że to mówi, ponieważ kiedy się we mnie wdziera, zdaje się penetrować gdzieś do rdzenia, aż bezwiednie krzyczę. Nie umiałabym się od tego powstrzymać, nawet gdybym chciała. Jego penis dźga ostro raz za razem, nieodmiennie dosięgając punktu, gdzie przyjemność balansuje na krawędzi bólu, ale ja chcę więcej tej słodkiej męki. Chcę, żeby on też poczuł tę intensywną przyjemność, jaką sam mi sprawia, chcę oddać mu się cała, do końca.

Czuję szorstkość jego spodni na swojej pupie, gdy na nią napiera, samo to jest podniecające. On jedną rękę trzyma na moim biodrze, a drugą ściska mi piersi, gniecie i miętosi sutki, oddech mu przyśpiesza. Raz i jeszcze raz, i znów – jego penis jeszcze bardziej pęcznieje, wypełnia mnie całkowicie, czuję sztywność ciała Dominica, gdy zbliża się jego szczytowanie. W końcu z ostatnim dźgnięciem eksploduje we mnie w środku.

Oboje dyszymy ciężko, podczas gdy nasze emocje zaczynają z wolna opadać. Wychodzi ze mnie powoli. Wstaje i podchodzi do stolika przy łóżku, skąd bierze chusteczkę i wyciera się. Gdy go już we mnie nie ma, opadam na dywanik, wciąż oddychając szybko. Serce zwalnia nieco. Po udzie ściekają mi soki z naszego szczytowania, ciepłe i mokre.

– Dominic – mówię – to było zdumiewające, naprawdę. – Uśmiecham się do niego. Czuję, że jest mi taki bliski, pragnę go przytulić, wdychać jego cudowny zapach i całować go czule w usta.

On odwraca się i patrzy na mnie beznamiętnie, niemal obco. Potem odwzajemnia uśmiech i mówi:

– Dziękuję, Beth. Wymierzenie ci pierwszej kary sprawiło mi radość. Zniosłaś ją dzielnie, lecz to dopiero początek.

Patrzę zaskoczona, jak odchodzi, zapinając sobie dżinsy.

„Czy to dlatego, że wciąż mam na sobie obrożę?" – zastanawiam się i sięgam do karku, by ją rozpiąć.

On przyklęka obok mnie i podnosi moją dłoń do ust.

– Dziękuję ci – powtarza. – Z ogromną przyjemnością będę wypatrywał naszego następnego spotkania.

Potem podnosi się i wychodzi, zostawiając mnie zupełnie samą, leżącą na podłodze, ze spermą wciąż wypływającą strumykiem z mojego wnętrza.

Leżę tam zdziwiona i zraniona. „Czy to tak miało być?" – rozmyślam przejęta grozą. Chcę go tulić i być tulona, całować go i okazywać mu czułość.

„Ale obiecałam, że będę posłuszna. To dopiero pierwszy wieczór. Muszę poczekać i zobaczyć, dokąd zamierza mnie zabrać. Dominic wie, co robi. Muszę mu zaufać".

Piątek

Jest bardzo wcześnie, kiedy budzę się w łóżku Celii – tuż po czwartej rano. Nie wiem, dlaczego ocknęłam się bladym świtem, powinnam być półżywa po tym, co się wydarzyło wieczorem. Byłam wyczerpana emocjonalnie i zmęczona fizycznie. De Havilland śpi na pościeli obok mnie. Nie wiem, czy Celia mu na to pozwala, ale dla mnie jego bliskość jest pocieszeniem. Wyciągam rękę i kładę dłoń na miękkim, ciepłym futerku. Po minucie odpowiada mruczeniem swojego kociego silniczka.

– Potrzebujesz mnie, prawda? – szepczę do niego. – Moje głaskanie sprawia ci przyjemność, pieszczochu.

Dlaczego miłość jest taka skomplikowana? Czemu, choć tylu jest mężczyzn na świecie, musiał mnie zauroczyć akurat ten – czuły z zewnątrz, a w środku noszący stalowy rdzeń? Bo go pokochałam, wiem o tym. Tylko miłość mogła mnie przyprawić o tak rozpaczliwie pomieszane uczucia, pełne tęsknoty i słodkiej, choć dręczącej niepewności: kocha, nie kocha? Wiem, że mnie pożąda. Że uważa mnie za piękną i dobrą do pieprzenia, że mu daję przyjemność – do tego stopnia, iż chętnie wynajął w tym celu mieszkanie i wyposażył je dla mnie.

„Ile to kosztowało? Tyle co tydzień pieprzenia?".

Przez głowę przemyka mi inna myśl: „O ile nie planuje, że to potrwa dłużej".

Nie wiem, co myśleć, mam mieszane uczucia. Do tej pory podoba mi się ta gra, a także fakt, że są ograniczenia, w tym czasowe. Mogłabym mieć zupełnie inne odczucia, gdyby tak miało być w życiu na stałe. Ponieważ...

„Ponieważ potrzebuję miłości, nie kary...?

Ponieważ chcę również dawać, nie tylko brać...?

Ponieważ...".

Tuż poza moją świadomością czai się coś mrocznego, strasznego. Wzdycham i obracam się w łóżku, budząc De Havillanda. Kot podnosi się, pokazuje pazurki z cichym miauknięciem, a potem znów zwija się w kłębek i zaczyna mruczeć.

Chciałabym ponownie zasnąć, lecz nie mogę. Szeroko otwartymi oczyma wpatruję się w chiński motyw tapety, licząc papugi i wodząc wzrokiem po ich piórach, aż w końcu budzik oznajmia, że czas wstawać.

W rezultacie z powodu braku snu rano jestem półprzytomna i nie w humorze.

– Czy wszystko w porządku, Beth? – pyta James, kiedy złorzeczę komputerowi za jego wolną pracę.

– Tak, tak, przepraszam – odpowiadam zawstydzona. – Kiepską miałam noc. Nie mogłam spać.

– Świetny czas na nadrabianie czytelniczych zaległości – zauważa lekkim tonem, ale przez resztę poranka traktuje mnie nieco łagodniej, przynosi mi kawę i podsuwa cienkie korzenne ciasteczka, które tak bardzo lubię.

Przed południem przybywa kurier z kolejną kremową kopertą zaadresowaną do mnie. Czytam zawarty w niej list.

Droga Beth,

gratuluję Ci odbytej inicjacji. Mam nadzieję, że przyniosła Ci tyle radości, co mnie. Dziś wieczorem musisz być w mieszkaniu przed 19.30, gotowa dla mnie. Załóż to, co znajdziesz na łóżku. Zanim przyjdę, musisz umyć wyłożone przyrządy i nałożyć lubkrykant, a także przygotować narzędzia kary. Klęcz na podłodze jak poprzednio.

Dominic

Czytam list raz, a potem jeszcze jeden. Znowu czuję się podekscytowana, ale na pewno nie taka radosna jak wczoraj. Klapsy, które Dominic wymierzył mi poprzedniego wieczoru, nie bolały jakoś szczególnie, ale wiem, że to z powodu podniecenia, jakie już wtedy czułam. Rozumiem, że wcześniej znalazłam się w miejscu, gdzie ból i przyjemność prawie się z sobą stykają, a ostre razy na pośladkach miały wzbogacić moje doznania. I wzbogaciły, choć nie wspominam ich mile. Nie jestem jednak pewna, jak to zniosę, gdy on posunie się dalej.

„A że zechce pójść dalej, to pewne".

– Beth, bardzo pobladłaś – zauważa James, podchodząc do mojego biurka. – Dobrze się czujesz? – Przygląda się mojej twarzy. – Czy ci się układa z Dominikiem?

Kiwam głową.

Patrzy na mnie z namysłem. Ma zwyczaj obracania wszystkiego w żart, a odkąd zwierzyłam mu się o Dominicu, drażni się ze mną co chwila niewinnymi żarcikami i kalamburami dotyczącymi więzów i kary. Normalnie zapewne rzuciłby teraz jakieś słówko w tym stylu, lecz coś go powstrzymuje. Zamiast żartować, patrzy mi prosto w oczy.

– Beth, jesteś sama, daleko od domu. Jeżeli Dominic zmusza cię, żebyś robiła coś, czego nie chcesz, albo przestało ci się podobać to, co on robi, chcę, abyś mi o tym powiedziała. Jestem twoim przyjacielem i martwię się o ciebie. – W jego oczach widać czułość. – Jesteś taką delikatną istotką.

Te łagodne słowa rozkręcają w moim wnętrzu wir emocji. Łzy napływają mi do oczu, mimo że nie zbiera mi się na płacz.

– Dziękuję – mówię wysokim, napiętym głosem.

– Zawsze chętnie ci pomogę, kochana. Na zewnątrz czyha wielki zły świat, ale nie musisz się z nim zmagać sama. Możesz do mnie zadzwonić, kiedy chcesz, w weekend, o każdej porze.

Gdy się oddala, nie umiem powstrzymać łzy staczającej mi się po policzku. Pośpiesznie ją ocieram, składam mój list i staram się skupić na pracy.

Tego wieczoru w mieszkaniu znajduję czekający na mnie nowy komplet bielizny. Właściwie trudno go zakwalifikować do kategorii ubrań. Przypomina raczej uprząż, tyle że nie skórzaną, a wykonaną z miękkiej czarnej elastycznej taśmy. Chwilę trwa, zanim udaje mi się zrozumieć, jak się to zakłada. W końcu, gdy już mam go na sobie, „ubiór" tworzy śmiały wzór na mojej białej skórze. Dwa czarne pasy układają się w długie V biegnące od ramion do krocza, przebiegające przez piersi, które są całkowicie wyeksponowane. Nad biodrami jest umocowany szeroki podwójny pas ze spinkami do pończoch. Wszystko to łączy się tuż pod pępkiem, zapięte małym zamkiem błyskawicznym. Z tego miejsca odchodzą dwa paski – znikają w kroku, po jednym z każdej strony szparki, i łączą się z resztą uprzęży z tyłu. Gdy się odwracam, żeby zobaczyć w lustrze plecy, widzę szerokie pasy wokół bioder, długie paseczki do przypinania pończoch oraz pojedynczy pasek znikający pomiędzy pośladkami, wyglądający jak rzemyk. W miejscu spotkania się pasów przyszyto maleńkie kokardki. Efekt jest nawet ładny, w geometryczny sposób.

Następnie wkładam leżące na łóżku pończochy. Czekają na mnie również wysokie czarne szpilki, wsuwam je więc na stopy. Wszystko pasuje idealnie.

A teraz obroża. Nie jest to ta sama urocza lateksowa obróżka co wczoraj. Ta, wykonana z błyszczącej czarnej skóry, zapina się klamerką na karku. Czarne wypukłe cekiny imitują ćwieki, ale sprawiają raczej wrażenie powabnej ozdoby. Przeglądam się w lustrze z symbolem swojej uległości na szyi.

Przypominam sobie polecenia i znów zwracam się w stronę łóżka. Na narzucie leży długi niebieski lateksowy wibrator, niezupełnie w kształcie fallusa, ale zbliżonym, a obok niego fioletowa butelka. Biorę wibrator i przyglądam mu się z bliska. To piękny przedmiot o czystych liniach i delikatnych zaokrągleniach, a błękit odwraca skojarzenia z obrzydliwymi zabawkami w kolorze mięsa. U podstawy ma maleńką wypustkę, która – jak się domyślam – służy do stymulowania łechtaczki.

Idę do łazienki i myję go starannie wodą, choć jestem zupełnie pewna, że nigdy nie był w użyciu. Potem wycieram do sucha, zabieram do sypialni i siadam na łóżku. Wylewam sobie na dłoń trochę oleistego lubrykantu i wcieram go w niebieski przyrząd.

Zaskakują mnie odczucia, jakie się pojawiają w odpowiedzi na masowanie lateksu. Przedmiot jest nieruchomy, jednak namaszczając go w tak intymny sposób, mam wrażenie, że nawiązuję z nim jakąś dziwną więź, poznaję go, zaczynam wyczekiwać przyjemności, której ma mi dostarczyć. Rodzi się we mnie coś w rodzaju czułości dla tego sterczącego pala i jego łagodnej krzywizny. W miarę jak staje się lśniący i oleisty, wydaje mi się nawet, że budzi się w nim podniecenie, jakby się dla mnie przygotowywał.

Rzucam okiem na zegar i uświadamiam sobie, że Dominic będzie tu za kilka minut. Odkładam porządnie nawilżony wibrator na ręcznik położony na łóżku i patrzę na instrumenty kary. Podobnie jak niebieski penis, wcale nie przypominają ponurych narzędzi tortur, które widziałam w lochu. Są stylowe i piękne, jakby przeznaczone raczej do wystawiania na widoku niż do chowania w ukryciu. Jeden z nich to bacik o krótkim, solidnym skórzanym uchwycie ze stalową kulą na jednym końcu i kilkudziesięcioma zamszowymi rzemykami z drugiej strony. Są miękkie i przypominają falujące w wodzie czułki ukwiału. Obok leży bat – długi, smukły, w kształcie szpicruty, obciągnięty czarną skórą, z pętelką na cienkim, sprężystym końcu.

„Och. O mój Boże".

Wzdrygam się. Nie wiem, czy to zniosę.

„Jeśli jestem kochana, zniosę wszystko. – Ta myśl przychodzi mi do głowy nie wiadomo skąd. – Chcę pokazać Dominicowi, że jestem warta jego miłości. I wytrwam".

Dominic tym razem spóźnia się tylko pięć minut, ale ja pamiętam poprzednią lekcję. Klęczę nieruchomo na podłodze do czasu, aż przybędzie, a gdy wchodzi, nie podnoszę oczu. Patrzę uparcie w biały dywanik, kątem oka widząc jego dżinsy i czarne buty od Paula Smitha.

On spogląda na mnie przez chwilę bez słowa, a potem odzywa się miękko:

– Znakomicie. Wiem, że teraz mnie posłuchałaś. Uczysz się. Jak się dziś czujesz, Beth?

– Bardzo dobrze, panie – szepczę, nie podnosząc głowy.

– Wyczekiwałaś dzisiejszego wieczoru? Co sobie myślałaś, gdy myłaś niebieskie narzędzie?

Waham się przez chwilę, a potem mówię:

– Myślałam o tym, panie, jak to będzie, kiedy go we mnie włożysz.

Rozlega się długi, miękki śmiech.

– Bardzo dobrze – mruczy Dominic. – Ale nie popadaj w samozadowolenie. Czekają cię jeszcze inne niespodzianki. Wstań.

Chwiejnie podnoszę się na nogi, nieprzyzwyczajona do tak wysokich szpilek. Wzrok wciąż mam spuszczony, ale słyszę jego chrapliwy oddech.

– Wyglądasz zdumiewająco. Obróć się.

Staję tyłem, tak by widział taśmy krzyżujące się na moich plecach, kratę, którą tworzą u podstawy, pasek znikający między pośladkami i kuszący obszar białych ud pomiędzy pasem a pończochami.

– Pięknie – mówi Dominic gardłowo. – A teraz z powrotem. I spójrz na mnie.

Odwracam się posłusznie i skromnie podnoszę wzrok. On ma na sobie czarny T-shirt, który podkreśla jego mięśnie i szerokość ramion. Czy potrzebuje takiego stroju, żeby nade mną panować? Widok jego twarzy wprawia mnie w namiętne drżenie. To ukochana twarz, nie tylko dlatego że przystojna, lecz przede wszystkim należąca do niego. Chcę ją poczuć blisko siebie, jak mnie całuje, pieści.

Dominic wyciąga rękę i gładzi obrożę na mojej szyi.

– Ta jest urocza – zauważa w zamyśleniu. – Bardzo dobrze działa. – Wsuwa zakrzywiony palec pod pasek i przyciąga mnie blisko siebie, a potem kładzie usta na moich i całuje mnie twardo, wsuwając mi do środka język i przyciskając mój.

To nasz pierwszy pocałunek od długiego, długiego czasu, ale nie jest tak czuły jak ostatni. Dominic ostro, zaciekle bierze w posiadanie moje usta, najwyraźniej nie dbając o to, co ja przy tym czuję.

Potem odsuwa się, jego wargi układają się w uśmiechu.

– A teraz – mówi – twoje pierwsze zadanie. Zabierz rzeczy z łóżka i przełóż je na stolik obok. Sama kładź się na plecach, ręce za głowę, nogi rozłożone.

Czuję znajome trzepotanie w brzuchu i przyśpieszenie pulsu. Co teraz? Jakie zgotuje mi cierpienie? Boję się bólu, ale nie mogę się też doczekać strumienia niewyobrażalnej przyjemności.

Kładę się na łóżku według polecenia.

– Zamknij oczy.

Zamykam, a on się zbliża. Chwilę później na moich oczach spoczywa jedwabna opaska. Znów nic nie widzę. Moje nadgarstki zostają uniesione, każdy z osobna zamknięty w czymś przypominającym miękką bransoletę i za jej pomocą przytwierdzony do wezgłowia. „Kajdanki". On przemieszcza się ku moim stopom i czuję, że podobnie unieruchamia mnie w kostkach, mocując je po przeciwnej stronie łóżka. „Kajdany na nogi". Nie mogę się oprzeć i szarpię nimi lekko, ale nie daję rady poruszyć rękami ani nogami, najwyżej bardzo lekko nimi zakołysać.

– Nie ruszać się – warczy Dominic surowym głosem. – To ostatnie ostrzeżenie. Żadnych ruchów, żadnych dźwięków. Albo pożałujesz. Od teraz bez ruchu.

Znowu się do mnie zbliża. Czuję ciepło bijące od jego ciała i z utęsknieniem marzę, by go dotknąć. Chcę poczuć jego skórę pod swoimi palcami. Najcięższą częścią tej umowy jest to, że on wyraźnie nie chce, abym odwzajemniała jego miłość. Nie spodziewałam się tego, gdy się godziłam na uległość.

Teraz czuję końce jego placów w swoich uszach. Wciska mi coś do nich – dwa miękkie piankowe koreczki, które szybko topnieją, dostosowując się do kształtu przewodu słuchowego, i natychmiast całkowicie blokują dopływ dźwięków. Teraz jedyne, co słyszę, to przyśpieszony szum dochodzący z wnętrza mojego ciała, bicie serca i świst własnego oddechu. To bardzo dziwne.

Dźwięki są głośne, wręcz przerażające. Czy usłyszę własny głos, gdy go wydam? Nie odważę się tego sprawdzić, ostrzeżenie Dominica wciąż brzmi w mojej głowie.

Jestem sama w tym osobliwym ciemnym miejscu wypełnionym świszczącymi, dudniącymi odgłosami. Ciepło i ciężar Dominica odsunęły się ode mnie, nie mam pojęcia, gdzie on teraz jest. Nie wiem, jak długo zostawia mnie w tym miejscu, ale napięcie staje się coraz większe. Z każdą sekundą narasta przeświadczenie, że zaraz coś się stanie.

Gdy myślę, że już dłużej tego nie zniosę i będę musiała się odezwać lub poruszyć – coś czuję. Dotyka mojej klatki piersiowej w punkcie między piersiami. Pali. Coś gorącego. O, nie, chwileczkę. Nie pali. Jest lodowato zimne. Skóra mi od tego tężeje. Lód.

Kolejne palące wrażenie pojawia się na moim brzuchu, który ma przez to ochotę zwijać się i kurczyć. Skupiam całą siłę woli, by opanować to uczucie. Lód sprawia, że skóra mi się ścina i płonie. Rozpaczliwie chcę jej dotknąć, ale gdybym nawet sobie na to pozwoliła, nie mogę się poruszyć ani o centymetr. Nagle niewidzialna siła przemieszcza kostkę lodu ponad moje piersi, przesuwa ją na nie, ociera o sutki. Lód wciąż wywołuje to samo niejednoznaczne wrażenie palenia i mrożenia zarazem; efekt zarówno dla mnie, jak dla moich zakończeń nerwowych jest bardzo silny. Brzuch wysyła ognistą wiadomość do żaru gorejącego między nogami – każe mu się nasilić, tak że czuję, jak wilgoć wypływa na zewnątrz. „A to wszystko od jednej kostki lodu".

Tymczasem ta leżąca na moim brzuchu topi się, przesuwa po skórze i roni zimne strużki. Lód ześlizguje się, aż napotyka pasek uprzęży, po czym wzdłuż niego sunie w stronę biodra. Bardzo chcę wierzgnąć, wygiąć się w łuk i sprawić, żeby lód spłynął całkiem i przestał mnie drażnić.

Wtem coś zagłębia się lekko między moje nabrzmiałe wargi. Czułam już coś takiego wcześniej, kiedy Dominic wkładał we mnie dildo, tyle że tym razem przedmiot jest nieco inny. Ciepły, gruby i śliski. Wiem, że to wibrator. Dominic zamierza go użyć. W pachwinach krążą mi mrowiące dreszcze, od których moja kobiecość aż drży z oczekiwania. Spodziewam się, że Dominic pobawi się chwilę przy moim wejściu, rozgrzewając mnie, ale nie. Wciska mi zabawkę szybko, wypełniając mnie całą. Wyobrażam sobie, jak ten słodki przedmiot wpasowuje się we mnie, przesiąka moim ciepłem, gotowy do ruchu w środku. Jednak kiedy już zostaje wprowadzony, a mała wypustka trąca łechtaczkę, nic się dalej nie dzieje. Mija minuta za minutą, aż w końcu nie mogę się oprzeć i zaciskam mięśnie wokół zabawki, wciągając ją głębiej w siebie własnym wysiłkiem, ale tego mi ewidentnie nie wolno, o czym przypomina bolesne klaśnięcie w brzuch. Natychmiast zastygam.

„Czy posunęłam się za daleko?". Ogarnia mnie coś w rodzaju strachu przemieszanego z podnieceniem. „Co teraz?". Odpowiedź przychodzi po dłuższej chwili i niespodziewanie – przedmiot w moim wnętrzu ożywa i zaczyna pulsować. „Och, jak dobrze. Jak bardzo dobrze".

To głęboko zmysłowe uczucie, gdy to coś wibruje we mnie i dudni, a wypustka wierci się, uderzając w łechtaczkę. Nie widząc nic ani nie słysząc z zewnątrz, odgłos pracy wibratora odbieram z głębi własnego ciała niczym mruczenie kota. Leżę bez ruchu i pozwalam, by wrażenia promieniowały z krocza na wszystkie strony, lecz lada chwila staną się dla mnie za mocne. Będę musiała się ruszyć, nawet gdybym nie chciała, i skończę szczytowaniem, wiem o tym. Zbieram się cała w sobie, żeby nawet nie drgnąć i wykonać dane mi polecenie.

Wtem, bez żadnego wyraźnego działania z zewnątrz, wibrator zmienia prędkość, przyśpiesza rytm i sposób pracy. Zaczyna się ocierać i pulsować we mnie niczym mała twarda piłka, w górę i w dół ścian pochwy, pobudzając mnie jak nic, czego dotąd zaznałam w życiu.

„O, Boże, to niesamowite. Nie wiem, czy uda mi się powstrzymać szczytowanie".

Wypustka dźga mi teraz łechtaczkę, sprawiając niewiarygodną przyjemność. Nie ma żadnych przerw, żadnych zmian tempa, wspinam się coraz wyżej ku przejmującemu orgazmowi.

„Zatrzymaj to, nie mogę myśleć...".

Mój mózg wiruje, umysł wypełnia ciemność usiana kolorowymi punktami. Zanim się zdołam powstrzymać, zaczynam podrzucać biodrami, dostosowując się do cudownego rytmu ze swojego wnętrza, i słyszę, jakby z wielkiego oddalenia, wydobywający mi się z gardła własny głos. Krzyczę, co sobie uświadamiam mimo mrocznego oszołomienia.

Nagle pulsowanie ustaje. Wibrator szorstkim ruchem zostaje wyjęty z mojego ciała. Jestem gwałtownie pozbawiona spełnienia, zrozpaczona, drżę od mocy orgazmu, który miał nadejść, lecz nie był mi dany.

Zatyczki z uszu zostają usunięte równie raptownie i słyszę własny ciężki oddech w realnym świecie.

– Niegrzeczna dziewczyno. Ruszałaś się. Krzyczałaś. Chciałaś dojść, co?

– Tt-tak – tylko tyle udaje mi się wykrztusić.

– Tak: co?

– Tak, panie – szepczę.

– Jesteś szelmą, rozwiązłą dziewczyną o pożądliwym, rozpasanym ciele, które trzeba ukarać. – W jego głosie słychać zadowolenie, gdy zdejmuje mi kajdanki z rąk i nóg. Zostawia jednak opaskę na oczach. Jestem zdezorientowana, jakbym się nagle znalazła w miejscu, które – jak sądziłam – wcześniej opuściłam.

Jego ręka ląduje na moim ramieniu.

– Wstawaj. Chodź ze mną.

Podążam za jego rozkazem, podnoszę się z łóżka. Ręce i nogi mam jak z galarety, ledwie jestem w stanie ustać. On prowadzi mnie przez pokój, a ja, niczego nie widząc, nie mogę być nawet pewna, w którą stronę jestem zwrócona. Wtem kładzie moje ręce na gładkiej, pochyłej skórzanej powierzchni. Teraz wiem, gdzie jesteśmy – przy skórzanym siedzeniu, tym dziwnym białym sprzęcie z niskim podnóżkiem i skórzanymi lejcami.

„Co się teraz stanie?".

Powinnam się bać, ale nic z tego. On dotyka mnie delikatnie, pomagając mi jak niewidzącej, i ufam, że wie, co potrafię znieść, jak daleko może się posunąć. Jego gniew na mnie jest fantazją, tak zaprojektowaną, aby nas zbliżyć i zabrać do wspaniałych, zakazanych miejsc. Czując się bezpieczna z tą wiedzą, drżę z oczekiwania na to, co ma się wydarzyć.

Dominic sadowi mnie okrakiem na tym meblu, przodem do pochyłego oparcia, plecami do niego, z mokrą kobiecością przyciśniętą do krzesła. W ciągu krótkiej chwili przywiązuje moje nadgarstki do czegoś za ramą oparcia, tak że niemal obejmuję jego gładką powierzchnię, jak kochanka. Górna część pończoch ociera mi się o uda, tam gdzie stykają się z brzegiem krzesła. Dominic przez moment jest zajęty paskami mojej uprzęży i zaraz je ściąga – wiszą luźno, odsłaniając całe moje nagie plecy.

– O, kochanie – szepcze cicho. – Wolałbym cię nie krzywdzić, ale skoro nie posłuchałaś mnie tak rażąco, nie mam innego wyjścia.

Słyszę, że znów podchodzi do łóżka i wraca. Następuje dla mnie długa chwila oczekiwania. Z trudem mogę oddychać, gdy wtem czuję na sobie pierwsze lekkie muśnięcie pędzelkowatego bata.

W ogóle nie boli. Jeśli już, jest to raczej drażniąca przyjemność, słodka zabawa dla mojej wrażliwej skóry. Biczyk omiata mnie, zamszowy frędzel zatacza ósemki, porusza się tak płynnie, że przywodzi na myśl wodorosty falujące z podwodnym prądem. Zaczynam się odprężać, moja obawa ustępuje. Następnie ósemki ustają, biczyk śmiga z góry na dół, wciąż miękko, całkiem bezboleśnie. Śmig, śmig, śmig. Uczucie jest niemal orzeźwiające, skóra mrowi mnie pod końcówkami miękkich zamszowych rzemyków. Przechodzą mnie ciarki, gdy krew szybko napływa do powierzchni skóry.

– Różowiejesz – mruczy Dominic. – Odpowiadasz na pocałunek bata.

Mimowolnie rozciągam plecy, gdy bat uderza trochę mocniej. Z nieco większą siłą spada na moją skórę, lecz wciąż moje odczucia są dalekie od czegoś, co można by nazwać bólem. Dziwnie jest przyznać się do tego przed sobą, ale podoba mi się to wrażenie: wystawienie gołych pleców, świst i śmignięcia biczyka pobudzają moje zakończenia nerwowe, pachwiny mocno przyciskają się do aksamitnej gładkości skóry. Może to dlatego, że wszystko we mnie nadal płonie i pulsuje od niedawnego prawie szczytowania. Przed oczyma staje mi wizja – przypominam sobie tamtego mężczyznę w mieszkaniu Dominica, tego, który odbierał chłostę na podobnym sprzęcie. I oto ja sama odczuwam dreszcze, przeżywając własną karę.

Teraz bat opada ostrzejszymi ruchami, smagając mnie to z prawej, to z lewej strony pleców. Zaczyna piec i po raz pierwszy, kiedy jedno z mocniejszych uderzeń rozsiewa po mojej skórze milion maleńkich ukłuć, głośno wzdycham z bólu. Ten dźwięk przynosi kolejne, mocniejsze smagnięcie. Zaciskam uda, gdy bat spada, na wpół wzdycham, na wpół krzyczę i czuję, jak przyciskam się do siedzenia, mocno pocierając o nie pobudzoną łechtaczką i nabrzmiałymi wargami. Na skórze zaczynam odczuwać palące gorąco; tam, gdzie dosięga jej bat, staje się wrażliwa, poparzona, boląca. Przy każdym razie ostro biorę wdech, po czym wydaję z siebie: „Aaa!".

– Dodatkowych sześć, Beth, za te wrzaski – mówi Dominic i wymierza mi sześć razów, każdy nieco słabszy od poprzedniego.

Plecy mi płoną gorącym bólem, całe pieką i palą, ale – o raju – jestem podniecona i gotowa na coś, co doprowadzi mnie do ekstazy.

– A teraz – oznajmia Dominic – twój niegrzeczny tyłek.

Nie wiem, co ma na myśli, do momentu gdy na moich wypiętych pośladkach ląduje ostry, nieoczekiwany, twardy cios zadany szpicrutą. Boli okropnie.

– Aaaaa! – krzyczę. – Au!

Jakby mi do skóry przyciśnięto rozgrzany do czerwoności metal. Ból promieniuje po całym ciele, które wibruje od tego, przyprawiając mnie o mdłości. I wtedy – ku mojej zgrozie – spada następny cios. Znów krzyczę. To nie jest łagodny, czuły dotyk zamszowego bacika, to prawdziwy ból, szarpiący, palący, rozdzierający. Nie mogę, nie zniosę tego więcej.

Kolejny cios nie pada. Dominic mówi czule:

– Dobrze zniosłaś karę. Zapamiętasz, żeby następnym razem nie dochodzić bez mojego pozwolenia, prawda? A teraz lepiej pocałuj rózgę. Ale nie ustami.

Czuję, że gruba skórzana rączka zagłębia się we mnie od dołu. Dominic przesuwa ją w stronę pupy, zatrzymuje przy tym drugim wejściu i wciska nieco mocniej do środka. Wyrywa mi się lekki okrzyk. Narzędzie gdzieś znika. Dominic zdejmuje mi więzy i opaskę z oczu. Chwyta mnie silnymi dłońmi w talii i odwraca twarzą do siebie. Jest nagi, jego wielki penis sterczy w całej okazałości, niemal przyciśnięty do mojego brzucha. Nie mam pojęcia, kiedy się rozebrał, zapewne mógł to zrobić w każdej chwili, kiedy byłam odcięta od świata. Jego oczy są bardziej czarne niż kiedykolwiek wcześniej, jak gdyby chłosta przeniosła go na inny poziom.

Opieram się tyłem o siedzenie; chłodna skóra mebla przynosi ulgę rozpalonym plecom.

– Teraz będę cię całować – zapowiada. Podnosi moje nogi i po raz pierwszy zauważam, że z dolnej części mebla wystają smukłe strzemiona. Wkłada w nie moje stopy, tak że jestem dla niego otwarta na oścież. Klęka na podnóżku z twarzą na wysokości mojego krocza. Wdycha głęboko zapach.

– Pachniesz bosko – mruczy. Potem pochyla się, obejmuje ramionami moje uda i trąca nosem włosy łonowe.

Wzdycham. Przez moje ciało przebiega elektryzująca, pulsująca przyjemność. Jego język śmiga po czubku łechtaczki. „Och. Och…".

Nie mam słów, nie mogę zrobić nic innego, jak tylko odpowiedzieć ciałem. Wiem, że nie jestem w stanie się powstrzymać, choćby nie wiem, jak surowo mi zakazał. Jego język chłepcze moje soki, długimi pociągnięciami liże szparkę, po czym sunie w górę, do najbardziej wrażliwego miejsca, które drażni znośnie samym koniuszkiem. Zalewa mnie złocista, płynna elektryczność, wstrząsa moimi kończynami, sztywnieję, wiem, że to się zbliża. Wtem on bierze całą moją łechtaczkę do ust i ssie mocno, przygniatając językiem, liżąc, drażniąc i…

„Och… Nie… Nie mogę… Nie…!".

Zaciskam pięści, otwieram szeroko oczy, plecy wyginają mi się w łuk.

„Muszę puścić, nie doczekam się, nie…".

Orgazm wybucha wokół mnie, jakbym się znajdowała w środku potężnego fajerwerku. Nie wiem, kim jestem ani co się dzieje, liczy się tylko rozkosz, z każdym uderzeniem serca niosąca ekstazę.

Mimo że pulsuję, czuję, że wielki penis Dominica napiera na moje wargi, po czym wypełnia mnie, tak że moje ostatnie konwulsje przenoszą się na niego. On trzyma się podłokietników krzesła, wykorzystując je, żeby wcisnąć się we mnie głębiej. Jest podniecony, oczy pałają mu blaskiem. Nic nie mówi, ale przygniata mnie swoim ciężarem i całuje, podczas gdy wzburzony strumień mojego orgazmu powoli opada.

Przez chwilę leży na mnie, dysząc, z policzkiem przyciśniętym do skóry krzesła. Potem przesuwa dłonią po moim ciele, odwraca się i całuje mnie z boku twarzy.

– Tak dobrze się spisałaś – szepcze.

Dreszcz mnie przenika na te słowa. Chcę go zaspokoić, chcę zasłużyć na jego miłość.

– Bardzo trudno było mi znieść szpicrutę – mówię pokornie.

– Nie podobał mi się ból.

– Nie miał ci się podobać – mówi, odsuwając się ode mnie i wstając. – Ale potem dostałaś nagrodę. Czujesz się lepiej?

Patrzę na niego. To racja. Mam poczucie niezwykłego spełnienia, jestem przepełniona błogością po wyjątkowym orgazmie. Wpatruję się w Dominica ze świadomością, że wciąż mam na szyi obrożę i znajdujemy się w buduarze. Nie wiem, czy wolno mi powiedzieć, że pragnę, żeby był dla mnie czuły i łagodny. Jego dominacja fascynuje mnie i podnieca, ale chcę też tamtego poprzedniego Dominica, który był najsłodszym kochankiem, jakiego mogłam sobie wyobrazić. Tamten Dominic trzymał mnie w ramionach i pieścił. Teraz, po surowych karach, które mi wymierzył, potrzebuję czułości bardziej niż kiedykolwiek.

„Proszę – usiłuję przesłać mu wiadomość oczami. – Proszę, Dominicu. Wróć do mnie, kochaj mnie".

Ale on szuka już czegoś, żeby się wytrzeć, i odchodzi ode mnie. Widok jego wspaniałych szerokich pleców, twardych pośladków i silnych ud sprawia, że jeszcze rozpaczliwiej pragnę go przywołać. Chcę wodzić dłońmi po jego skórze, czerpać z jego siły również otuchę i pocieszenie, nie tylko ból i razy.

– Zobaczymy się rano – mówi, zwracając się do mnie z uśmiechem. – Chcę, żebyś się dobrze wyspała. Jutro będziesz potrzebowała całej swojej siły.

Odwraca się i zaczyna się ubierać. Jest jeszcze w tym pokoju, lecz ja, nie ruszając się z miejsca, czuję, że już mnie opuścił.

Sobota

Rano spoglądam na swoje odbicie w lustrze. Na plecach nie mam ani śladu – najwyraźniej Dominic doskonale wie, jak się obchodzić z batem – ale przez pośladki biegną dwie bladoczerwone pręgi znaczące miejsca uderzeń szpicruty. Podejrzewałam, że będą widoczne, zawsze łatwo robiły mi się siniaki i otarcia.

Nie czuję bólu, ale robię sobie kąpiel i długo moczę się w wannie, wyzwalając mięśnie z napięć i zmęczenia spowodowanego pozycją w kajdankach. Leżąc w pachnącej wodzie w cichym mieszkaniu, zastanawiam się, dlaczego ciało ma się świetnie, ale dusza boleje. Powinno być na odwrót – bądź co bądź, dostałam to, czego chciałam. Dominic robi to, co obiecał: prowadzi mnie tą ścieżką, zagłębiam się w jego świat tak, jak sobie życzyłam. Co dzień daje mi ekstatyczną przyjemność i zarazem czerpie ją dla siebie.

A więc dlaczego płaczę? Rozmyślam, a łzy wzbierają we mnie i powoli toczą się po policzkach.

„Bo jestem samotna.

Bo nie znam tego Dominica; tego, który wydaje mi rozkazy i mnie bije.

Ale sama go o to prosiłaś – przypominam sobie. – On nie chciał, to ty wymusiłaś na nim te rzeczy. Teraz nie możesz się już wycofać".

Nie chcę się wycofać, tego jestem pewna. Jednak kiedy zgadzałam się na umowę, nie zdawałam sobie sprawy, że ten Dominic zastąpi tamtego, którego znam i kocham. Uświadamiam sobie teraz, jak bardzo brakuje mi czułości i łagodności, którą sobie wzajemnie okazywaliśmy. To, co dzieje się ze mną w buduarze, gdy zakładam obrożę i sygnalizuję swoją uległość, może i dostarcza mi niesamowitych wrażeń, ale też upokarza mnie i poniża. Kiedy pozwalam, żeby mnie traktowano jak niegrzeczną dziewczynkę, która potrzebuje kary, po części wstydzę się takiego położenia.

Potrzebuję, żeby Dominic mi powiedział, że wciąż mnie kocha i szanuje i że w zewnętrznym świecie ciągle jestem tą Beth, którą ceni i uważa za skarb.

„Ale już go nie widuję w tym świecie! Wcale".

Dziś jest ostatni dzień naszego kontraktu. Nie mam pojęcia, co się zdarzy. Chcę czuć podekscytowanie w związku z tym, co Dominic dla mnie przygotowuje, lecz zamiast tego zionie we mnie zimna pustka.

„Myślałam, że mogłabym żywić względem Dominica najróżniejsze uczucia, nigdy jednak nie podejrzewałam, że mogłabym nie czuć nic".

Ubieram się i krzątam trochę po mieszkaniu Celii, przywracając mu normalny nieskazitelny stan. Mimo że dobrze się w nim zadomowiłam, nie pozbywam się świadomości, że przede wszystkim jest to jej domostwo. Sprawdzam w komórce, czy nie ma wiadomości od Dominica, gdy rozlega się pukanie do drzwi.

Otwieram, spodziewając się, że go zobaczę, ale pod drzwiami stoi portier.

– Dzień dobry, pani – mówi i wręcza mi wielką paczkę w brązowym papierze pakunkowym. – Poproszono mnie, abym to dostarczył z zaznaczeniem, że to pilne.

– Dziękuję. – Biorę paczkę z jego rąk.

Spogląda na nią zaciekawiony.

– Czy ma pani urodziny?

– Nie dziś – odpowiadam z uśmiechem. – To pewnie jakieś rzeczy z domu, jak sądzę.

Zamykam drzwi, klękam na marmurowej posadzce w przedpokoju i zdzieram z paczki papier. W środku znajduję czarne pudełko obwiązane miękką czarną satynową wstążką, pod którą wetknięto kremową kopertę. Biorę ją, otwieram i wyjmuję list.

Dziś rano masz odpocząć. W południe dostarczą Ci lunch; masz zjeść wszystko do 13.00. O 14.00 pozwalam Ci otworzyć to pudełko. Dalsze wytyczne czekają w środku.

Uświadamiam sobie, że każdy kolejny list jest bardziej władczy od poprzedniego. Każdy zawiera nieco więcej poleceń, posuwa się dalej poza sferę seksualną i wkracza w moją życiową autonomię.

Dziś, nawet kiedy z nim nie jestem, Dominic dyktuje mi, co mam robić. I może być pewien, że posłucham. Odnoszę wrażenie, że dokładnie wie, co robię, jakby jego pole widzenia rozszerzyło się poza salon i objęło całe mieszkanie.

„Nie zdziwiłabym się, gdyby kazał całe to miejsce okablować i założyć ukryte kamery".

To niedorzeczne podejrzenie i gdy tylko przemyka mi przez głowę, natychmiast je odrzucam. Jednak myśl o tym, że ten nowy Dominic byłby zdolny do czegoś takiego, zagnieżdża mi się w świadomości.

Wpatruję się w czarne pudło i zastanawiam, co się w nim kryje.

– No, dobrze – mówię sobie. – Nie ma czego roztrząsać. Nie zajrzę do środka przed drugą. Na ile go znam, mógł wewnątrz zamontować jakiś czujnik, który go powiadomi, gdy ktoś uniesie pokrywkę.

„I nie chcę mu dawać pretekstów do wymierzenia kary. Bądź co bądź, dziś posunie się najdalej".

Na samą myśl ogarnia mnie chłodne podniecenie. Po raz pierwszy w środku mojego pożądania względem Dominica pojawia się prawdziwy strach.

Posłusznie stosując się do polecenia, przez całe przedpołudnie spokojnie odpoczywam. Mama dzwoni, żeby zapytać, jak się miewam, i mimo że się silę na normalny ton, od razu wyłapuje w moim głosie coś podejrzanego.

– Jesteś chora? – pyta ze zmartwieniem.

– Nie, mamo. Tylko zmęczona. Miałam długi tydzień. Londyńskie życie potrafi człowieka wykończyć. „I seks też".

– Słyszę, że jesteś przybita. Powiedz szczerze. Czy to z powodu Adama?

– Adama? – Tym razem w moim głosie brzmi autentyczne zaskoczenie. Ostatnio w ogóle o nim nie myślę. – Nie, nie, skądże. Jeśli o to chodzi, Londyn okazał się idealnym lekarstwem.

– Miło mi to słyszeć – mówi mama z ulgą. – Zawsze uważałam, że zasługujesz na kogoś lepszego, Beth, chociaż nie chciałam tego mówić, gdy byłaś w nim tak bardzo zakochana. Jako chłopak do chodzenia za rękę był w sam raz, ale cieszę się, że będziesz miała szansę rozwinąć skrzydła. Potrzebujesz bardziej wartościowego mężczyzny, kogoś, kto poszerzy twoje zainteresowania i doświadczenia, kto będzie dzielił z tobą radość życia. Chcę, żeby moją Beth kochał najlepszy człowiek na świecie.

Zatyka mnie. Gardło mam tak ściśnięte, jakby mi w nim utkwiło coś twardego, do oczu napływają gorące łzy. Zaczynają się toczyć po policzkach i, nie mogąc się powstrzymać, siąkam nosem.

– Beth?

Próbuję rozmawiać, ale wychodzi mi tylko szloch.

– Co się stało? – woła mama. – Co z tobą, skarbie?

Ocieram oczy, duszę w sobie płacz i staram się mówić.

– Och, mamo. To nic złego, naprawdę. Trochę tęsknię za domem.

– Wróć, kochanie, przyjedź nas odwiedzić! My też za tobą tęsknimy.

– Nie, mamo. Zostały mi już tylko dwa tygodnie w tym mieszkaniu. Nie chcę stracić tej możliwości. – Lekko pociągam nosem i śmieję się słabo. – Ależ ze mnie głuptas. Tak się popłakałam, ale to nic poważnego.

– Na pewno? – Nadal jest zaniepokojona.

„Och, mamo. Tak bardzo cię kocham. Wciąż jestem twoją maleńką dziewczynką, choćby nie wiedzieć, co się działo". Ściskam mocno telefon, jakby to mogło mnie przybliżyć do jej pełnych otuchy objęć i kojącego matczynego ciepła.

– Wszystko u mnie w porządku, serio. I wrócę do domu, jeśli mi się pogorszy. Ale jestem pewna, że tak źle nie będzie.

Punktualnie w południe rozlega się stukanie do drzwi. Kiedy je otwieram, moim oczom ukazuje się człowiek w liberii eleganckiego hotelu czy drogiej restauracji – trzyma w rękach wielką tacę pełną półmisków przykrytych srebrzystymi kloszami.

– Pani lunch – oznajmia.

– Dziękuję. – Cofam się, żeby go wpuścić.

Kieruję kelnera do kuchni, on odstawia tacę i zabiera się do nakrywania. Kładzie na stole płócienny obrus, który wziął nie wiadomo skąd, następnie srebrne sztućce, kieliszek do wina i mały wazonik z ciemnoczerwoną różą. Potem odkrywa talerze i wykłada jedzenie: ogromny stek z grilla, na którym z wolna topi się kawałek estragonowego masła, młode ziemniaczki posypane świeżymi ziołami oraz gotowane na parze zielone warzywa – brokuły i fasolkę szparagową oraz blanszowany szpinak. Kuchnię wypełnia apetyczny aromat. Zapach i widok są cudowne. Dopiero teraz uświadamiam sobie, jaka jestem głodna. Kelner kładzie na stole miseczkę świeżych truskawek z wielką czapą bitej śmietanki, nalewa do kieliszka czerwonego wina z małej butelki, którą wydobył z kieszeni, i staje obok z uśmiechem.

– Podano do stołu, proszę pani. Po naczynia zgłosimy się dziś wieczorem. Proszę je po prostu wystawić za drzwi.

– Dziękuję – powtarzam. – Wygląda wspaniale.

– Życzę udanego dnia.

Odprowadzam kelnera do drzwi i wracam do kuchni. Zegar pokazuje dziesięć po dwunastej. Zasiadam do samotnego posiłku.

Jedzenie, jak się spodziewałam, jest pyszne. Stek, różowy w środku – usmażony w sam raz. Mam wyraźne przeczucie, że zaserwowano mi pokaźną porcję z wszystkich głównych grup pokarmowych, żebym zebrała siły na to, co mnie czeka. Kończę na długo przed pierwszą; do otwarcia pudełka została jeszcze ponad godzina.

Zdecydowanie jest to dla mnie nauka cierpliwości i opóźnionego spełnienia. Minuty płyną wolno, a ja wciąż nie wiem, czy powinnam tęsknie wyczekiwać chwili otwarcia, czy też bać się jej. Pudełko stoi w przedpokoju, zachęca mnie i pociąga tak mocno, że prawie odnoszę wrażenie, jakby w środku był ukryty sam Dominic.

Niespokojnie chodzę w kółko po mieszkaniu, od czasu do czasu spoglądając przez okno w salonie na pokój sąsiada. Zastanawiam się, co Dominic teraz robi i jakie ma względem mnie plany na dziś. Jednakże ciemne okno nie zdradza żadnego znaku życia.

O drugiej wracam do korytarzyka i patrzę na czarne pudło.

„Okej, już czas".

Ciągnę za końce czarnej satynowej wstążki. Cicho opada na podłogę. Podnoszę przykrywkę. Ciasno przylega, a samo pudło jest ciężkie, więc chwilę trwa, zanim ją zdejmę. Odkładam tekturowe wieko na bok i zaglądam do środka. Widzę tylko masę pomiętych czarnych papierowych chusteczek i kolejną kremową kopertę. Otwieram ją i wyjmuję grubą kartkę w takim samym kolorze, na której czarnymi literami wydrukowano:

Włóż to, co jest w pudełku. Wszystko, co znajdziesz w środku.
Przyjdź do buduaru dokładnie o 14.30.

Odkładam kartkę i wyrzucam z pudełka papierowe wypełnienie.

„Kurczę. No dobra. Następny poziom".

Wewnątrz znajduje się uprząż, tym razem nie gładka i miękka, tylko gruba, czarna, skórzana. Nie ma na niej maleńkich kokardek, są sprzączki i kolucha ze srebrzystego metalu. Biorę ją do ręki. Na ile się mogę zorientować, wkłada się to na ramiona i zapina pod piersiami. Z tyłu cienkie paseczki zbiegają się między ramionami, a pojedynczy prosty pasek łączy je z dużym metalowym pierścieniem usytuowanym pośrodku górnej części pleców. Pasy biegnące z przodu pod piersiami ciągną się dalej do tyłu i też są przymocowane do tego pierścienia. Wzór jest prosty, ale efektowny.

Wyjmuję z pudła kolejny skórzany przedmiot. Wygląda jak wielki pas i dopiero po dłuższym zastanowieniu uświadamiam sobie, że to coś pośredniego pomiędzy pasem a gorsetem, służące do ściskania talii. Rozmiar wydaje się malutki. „Naprawdę mam się w tym zmieścić?".

I jeszcze obroża. Ta jest najbardziej onieśmielająca z wszystkich trzech: zrobiona z grubej czarnej skóry i taka szeroka, że zasłoni mi całą szyję. Zapina się ją z tyłu na sprzączkę, z przodu ma srebrzyste metalowe kolucho.

„O, mój ty świecie".

Przypominam sobie, że mam założyć wszystko, co się znajduje w pudełku. Co tam jeszcze jest?

Widzę parę czarnych szpilek, takich jakie miałam wczoraj, oraz dwa fioletowe pudełeczka. Otwieram jedno. W środku leżą dwa śliczne srebrne motyle.

„Co to jest? Spinki do włosów?".

Przyglądam im się uważnie. Każdy ma z tyłu niewielki klipsik. Jeśli się ściśnie skrzydełka, klips się otwiera. Nagle do mnie dociera.

„Zaciski do sutków".

Otwieram drugie pudełko. Tu widzę mały różowy silikonowy przedmiot o owalnym kształcie, ze srebrną podstawą i czarnym sznureczkiem. Obok leży maleńki pilocik. Pstrykam włącznik i różowe jajeczko zaczyna wibrować.

„Rozumiem".

A więc to są pomoce, które wprowadzą mnie na drogę do spotkania z Dominikiem w świecie, który tak bardzo kocha.

Czas biegnie szybo. Muszę się przygotować.

Dziesięć minut później mam już na sobie uprząż i zapinam sprzączkę pod biustem. W talii ciasno opina mnie ściskający pas, ograniczając swobodę ruchów. Nie ubieram się w żadną bieliznę, ponieważ nic takiego nie znajduję w pudle. Wkładam szpilki, lecz dolna część ciała jest zupełnie goła, niczym nieosłonięta.

„Muszę iść. On czeka. Rozgniewa się, jeśli się spóźnię".

Biorę jeden z motylich zacisków. Czy to będzie bolało? Potrącam palcami sutek, a on natychmiast budzi się do życia, jakby wiedział, że zdarzy się coś interesującego. Otwieram ślicznie wyglądającą srebrną klamerkę i zapinam ją na różowym czubku brodawki sutkowej. Motyl wygląda teraz, jakby przysiadł na mojej piersi, żeby z niej ssać nektar. Mrowiące wrażenie nie jest nieprzyjemne, a zacisk okazuje się nie tak mocny, jak się obawiałam, ale przeczuwam, że z czasem chwyt się nasili. Biorę drugi zacisk i zapinam go w ten sam sposób. Delikatne srebrne motyle wydają się nie na miejscu obok skórzanej uprzęży, ale w jakiś sposób pasują.

„A teraz jajko".

Rozstawiam nogi i wsuwam sobie mały owal w dziurkę. Jestem już tam śliska, jako że zbliża się pora spotkania z Dominikiem.

Popycham zabawkę palcem wskazującym, przeciskam ją przez wejście, a ona osiada gdzieś w środku, dając mi przyjemne wrażenie wypełnienia. Czarny sznureczek wisi na zewnątrz – można go pociągnąć, by wyjąć jajeczko, gdy już nie będzie potrzebne. Biorę pilocik i przesuwam włącznik. Jajko zaczyna we mnie pulsować i miotać się, chociaż na zewnątrz go nie słychać ani nie widać żadnych oznak jego działania. To mój sekretny wewnętrzny masażer.

„Jak się mam dostać do buduaru? Przecież nie pójdę w takim stroju".

Nie ma tego w instrukcjach, ale muszę założyć płaszcz. Dominic nie może oczekiwać, że wyjdę z mieszkania zupełnie naga. Biorę więc z szafy płaszcz i okrywam się nim. Wyglądam przyzwoicie. Z wyjątkiem szerokiej skórzanej obroży na szyi nic nie wskazuje na to, że pod płaszczem jestem gotowa do uległości. Wsuwam klucz od mieszkania do kieszeni i wyruszam.

To bardziej pobudzające, niż mogłabym sobie wymarzyć – iść tak przez budynek, wiedząc, dokąd zmierzam i co mam na sobie. Zjeżdżam windą na parter i kieruję się do drugiej windy, a ukryte we mnie jajeczko nie przestaje pulsować.

– Miła była ta niespodzianka? – pyta portier, kiedy mijam recepcję.

Aż podskakuję. Jestem tak nastawiona na to, dokąd idę, że nawet go nie zauważyłam.

– Co?

– Pani paczka. Miła była?

Patrzę niezbyt przytomnie, świadoma tylko tego, że zaciski na sutkach zaczynają sprawiać niewielki ból, jajko w środku wibruje, a ja jestem prawie naga.

– Tak, dziękuję, bardzo miła. To… nowa sukienka.

– A, sympatycznie.

– Tak. Do widzenia – żegnam się pośpiesznie i zmierzam do windy, desperacko starając się zdążyć. Wiem, że do wpół do trzeciej została tylko minuta czy dwie. Winda nie przyjeżdża od razu. Czekając na nią, czuję, jak narasta we mnie niepokój. „Spóźnię się!".

W końcu drzwi się rozsuwają, wpadam do środka i wciskam guzik siódmego piętra.

„Szybciej, szybciej".

Winda pnie się powoli na samą górę. Drzwi otwierają się. Pędzę korytarzem, choć wysokie obcasy bardzo mi to utrudniają. Zdyszana pukam do drzwi buduaru.

„Proszę, niech się okaże, że jestem na czas".

Drzwi pozostają zamknięte. Pukam znowu i czekam. Dalej nic. Stukam więc całkiem głośno.

Wtem drzwi otwierają się z impetem. Stoi w nich Dominic ubrany w długą czarną szatę. Oczy ma stalowo zimne, a usta zaciśnięte.

– Spóźniłaś się – mówi krótko, a mój brzuch skręca się ze strachu.

– Ja... ja... – Usta mi sztywnieją i cała drżę. Ledwie mogę wykrztusić słowo: – Winda...

– Kazałem ci być o czternastej trzydzieści. Żadnych wymówek. Wchodź do środka.

„Cholera". Jestem przerażona, serce mi wali, cała cierpnę od adrenaliny. Coś mi podpowiada, by uciekać. Powiedzieć mu, żeby spadał, że nie bawię się już w te gierki. Wiem jednak, że będę posłuszna. Za daleko zabrnęłam, żeby się teraz ni z tego, ni z owego wycofać.

– Zdejmij płaszcz. Na który, tak się składa, nie dostałaś ode mnie pozwolenia.

Chcę zaprotestować, ale wiem, że mu specjalnie zależało, abym go w czymś nie usłuchała. Udało mu się – wpadł w wielką złość, bo się spóźniłam. Płaszcz opada z moich ramion i stoję w samej uprzęży, z intensywnie czerwonymi brodawkami mocno sterczącymi pod wpływem nacisku klamerek, do tego moje ciało zdradziecko odpowiada na jego bliskość, rozgrzewa się i drży. Jajeczko w mojej głębi wciąż naciska na ścianki, pobudza mnie wibrującą pieszczotą.

Oczy Dominica błyszczą spod nasuniętych czarnych brwi.

– Bardzo dobrze – mówi. – Tak, tego właśnie chciałem. A teraz na kolana. I na czworaki.

– Tak, panie. – Posłusznie opadam na podłogę. On schyla się i coś robi z przodu obroży. Gdy się prostuje, uświadamiam sobie, że przypiął mi długą skórzaną smycz.

„Chodź".

Rusza w stronę sypialni, a ja za nim na kolanach i rękach. Nie szarpie za smycz, ale wiem, że ona tam jest – symbolizuje, iż należę do niego. W pokoju panuje półmrok. W nogach łóżka ustawiono długą, niską ławę. Gdy jesteśmy na miejscu, on znów się pochyla i zdejmuje mi z sutków zaciski. To ogromna ulga, ale sutki i tak pozostają naciągnięte, pulsujące, nadwrażliwe.

– Podejdź do ławy – komenderuje Dominic, wstając. – Klęknij przed nią i wyciągnij się na niej.

Wypełniam rozkaz, zastanawiając się, co się teraz wydarzy. Podchodzę do ławy na czworakach i kładę się na niej przodem, z wypiętą pupą i kolanami na podłodze.

– Obejmij ją.

Otaczam mebel ramionami, wrażliwe sutki bolą w zetknięciu z jego powierzchnią. Dominic zaczyna chodzić tam i z powrotem obok mnie. Nie widzę, co robi, ale słyszę rytmiczne klapanie, kiedy uderza sobie czymś o dłoń.

– Nie usłuchałaś mnie – mówi nadzwyczaj surowym tonem. – Spóźniłaś się. Czy myślisz, że uległa poddana może kazać swojemu panu czekać choćby przez sekundę?

– Nie, panie – szepczę. Oczekiwanie na to, co zamierza mi zrobić, jest okropne.

– Twoim obowiązkiem było stawić się tutaj przed wpół do trzeciej, tak żebyś znajdowała się w buduarze punktualnie, gdy zegar wybije wpół do. – Przy słowie „wybije" znowu uderza czymś o dłoń.

„Co on trzyma w ręce, na litość boską?".

Dominic zniża głos do szeptu:

– Co mam z tobą zrobić?

– Ukarać mnie, panie – odpowiadam cichutko i pokornie.

– Co?

– Ukarać mnie, panie – powtarzam głośniej.

– Tak, muszę cię nauczyć dobrych manier. Jesteś niegrzeczną dziewczyną?

– Tak, panie. – Te słowa podniecają mnie, aż mi od nich gorąco. Ciekawe, czy zapomniał o jajku, które wciąż we mnie pulsuje.

– Czym jesteś?

– Niegrzeczną dziewczyną.

– Tak, bardzo niegrzeczną, nieposłuszną dziewczyną. Trzeba ci wlepić sześć batów, żebyś dostała nauczkę.

Przestaje chodzić i śmiga w powietrzu tym, co ma w ręce. Rozlega się świst, więc się domyślam, że to szpicruta. Czuję przypływ strachu. Nie chcę tego, to boli. „Bądź silna – napominam sama siebie. – Nie okaż mu, że się boisz".

Następuje długa cisza i czuję, jak pośladki mnie mrowią w oczekiwaniu razów. Ledwie mogę wytrzymać. A potem... trzask!

Bat ląduje na mojej pupie. Piecze, ale nie przyprawia o mdłości, czego się obawiałam. Trzymam się i staram nie poruszyć.

Trzask!

Znowu uderza w najpulchniejszą część pośladków, tym razem nieco mocniej. Wyrywa mi się stłumiony jęk bólu. Nim zdążę się pozbierać, wali znów, jeszcze mocniej, i znowu. Krzyczę. Mam cały tyłek w ogniu, podrażniona skóra szczypie i piecze. Szpicruta znowu spada ostro – porażające, parzące chlaśnięcie, od którego skóra praży się w skwierczącej udręce. Wcale nie podoba mi się ten rodzaj bólu. Jajeczko w moim wnętrzu wciąż wibruje, ale prawie o nim zapominam. Czuję tylko rozdzierające smagnięcie bata, kiedy ląduje na mnie po raz piąty. Ból wydziera z mojej piersi szloch, z oczu tryskają łzy. Zbieram się w sobie przed ostatnim razem, a gdy przychodzi, mocniejszy od poprzednich, pali moją wrażliwą skórę niczym rozgrzany do czerwoności pogrzebacz.

W piersi narasta mi wstrząsający szloch, ale gromadzę w sobie wszystkie siły i tłumię go. Nie chcę, żeby Dominic widział, jak płaczę.

„Już koniec. Koniec".

Ale powiem mu, że nie chcę więcej takich doznań. Nie zniosę już szpicruty: ani fizycznego bólu, jaki zadaje, ani tego upodlającego uczucia, które się z tym wiąże.

On pochyla się i pociąga za wystający ze mnie czarny sznurek. Pulsujące jajeczko wyskakuje z lekkim pyknięciem. Dominic wyłącza je.

– Dobra robota, Beth – mówi miękko i delikatnie pociera dłonią moje pośladki. – Byłem dla ciebie surowy. Nie mogłem znieść widoku twojej wspaniałej skóry, gdy stawała się dla mnie taka czerwona, nagrzana. Chciałem ją rozszarpać całą swoją mocą. – Bierze głęboki wdech i wzdycha. – Tak mnie rozpaliłaś. Wstań.

Podnoszę się z ławy, pupa mnie rwie z bólu. Ledwie stoję na nogach.

– Podejdź do mnie na kolanach.

Wypełniam posłusznie rozkaz, a gdy jestem tuż obok, on zrzuca swoją szatę, pokazując ukrytą dotąd nagość. Penis mu sterczy, wielki i twardy, najwyraźniej rozogniony podnieceniem, które w Dominicu wzbudziło to, co właśnie zrobił. Jego oczy ciemnieją z pożądania, gdy patrzy, jak się zbliżam z piersiami wypchniętymi do przodu przez uprząż. Trzymam przypiętą do obroży smycz, żeby się w niej nie zaplątać.

– Podaj mi smycz.

Przekazuję pasek. Wzrok mam spuszczony, aby go nie obrazić bezpośrednim spojrzeniem. On bierze smycz i szarpie nią delikatnie, przyciągając mnie, aż jestem zmuszona przycisnąć się do niego – twarz mam na wysokości jego naprężonego penisa, piersi opierają się o nogi, a obroża dociska się do ud.

Narastająca we mnie żądza neutralizuje bolesne szczypanie pupy. Znajomy, wspaniały zapach Dominica pociesza i koi. W końcu Dominic pozwoli mi, żebym go kochała tak, jak chcę. Mogę go dotknąć, pieścić, pokazać, co do niego czuję.

– Weź go do ust – rozkazuje. – Ale mnie nie dotykaj rękami.

Ogarnia mnie rozczarowanie. „Przynajmniej będę go całować, lizać… i smakować…".

Przesuwam językiem po jego męskości – jest twarda i promieniuje wewnętrznym gorącem. Kiedy dosięgam główki, biorę ją całą do ust, wiruję językiem wokół gładkiej powierzchni, ssę i liżę. Jego palce wślizgują mi się we włosy, trzymają mocno głowę, podczas gdy penis wypełnia moje usta, wciągam go tak głęboko, jak się tylko da. Trudno to robić pod kątem, w jakim klęczę, i szczęki już mi sztywnieją od szerokiego otwierania, lecz radość z tego, że mogę go kochać w ten sposób, każe mi nie zwracać uwagi na niewygody. Och, cudownie jest go lizać, wdychać jego zapach, napawać się słonym, piżmowym smakiem.

Gdy tak go pieszczę, jego palce w moich włosach tężeją. Jęczy. Potem uwalnia się z moich ust, podchodzi do białego skórzanego fotela i szarpie za moją smycz, żebym podążyła za nim. Rozsiada się z rozstawionymi nogami i przyciąga mnie na podnóżek, tak bym się na nim wsparła, jak on wczoraj, i kontynuowała działanie.

Przytrzymuję się boku krzesła i ponownie biorę go w usta, ssę i liżę. Jęczy głośniej. Chcę chwycić jego męskość i odsunąć napletek, żeby mu dać jeszcze więcej rozkoszy, ale pamiętam, że to zakazane, skupiam się więc na pracy ust: podniecam go językiem, czasami gładzę na całej długości zamaszystymi liźnięciami, a niekiedy koniuszkiem drażnię jego czubek.

– Tak, cudownie – mruczy. Spod półprzymkniętych powiek patrzy, jak się nim zajmuję. Wyobrażam sobie, jak z jego punktu widzenia wyglądam w obroży i uprzęży, gdy tak oddaję hołd potężnej erekcji. Odczuwam też własne pobudzenie – wilgoć między nogami i narastające pragnienie, żeby jego penis mnie wypełnił.

Dominic znowu jęczy, rwie mu się oddech. Czuję, jak w moich ustach nabrzmiewa jeszcze bardziej. Porusza teraz biodrami, wpychając we mnie swoją długość, pieprzy mnie w buzię. Chcę go dotknąć, potrzebuję tego. Boję się, że wciśnie mi się w gardło za daleko, że się zakrztuszę i w walce o oddech posłużę się rękami. On napiera mocniej, ja z przerażeniem myślę, że może mnie zakneblować i poddusić, ale jego przyjemność zaraz we mnie wybuchnie. Kilka ostrych, mocniejszych pchnięć i w moich ustach eksploduje gorący gejzer tryskający wirem słonawego płynu. Czuję, jak spływa mi w stronę gardła, przełykam go, a on zostawia na podniebieniu dziwny, rozpalony ślad. Niewiele myśląc, kładę dłoń na penisie, gdy tylko Dominic wyciąga go z moich ust.

– To było cudowne, Beth – mówi aksamitnym głosem, w którym jednak czai się groźba. – Ale mnie dotknęłaś. A ja ci tego surowo zakazałem.

Patrzę mu w twarz. Oczywiście wciąż jestem wobec niego uległa. Muszę być posłuszna. Czy to oznacza kolejną karę? Miałam nadzieję, że zrobimy coś z żarem tlącym się między moimi nogami i z narastającym pożądaniem.

– Ja… przepraszam, panie…

Lekceważy to i ucina:

– Wstawaj i idź do przedpokoju. Załóż swój płaszcz i czekaj tam na mnie.

Robię, jak kazał, zastanawiając się, co się, u licha, teraz wydarzy. Kilka minut później Dominic wychodzi z buduaru. Ubrany jest w czarny T-shirt i dżinsy.

– Za mną.

Wyprowadza mnie z mieszkania i idę za nim korytarzem do windy. Smycz podzwania pod płaszczem. Zjeżdżamy na parter. Patrzę na Dominica, lecz on nie zwraca na mnie uwagi – wystukuje na telefonie SMS-y. Na dole przemierza szybko hol wejściowy, a ja ze stukotem obcasów śpieszę za nim. Wychodzimy na zewnątrz, gdzie czeka na nas długi czarny mercedes. Dominic otwiera drzwi, wsiada i zostawia drzwi otwarte, żebym mogła wejść po nim. Siadam obok niego na gładkiej skórzanej kanapce. Kierowcę oddziela od nas przyciemniona szyba. Samochód zaraz rusza.

Chciałabym zapytać, dokąd jedziemy, lecz nie mam śmiałości. Dominic nadal nic nie mówi, zajęty telefonem.

Ten dzień okazuje się niezwykle dziwny, a sam Dominic – jeszcze dziwniejszy. Zerkam na niego ukradkiem i dostrzegam, jak bardzo się oddalił.

„Nie tego chcę".

Ten głos odzywa się w mojej głowie, ale staram się go nie słuchać. Właśnie tego chciałam. Prosiłam o to.

Próbuję zebrać siły przed tym, co mnie czeka na końcu tej przejażdżki.

Nie jestem zaskoczona, kiedy samochód staje w ciemnej uliczce przed The Asylum. Podejrzewałam, że w jakiś sposób w końcu tutaj trafię, i teraz wiem, że ten moment właśnie nadchodzi.

Dopada mnie gwałtowna fala strachu.

– Wysiadaj – mówi Dominic.

Wychodzę posłusznie, a on za mną. Prowadzi mnie znaną drogą – metalowymi schodami do drzwi wejściowych. Wyjmuje z kieszeni klucz, szybko je otwiera i wchodzi. Kiedy, idąc jego śladem, znajduję się w środku, zamyka za mną drzwi. Widać, że lokal jest opustoszały. Dominic ściąga ze mnie płaszcz i bierze mnie na smycz. Bez słowa przemierza pusty bar, a ja jestem zmuszona na pół biec za nim, tak szybko mnie za sobą ciągnie. Wiem, dokąd zmierzamy.

„Zawsze wiedziałam".

Jak można się było spodziewać, zabiera mnie do okutych metalem drzwi i otwiera je pchnięciem. Zwraca się do mnie po raz pierwszy, odkąd opuściliśmy Randolph Gardens.

– Teraz się dowiesz, co naprawdę znaczy kara – oznajmia.

Jestem przerażona. Szaleje we mnie prawdziwy, dławiący strach. Robię krok w ciemność, Dominic zapala światła – wyglądają jak prawdziwe świece w kandelabrach ściennych, ale pewnie są elektryczne.

Znów widzę te wszystkie narzędzia: krzyże, kraty, rząd złowrogo wyglądających batów. W żołądku szarpie mi się paskudne uczucie mdłości.

„Ale muszę to zrobić. Muszę przez to przejść".

Pamiętam swoją decyzję – zaufałam Dominicowi. Powiedział, że nie posunie się ze mną za daleko.

Prowadzi mnie do krat przymocowanych poziomo przy ścianie w głębi, odpina na mnie uprząż i zsuwa ją z moich ramion. Pozwala, żeby opadła na podłogę, i ustawia mnie twarzą do kraty, tyłem do siebie. Podnosi jedną moją rękę i umieszcza nadgarstek w kajdanach na wysokości ramienia, tak że mogę lekko zgiąć rękę i poruszyć nią. To samo robi z drugą. Rozsuwa moje nogi i po kolei przypina je do kajdan. Słyszę jego ciężki oddech. To go podnieca.

– A teraz – mówi miękko, gdy jestem już kompletnie unieruchomiona – zaczniemy.

Zaciskam mocno usta i oczy, żołądek mi się kurczy. Zniosę to. Tak zrobię. A potem wyjaśnię, że loch nie jest miejscem dla mnie, choćby nie wiem co.

„Dlaczego cię tu przyprowadził? – odzywa się mój wewnętrzny głos. – Przecież wie, jak bardzo to miejsce cię przeraża".

Nie chcę tego słuchać. Nie chcę nawet słyszeć. Muszę się skupić na wytrwaniu, na tym, co teraz przyjdzie mi znieść.

Pierwsze wrażenie jest delikatne i zmysłowe – muśnięcie długiego, szorstkiego końskiego włosia na łopatkach. Dominic najwyraźniej wodzi czymś po moich plecach, jakby znakował sobie terytorium, wyznaczał kontury celu.

– To twoja kara za nieposłuszeństwo – ogłasza. Czuję go za sobą. Upaja się sceną: dziewczyna zakuta w kajdany, mrugające światło, bat gotowy do akcji.

Pierwszy raz jest miękki i subtelny, podobnie kilka następnych. Dominic rozgrzewa mnie. Krew gwałtownie napływa mi do skóry, każde smagnięcie odczuwam jak dziesiątki maleńkich ostrych nacięć. Końskie włosie jest szorstkie i drapie mnie po i tak już nadwerężonej skórze. Trzymam oczy mocno zamknięte i staram się kontrolować oddech, ale serce mi wali, w żołądku przewala się strach. Coraz cięższe, coraz bardziej regularne uderzenia wzmagają pieczenie.

„Więc to jest chłosta. Jestem biczowana w lochu".

Boję się tego, co ma się wydarzyć. Tak jakbym stała obok siebie i rozważała swoje przykre położenie. A to oznacza, że świat moich wewnętrznych fantazji gaśnie w ostatnich przebłyskach i zamiera.

„Lecz już za późno".

Chłosta ustaje i słyszę, że Dominic podchodzi do wiszących na ścianie narzędzi. Potem wraca. Wyczuwam, że ma w ręku coś innego. Kilka razy śmiga tym w powietrzu, wprawiając się w ruchach, które zaraz wykona, i nagle spuszcza to coś na mój grzbiet. W skórę wrzynają mi się dziesiątki rzemieni zakończonych ostrymi węzłami.

Odrzucam głowę i wrzeszczę z zaskoczenia i bólu. Ale zanim zdążę cokolwiek pomyśleć, bat uderza mnie znowu – z drugiej strony grzbietu. On miota narzędziem kary tam i z powrotem, uderzając za każdym ruchem.

„O Boże, to nie do wiary!".

Nic się nie zmienia. Ciężkie razy lądują na mnie z regularnością metronomu. Ból jest tak intensywny, że przy kolejnych smagnięciach krzyczę głośno, niezdolna zapanować nad myślami, nie jestem w stanie przeciwstawić się gwałtownemu atakowi. Za każdym razem Dominic uderza nieco mocniej, jak gdyby moje wrzaski podżegały go do przyłożenia większej siły. Oddycha ciężko, wkłada w to sporo wysiłku.

Twarde rzemienie sprawiają mi okropny ból, okrutnie drą moją biedną, zszarpaną skórę. To brutalny obłęd. Znacznie więcej, niż mogę znieść. Trzęsę się, miotam i krzyczę, płaczę rozdzierająco.

„Słowo bezpieczeństwa. Muszę powiedzieć słowo bezpieczeństwa".

Tracę wszelką wiarę w to, że Dominic widzi, w jakim jestem stanie. Chłoszcze mnie ciężką ręką i chociaż jestem zamroczona bólem i w głowie mi się miesza, myślę, że być może stracił panowanie nad sobą.

Teraz naprawdę wpadam w panikę – jestem rozpaczliwie przerażona, krzyczę i płaczę głośniej i bardziej intensywnie, a wściekłe narzędzie orze mi plecy znów i znów, to z prawej, to z lewej, to z prawej, to z lewej. Czasami końcówki owijają mi się wokół ciała, dosięgając piersi i brzucha.

„Jak brzmiało to słowo bezpieczeństwa?".

Jestem w takiej udręce, głowa mi opada i toczy się po ramionach, plecy są wygięte we wklęsły łuk, byle dalej od bicza, ręce napięte. W ogóle nie potrafię myśleć. Jedyne, co mogę, to bać się kolejnego ciosu.

„To… słowo… to… jest…".

Zbieram w sobie resztkę sił i wyję:

– Czerwień!

Wali mnie dalej, trzask! Setki ostrzy przerzynają moją umęczoną skórę.

– Czerwień, Dominic, przestań, stop!

„To nie czerwień… to… o, KURWA, jaki BÓL… to… coś innego… to… DO CHOLERY… umieram, umieram…".

– Szkarłat! – wrzeszczę. – Szkarłat!

Napinam się w przygotowaniu na kolejny cios, lecz ten nie pada. Drżę, zupełnie nie panując nad ciałem, szlocham gwałtownie. Nigdy w życiu nie czułam takiego bólu, ani w środku, ani na zewnątrz.

– Beth? – Głos, którego nie słyszałam od kilku dni. Normalny głos Dominica. Głos przyjaciela, kochanka, człowieka, którego tak bardzo pragnęłam znów ujrzeć. – Beth? Nic ci nie jest?

Nie mogę mówić. Za mocno płaczę, łzy zalewają mi twarz, ciekne mi z nosa. Ciałem wstrząsają spazmy.

– O, Boże, kochanie, co się stało? – Ton jego głosu zdradza panikę. Upuszcza bicz i śpieszy, żeby porozpinać kajdany. Kiedy uwalnia ręce, osuwam się na podłogę. Chowam głowę między kolana i płacząc, kołyszę się w przód i w tył.

– Beth, proszę! – Kładzie mi rękę na ramieniu, ostrożnie omijając poranione plecy.

– Nie dotykaj mnie! – sykam ostro przez łzy. – Nie zbliżaj się!

Cofa się, zszokowany i niepewny.

– Powiedziałaś słowo bezpieczeństwa…

– Bo mnie lałeś na miazgę, ty draniu, ty skończony draniu, po wszystkim, co dla ciebie zrobiłam, co ci podarowałam i co zniosłam… Mój Boże, nie mogę uwierzyć… – Szlocham rozdzierająco, lecz mimo to wyrzucam z siebie słowa: – Co za pie- przona idiotka ze mnie. Zaufałam ci, ty draniu, oddałam się uf- nie w twoje ręce, a ty… zobacz, co ze mną zrobiłeś…!

Jestem tak głęboko zraniona i bólem fizycznym, i tymi smęt- nymi resztkami, które zostały z mojego zaufania. Jedyne, co mo- gę robić, to płakać.

Przez kilka minut Dominic patrzy na mnie w milczeniu – nie ma pojęcia, jak się znaleźliśmy w takiej sytuacji, albo też nie wie, jak mnie pocieszyć. Potem spokojnie bierze mój płaszcz i okrywa mnie nim. Nawet miękki bawełniany materiał sprawia mi okrop- ny ból, kiedy dotyka moich biednych pleców.

Dominic łagodnie pomaga mi wstać, wyprowadza mnie z lo- chu i wiedzie przez pusty bar na zewnątrz. Samochód czeka na nas zaparkowany przy ulicy. Wsiadamy. Ciągle płaczę, nie mogę się nawet oprzeć o siedzenie podczas jazdy.

Wracamy na Randolph Gardens. Przez całą drogę płaczę. Do- minic się nie odzywa.

Czwarty tydzień

Rozdział osiemnasty

Ta niedziela to najgorszy dzień w moim życiu. Jestem w udręce. Przede wszystkim dlatego, że plecy mam pokryte plątaniną intensywnie czerwonych pręg – na ich widok w lustrze wyrywa mi się okrzyk zgrozy. Nie mam jak nałożyć sobie na nie jakiejś leczniczej maści czy balsamu, pozostaje mi jedynie chłodna kąpiel. Spędzam więc długi czas w wannie, starając się przynieść ulgę rozpalonej skórze.

Ponadto jestem w strasznym stanie pod względem emocjonalnym. Nie potrafię zatrzeć w pamięci tego, co mi zrobił Dominic. Czuję się okropnie zdradzona. Poprosił, żebym mu zaufała, i tak zrobiłam. Miałam uwierzyć w to, że zna moje ograniczenia, i dostosowałam się. Powiedziałam mu, że nie podoba mi się tamten loch, a on mimo to mnie tam zabrał i sprawił mi niewyobrażalną mękę.

„A ja mu pozwoliłam".

To też boli. Może i Dominic machał batem, ale ja sama doprowadziłam do tej sytuacji. Potem przypominam sobie, że to on stracił panowanie nad sobą i dał się ponieść, przechodząc na poziom niemożliwy dla mnie do zniesienia. Zapewne w ferworze chłosty zapomniał, że jestem nowicjuszką. Ale to na nim spoczywała odpowiedzialność opieki nade mną, to on miał być świadomy tego, co mogę wytrzymać. Nie wywiązał się.

Głęboko rani mnie także fakt, że nie próbował ze mną po tym porozmawiać. Nie odezwał się. Dostałam tylko lakonicznego SMS-a: „Przepraszam Dx", i nic więcej.

„Czy on naprawdę myśli, że ta krótka wiadomość załatwi sprawę, wyrówna rachunki po tym… ataku?".

Mógłby się bardziej postarać.

W poniedziałek rano dzwonię do Jamesa. Mówię, że jestem chora i nie mogę przyjść do pracy. W jego głosie słychać rezerwę, jak gdyby wiedział, że nie jestem z nim szczera, ale odpowiada, żebym uważała na siebie i nie przychodziła, dopóki się nie wykuruję. Przez cały dzień jestem więc sama, rozmyślam obsesyjnie o dniach spędzonych z Dominikiem, próbuję analizować, dlaczego wszystko potoczyło się tak strasznie złym torem. Zwijam się w kłębek na sofie z De Havillandem i czerpię pocieszenie z jego miękkiego, mruczącego ciepła.

„Przynajmniej kot wciąż mnie kocha".

Pręgi na plecach nadal są wyraźne i obolałe, ale ból trochę przygasa. Pieczenie, które nie dawało mi spać w sobotę, teraz nieco słabnie. Mogę sobie wyobrazić, że kiedyś całkiem przestanie boleć, że się zaleczy.

We wtorek znów dzwonię do Jamesa, prosząc o wolne. Tym razem James się martwi.

– Czy wszystko w porządku, Beth?

– Tak – odpowiadam. – No… tak jakby.

– Czy to się wiąże z Dominikiem?

– Tak i nie. Posłuchaj, James, potrzebuję jeszcze jednego dnia. Jutro już będę w pracy, obiecuję. Wtedy ci opowiem.

– Dobrze, kochana. Jeśli potrzebujesz czasu, rozumiem.

To naprawdę wielkie szczęście, że mam takiego szefa.

We wtorek po południu czuję się trochę lepiej. Plecy mnie ciągle bolą, ale ich stan zdecydowanie się poprawia. Wciąż jednak jestem chora na duszy, nie mając wiadomości od Dominica. Gdy tylko o tym pomyślę, czuję się zdruzgotana – jak mógł mnie tak źle potraktować, a potem porzucić? Późnym popołudniem ktoś puka do drzwi. Serce mi od razu przyśpiesza, natychmiast myślę, że to może Dominic.

Nie, mówię sobie stanowczo, podchodząc do drzwi. To na pewno James – wpadł, że mi przynieść rosół i czekoladki. Ale gdy sięgam do klamki, nie potrafię wyprzeć z umysłu nadziei.

Ku mojemu zdumieniu przed drzwiami mieszkania stoi ani nie Dominic, ani nie James. To Adam.

– Niespodzianka! – woła i szczerzy się od ucha do ucha.

Gapię się na niego, nie wierząc własnym oczom. Wydaje mi się teraz taki inny, mimo że wygląda dokładnie tak samo, jak go zapamiętałam. Ubrania ma wyświechtane i zupełnie pozbawione stylu: tania koszula w kratkę pod szarą bluzą z emblematem jakiejś sportowej drużyny, do tego workowate niebieskie dżinsy, ciasno zapięte pod pękatym brzuchem. Na stopach znoszone wielkie białe adidasy, na ramieniu sportowa torba typu jamnik. Patrzy na mnie wyraźnie uszczęśliwiony niespodzianką, jaką mi sprawia.

– Nie przywitasz się? – pyta, gdy przydługo milczę.

– Aa… – Wciąż nie chce do mnie dotrzeć to, co widzę na własne oczy. Bez sensu. Adam? Tutaj, w mieszkaniu Celii? – Cześć – udaje mi się w końcu wykrztusić.

– Mogę wejść? Strasznie chce mi się sikać i napić herbaty. Nie równocześnie, oczywiście.

Nie mam ochoty go wpuszczać, ale skoro musi skorzystać z toalety, chyba nie mogę odmówić. Cofam się i pozwalam mu wejść. To takie dziwne – zobaczyć tę część swojego życia, o której sądziłam, że jest zamkniętym rozdziałem, jak wkracza w moją obecną, nową rzeczywistość. Nie podoba mi się to uczucie, ani trochę.

– Tam jest kibel. – Wskazuję mu drzwi do łazienki, a gdy za nimi znika, staram się zebrać myśli.

Wychodzi, pogwizdując radośnie w sposób, który kiedyś uważałam za słodki i miły, a teraz przyprawia mnie o zgrzyt zębów.

– Adam, co ty tutaj robisz?

Wyraźnie zaskoczony moim spiętym tonem, odpowiada lekko:

– Twoja mama powiedziała mi, gdzie jesteś. Chciałem wpaść i zobaczyć się z tobą. – Rozkłada ręce, jakby nie rozumiał, czemu zadaję pytanie o tak prostą, naturalną rzecz.

Wpatruję się w niego. W słabym przebłysku pamięci dociera do mnie, że kiedyś kochałam tego człowieka, byłam rozbita, gdy złamał mi serce, teraz jednak wydaje mi się to absurdalnie śmieszne. W porównaniu z Dominikiem jest nijaki, na wpół ukształtowany; ma nieokreślonego koloru zwichrzone włosy, nalaną twarz i bladoniebieskie oczy.

– Ale, Adam – mówię, siląc się na zrównoważony, rozsądny ton – ostatnim razem, kiedy się widzieliśmy, zerwaliśmy ze sobą. Pieprzyłeś się z Hannah, nie pamiętasz? Rzuciłeś mnie dla niej.

Robi jakąś minę i niecierpliwie macha ręką.

– Noo, taak. Tak. Słuchaj, przyjechałem, żeby przeprosić. Z tamtym już koniec. To był błąd i żałuję tego. Mam wspaniałą nowinę: naprawdę chcę dać nam kolejną szansę! – Promienieje i czeka, jakby się spodziewał, że podskoczę z radości i wykrzyknę coś entuzjastycznego.

– Adam… – Patrzę na niego bezsilnie. Nie wiem, co powiedzieć.

– Co trzeba zrobić, żeby dostać tu filiżankę herbaty? – pyta i zaczyna otwierać drzwi. Kiedy znajduje kuchnię, woła: – Bingo! – I wchodzi tam.

Idę za nim, nie cierpiąc sposobu, w jaki wdziera się w moje uporządkowane życie. Przypominam sobie, że zawsze tak się wszędzie wpychał, sam sobie zawsze brał, czego chciał, i zostawiał po sobie bałagan.

– Adam, nie możesz tak po prostu przyjeżdżać. Powinieneś był zadzwonić.

– Chciałem ci zrobić niespodziankę – odpowiada nieco urażonym tonem. Bierze czajnik i napełnia go wodą. – Nie cieszysz się, że mnie widzisz? – Posyła mi spojrzenie małego chłopczyka, które kiedyś tak bardzo mnie rozczulało.

– Szczerze mówiąc, to nie jest dobry moment.

„Na litość boską, nie staraj się oszczędzać jego uczuć! On tego dla ciebie nie robił! Powiedz mu, żeby zabierał tyłek i się wynosił!".

– Nie wyglądasz na szczególnie zajętą. Twoja mama mówiła, że możesz być w pracy, żebym poczekał do wieczora albo zadzwonił, ale pomyślałem, że wpadnę i sprawdzę, co się dzieje, no i proszę: jesteś! – Stawia czajnik na podstawce i włącza go.

„Okej, jedna herbata, potem wynocha".

Przygotowuję dwa kubki herbaty, a on tymczasem opowiada o swojej podróży pociągiem do Londynu i o przygodach w metrze. Zabieram go do salonu, gdzie De Havilland siedzi na posterunku w oknie, jak zwykle wypatrując gołębi. Spogląda na nas swymi żółtymi oczyma, mruga i z powrotem odwraca się do okna.

– Cholernie ładne mieszkanko – zauważa Adam, rozglądając się po pokoju. – Czyje to?

– Matki chrzestnej mojego ojca. Ma na imię Celia.

– O. Dobrze to rozegraj, a może je odziedziczysz. – Robi do mnie znaczącą minę. – Byłoby miło.

Siadamy na sofie. Zastanawiam się, o czym, u licha, mogłabym z nim rozmawiać. Przypominam sobie ostatnią sprawę.

– A z Hannah… czy coś nie wyszło?

Marszczy nos, jakby właśnie pomyślał o czymś niesmacznym.

– Niee. Nie związaliśmy się. To było czysto fizyczne doświadczenie, wiesz? Wszystko pięknie ładnie przez chwilę, ale poza tym nuda.

Przed oczami staje mi wizja ich dwojga w łóżku, ale teraz nie rani mnie ani nie odrzuca. Właściwie do siebie pasowali. W pamięci błyska wspomnienie tego, jak Adam kochał się ze mną – dyszał mi do ucha, pompując tam i z powrotem, tam i z powrotem, za każdym razem dokładnie w ten sam sposób. Zawsze niedbale i szybko. Słodko, ponieważ go kochałam, ale czy z namiętnością? Poruszająco i ekscytująco? Czy przekraczał granice i pomagał mi odkrywać aspekty własnego ja, których jeszcze nie znałam?

Oczywiście, że nie. A Dominic tak robił.

Nagle uświadamiam sobie, że to, czego doświadczyłam przy Dominicu, odmieniło moje życie na zawsze. Już nigdy nie wrócę do kogoś takiego jak Adam. Może i Dominic ma pokręcone upodobania i niezwykłe gusty, ale przynajmniej nie jest nudny.

Adam wpatruje się teraz we mnie, obejmując obiema dłońmi kubek.

– Dlatego chciałem cię odnaleźć. Ponieważ między nami było coś naprawdę specjalnego. Byłem idiotą i zraniłem cię, ale teraz to wszystko już za mną. Chcę, żebyśmy znowu byli razem.

– Ja… nie… nie sądzę… – Biorę głęboki wdech i mówię: – Nie, Adam. Tak nie będzie.

– Nie będzie? – Mina mu rzednie.

Potrząsam głową.

– Nie. Mam teraz nowe życie. Pracę.

– Chłopaka? – pyta szybko.

– No, niezupełnie. Nie. – „Tak czy inaczej zdaje się, że z Dominikiem koniec". – Ale to niczego nie zmienia. Dla nas dwojga razem nie ma już przyszłości.

– Proszę, Beth. – Patrzy na mnie ujmująco. – Nie odtrącaj mnie. Wiem, że to dla ciebie szok, jak się tu pojawiłem. Nie ma pośpiechu, przemyśl to sobie.

– Czas niczego nie zmieni – powtarzam niewzruszenie.

Wzdycha i upija łyk herbaty.

– No, może porozmawiamy o tym później.

– Później?

– Beth, nie mam się gdzie zatrzymać. Pomyślałem, że przenocuję u ciebie.

– Czemu niby tak pomyślałeś? – wykrzykuję z poirytowaniem.

– Zerwaliśmy ze sobą!

– Ale chcę cię z powrotem.

Wzruszam ramionami i wzdycham jeszcze bardziej zniecierpliwiona. Znowu jesteśmy w punkcie wyjścia.

– Nie mogę w nocy wracać do domu – mówi Adam. – Pozwolisz przenocować? Proszę?

Znowu wzdycham. Nie mam większego wyboru w tej materii. Trudno by było wyrzucić go na ulicę.

– No dobrze. Możesz spać na sofie. Ale tylko na jedną noc. Rozumiesz? Mówię poważnie.

– Rozumie się! – odpowiada ochoczo. Z twarzy bije mu radość: jest wyraźnie pewien, że jedna noc mu wystarczy, by mnie zdobyć z powrotem.

Gdy przyzwyczajam się już do obecności Adama, jego towarzystwo w jakiś dziwny sposób zaczyna mi odpowiadać. Adam dużo mówi, podsuwa mi najświeższe plotki i informuje o tym, co aktualnie porabia jego szalony brat. Gotuję na kolację proste danie makaronowe i kiedy jemy, on wciąż trajkocze. Aż dziwne słyszeć w mieszkaniu Celii tyle hałasu, zazwyczaj jest tu cicho.

Potem wracamy do salonu i Adam stara się zabawiać mnie rozmową, przypominając o naszych szczęśliwych chwilach, o obietnicach, które sobie składaliśmy. Nie mam nic przeciwko wspomnieniom, ale nie przynoszą one zamierzonego efektu. Kiedy podaję mu poduszkę i koc, żeby się umościł, próbuje mnie pocałować, ale ja stanowczo go odtrącam, co przyjmuje na pozór spokojnie.

Na pewno myśli, że to tylko kwestia czasu i w końcu ustąpię.

Idę spać do sypialni Celii, wciąż oszołomiona myślą, że Adam jest w pokoju obok i może nawet zamierza wśliznąć się jakoś do mojego łóżka. Na szczęście nie naprzykrza mi się w nocy.

Rano czuję się znacznie weselsza i mam wielką ochotę wrócić do pracy.

– Wyjdziesz później? – pytam Adama, zbierając swoje rzeczy po śniadaniu.

– Nooo… – Ma taką minę, jakby knuł coś chytrego. – Pomyślałem, że może bym się trochę pokręcił po mieście, jeśli nie masz nic przeciwko temu. Skoro już tu jestem, chciałbym zobaczyć trochę Londynu, a ty masz mieszkanie…

– Adam – mówię ostrzegawczo.

– Tylko jeszcze jedną noc! – błaga.

Wpatruję się w niego podejrzliwie. W końcu to chyba nie zaszkodzi.

– Jeszcze jedną. I koniec.

– Zgoda – szczerzy się w uśmiechu.

Cudownie jest znowu zobaczyć Jamesa. Stęskniłam się za nim.

– Wróciłaś, kotku! – woła, gdy wchodzę do galerii. Chce mnie uściskać, ale się odsuwam i krzywię. – Ach! – Na jego twarzy maluje się zrozumienie i smutek. – Och, Beth, czy zrobił ci krzywdę?

Wolno kiwam głową. To wielka ulga, że w końcu mogę się komuś zwierzyć.

– A to drań. Ty sobie tego nie życzyłaś?

Znów potakuję, czując się wobec Dominica jak zdrajczyni.

– To zakazane – oznajmia James. Poważnie spogląda sponad okularów, jak to ma w zwyczaju. – Przykro mi, Beth, nieważne, co do niego czujesz. Podstawowe zasady BDSM to bezpieczeństwo, nieprzekraczanie wyznaczonych granic i obopólna zgoda. Jeżeli je złamał, nie zbliżaj się do niego więcej, słyszysz?

Coś się we mnie zapada na te słowa. Ale może ma rację. Chciałabym tylko, żeby łatwiej to było znieść.

Przyjemnie spędzamy poranek, nadrabiając zaległości i śmiejąc się z Adama, który pojawił się ni stąd, ni zowąd i próbuje się przymilać, aby odzyskać moje względy. Mówię Jamesowi, że jutro zamierzam go wyrzucić, choćby nie wiem co.

W porze lunchu mam ochotę na sushi, wybieram się więc do naszego ulubionego miejsca po przeciwnej stronie Regent Street. Po wyjściu z galerii mijam stary kościół ukryty przed światem za ceglanym murem i żelazną bramką, otwartą, aby przechodnie mogli zajrzeć na dziedziniec. Nagle, ku mojemu wielkiemu zdziwieniu, ktoś stamtąd wyskakuje i chwyta mnie mocno za ramię.

Z okrzykiem zdziwienia stwierdzam, że to Dominic – trzyma mnie pewnym chwytem, wzrok ma dziki, a wygląd nadzwyczaj zaniedbany.

– Dominic! – Na jego widok coś mnie ściska w środku z podekscytowania.

– Muszę z tobą porozmawiać! – mówi natarczywie i wciąga mnie przez bramkę na kościelne podwórko.

„Chce mnie przeprosić! – Serce mi podskakuje na tę myśl. – Może jest jakaś nadzieja…?".

Rozgorączkowane oczy wpatrują się we mnie niemal z gniewem.

– Kto to jest, Beth?

– Co?

– Nie udawaj naiwnej. Widziałem go! Ten człowiek w twoim mieszkaniu! Kim on jest, do cholery!

– To Adam – odpowiadam bez namysłu.

Dominic gwałtownie wciąga powietrze, posyła mi intensywne, niemal rozpaczliwe spojrzenie, a potem puszcza mnie i wychodzi z dziedzińca, nie oglądając się za siebie.

– Cholera! – przeklinam, śpiesząc za nim. Zdążył już zniknąć w tłumie na ulicy. Czemu to powiedziałam? Dlaczego nie udawałam, że to mój brat? Teraz on myśli, że jestem z powrotem z Adamem. Przeklinam, tym razem w duchu. Będę musiała zadzwonić do niego i wyjaśnić.

„A niby czemu mam to robić? On jeszcze mnie nie przeprosił za to, co mi wyrządził. Może dobrze mu zrobi, jeśli się trochę podenerwuje".

Po powrocie z lunchu wciąż nie jestem zdecydowana. Nie wiem, co zrobić. Pomyślę o tym później.

W ciągu jednego dnia Adam zdążył wywlec wszystko ze swojej torby i porozrzucać jej zawartość po całym mieszkaniu, dodając do tego resztki jedzenia, które sobie kupił albo sam przygotował. Czuję przypływ irytacji, widząc, jak beztrosko traktuje to miejsce, a jednocześnie z ulgą myślę, że nie będę musiała przez całe życie po nim sprzątać.

– Jak ci minął dzień? – pyta troskliwie, gdy wracam do domu.
– Pomyślałem, że mógłbym cię zaprosić gdzieś na kolację.

– To bardzo miło z twojej strony, ale może najpierw wyskoczymy na drinka i zobaczymy, jak nam dalej pójdzie?

Już postanowiłam, że będę dzisiejszego wieczoru zupełnie szczera: powiem mu, że nie ma u mnie szans, i każę z samego rana wyjechać. Pub to chyba dobre miejsce na taką rozmowę.

– Okej, świetnie. Chodźmy.

Wychodzimy więc z kamienicy i idziemy obok siebie przez rozgrzane ulice. Powietrze jest parne, a niebo po raz pierwszy od niepamiętnych czasów zasnute białymi obłokami. Zdaje się, że burza wisi w powietrzu, ale właśnie tego nam trzeba po tylu dniach bezchmurnego nieba i upału.

– Wiesz co, Beth? – Adam zagaja rozmowę. Prowadzę go do tego lokalu, w którym kiedyś byłam z Dominikiem. – Wiesz, jesteś teraz inna. Wydajesz się bardziej... Nie wiem... doroślejsza. Wyrafinowana. I bardziej sexy. Zdecydowanie bardziej sexy.

– Posyła mi spojrzenie, które chyba miało być flirtujące, ale moim zdaniem wyszło raczej pożądliwie.

– Naprawdę? – Jestem zainteresowana wbrew sobie. Zastanawiałam się, czy doświadczenia ostatnich tygodni coś we mnie zmieniły. Najwyraźniej tak.

– Taak – przypochlebia się. – Jesteś bardzo atrakcyjna.

– Dzięki – odpowiadam ze śmiechem, ale zaraz przypominam sobie, że zamierzam lada moment wylać na niego kubeł zimnej wody. – Ale, Adam, choć to niezwykle miłe, nie oznacza, że między nami coś będzie.

Zatrzymujemy się. Patrzy mi prosto w oczy. Potem uśmiecha się smutno.

– To naprawdę koniec, tak?

Kiwam głową.

– Tak. Nie kocham cię. To ostatecznie, definitywnie skończone.

– Czy jest ktoś inny? – pyta.

Czerwienię się mocno i nic nie mówię.

– Tak myślałem – wzdycha. – No tak. Warto było spróbować. Byłem idiotą, Beth, teraz to rozumiem. Nie wiedziałem, co mam, dopóki tego nie zniszczyłem. Szczęściarz z tego faceta, tyle mogę powiedzieć.

Odpowiadam uśmiechem, trochę zażenowana.

– Dzięki, że to powiedziałeś, Adam. Naprawdę. Pomogło mi to uporządkować w głowie wiele spraw. Zawsze możemy zostać przyjaciółmi.

– Taak, pewnie – odpowiada gorliwie. – Ale coś mi mówi, że nieprędko zobaczymy cię z powrotem u nas. Może się mylę, oczywiście, ale tak mi podpowiada instynkt. – Zamyśla się na chwilę i dodaje: – Napijemy się mimo wszystko? Za stare czasy?

– Tak, bardzo chętnie.

– Dobrze. A rano wyjadę.

Jeszcze przez chwilę patrzymy: ja na niego, a on na mnie, przypominając sobie, ile kiedyś dla siebie znaczyliśmy. Tamten okres życia już za nami. Znowu ruszamy w stronę pubu.

Dość późno wracamy do mieszkania. Otwieram drzwi. Adam, trochę podchmielony po czterech piwach, zachowuje się głośno i nie zwraca uwagi na kremową kopertę czekającą na mnie na podłodze.

Serce we mnie zamiera na widok znajomej rzeczy. Podnoszę ją szybko. Podczas gdy Adam nie przestaje trajkotać, wymykam się do sypialni i drżącymi dłońmi otwieram kopertę. W liście jest napisane:

Do Mojej Pani!
Twój niewolnik pokornie prosi o jedną noc z Tobą. Zaszczyć go swoją obecnością jutro wieczorem w buduarze. Będzie na Ciebie czekał od 20.00.

Przyciskam kartkę do serca.

„O Boże. Mój niewolnik? Co to oznacza?

Pójdę. Oczywiście, że pójdę. Jak mogłabym odmówić?".

Rozdział dziewiętnasty

Następnego dnia żegnam się z Adamem i patrzę, jak wyrusza na dworzec kolejowy, by powrócić do świata, który ja zostawiłam za sobą. Wkrótce również Celia wróci do siebie i co wtedy zrobię? Zaczynam się tym gryźć. Nie mam gdzie mieszkać, a kiedy asystent Jamesa wyjdzie ze szpitala, zostanę też bez pracy.

Postanawiam, że wyślę mejla do Laury i napiszę, że jestem zainteresowana wspólnym mieszkaniem, a może James znajdzie dla mnie jakieś zajęcie w galerii.

Jedno jest pewne. Nie mogę wrócić do mojego starego życia. Nie teraz.

Cały dzień mija mi w stanie najwyższego podekscytowania zapowiadającym się spotkaniem, choć trudno powiedzieć, jakie właściwie budzi ono we mnie odczucia. Zatrzymuję je dla siebie, rozmyślając, co by to mogło oznaczać – czy jestem podniecona, czy raczej przerażona. Fizyczny ból w plecach może i przygasł, a pręgi prawie zniknęły, ale dusza wciąż mocno cierpi z powodu takiego obrotu spraw. Bardzo się starałam, aby dać z siebie to, czego Dominic pragnął, a on w końcu wziął więcej, niż mogłam zaofiarować. A najbardziej rani mnie fakt, że nie było potem z jego strony żadnych przeprosin – to o wiele gorsze niż sama ciężka chłosta. Kochałam go i oddałam mu się, a on tak po prostu zniknął z mojego życia, jakby go tam nigdy nie było.

Pamiętam dziki wyraz jego oczu, kiedy mnie pytał o Adama. Pewnie myśli, że do niego wróciłam. No, wkrótce się domyśli prawdy, gdy już go więcej nie zobaczy w mieszkaniu. Jestem też zaintrygowana. Mój niewolnik? Dominic nie bywa uległy. Wiem, że zaczynał w ten sposób, jako zabawka Vanessy, kiedy ćwiczyła na nim swoją dominację, ale powiedział, że z tym skończył. Coś się na pewno wydarzy. Tylko nie jestem pewna, co to będzie.

Po powrocie do domu biorę długą kąpiel, godziny suną wolno. Ubieram się starannie, tym razem nie w jakiś wymyślny kostium, tylko w swoją czarną sukienkę. Nie będę mieć na sobie majtek z otwartym krokiem ani uprzęży, ale wkładam swoją najładniejszą bieliznę.

„Tak na wszelki wypadek".

W głębi duszy mam nadzieję, że on czeka, by wziąć mnie w ramiona, pocałować i powiedzieć, że popełnił straszny błąd. Że w ogóle nie ma dominującej natury i w rzeczywistości jest normalnym facetem, któremu w głowie tylko serduszka, kwiatki i słodki, milusi seks w krainie łagodności, i że chce ze mną być. To natychmiast rozwiązałoby wszystkie nasze problemy. Ale mam przeczucie, że taki bieg wydarzeń jest nierealny.

Minęło już wpół do dziewiątej, kiedy wyruszam do buduaru. Wiem, że to dziecinne kazać mu czekać na siebie, ale nie mogę się oprzeć chęci małego odegrania się na nim za to, jak sam mnie traktował. Gdy pukam do drzwi, serce mi się kołacze, a dłonie pocą. W żołądku czuję nerwowe trzepotanie. Pragnę się z nim zobaczyć, z tym starym Dominikiem, który kiedyś do mnie należał, ale też boję się tego, co się może zaraz stać. Obiecałam przecież, że znajdując się w buduarze, będę uległa.

„Ale nie mam na szyi obroży" – przypominam sobie.

Po chwili drzwi się otwierają, za nimi panuje ciemność. Zaglądam do środka i przestępuję próg.

– Dominic?

– Beth. – Głos ma niski, schrypnięty. – Wejdź do sypialni.

Z pokoju do korytarzyka wpada smuga przyćmionego światła. Idę ku niej. Z buduaru zniknęła niska ława, ale białe skórzane krzesło z podnóżkiem pozostało. Koło łóżka stoją dwa fotele ustawione przodem do siebie. W jednym siedzi Dominic, ale wstaje, gdy wchodzę; ma pochyloną głowę i wzrok wbity w podłogę.

– Dziękuję, że przyszłaś – mówi ponurym tonem. – Nie zasługuję na to.

– Chciałam usłyszeć, co masz do powiedzenia – odzywam się pewnym głosem, ale wcale nie czuję się silna. – Byłam ciekawa, kiedy albo czy w ogóle znowu się do mnie odezwiesz.

Podnosi pełne smutku oczy. Chcę podbiec do niego, przytulić go i powiedzieć, że wszystko będzie dobrze. Ale udaje mi się zapanować nad sobą. Rozpaczliwie pragnę usłyszeć to, co chciał mi przekazać.

– Chodź i usiądź, Beth. Chcę ci wszystko wyjaśnić. – Wskazuje gestem drugi fotel. – Od naszego ostatniego spotkania przeżywam bardzo ciężki okres. To, co się stało między nami w sobotę, jest przerażające, wtrąciło mnie w wielki kryzys. Musiałem wyjechać na kilka dni, by porozmawiać z kimś, komu mogłem się zwierzyć ze swojego czynu i poprosić o radę.

– Z terapeutą? – pytam.

– Nie, niezupełnie. To raczej jakby mentor. Ktoś, kto od czasu do czasu był moim przewodnikiem na tej ścieżce. Szanuję i podziwiam jego mądrość i doświadczenie. Nie będę teraz opowiadał o tej osobie, powiem tylko, że pomogła mi zrozumieć ciężar mojego uczynku. – Głowa znów smutno mu opada. Składa dłonie na kolanach w błagalnym geście.

Serce mi się do niego wyrywa. Dominic wygląda tak cudownie, przyćmione światło wydobywa z mroku zarys jego sylwetki.

Pragnę go dotknąć, przesunąć palcami po jego twarzy i szepnąć, że przebaczam.

„Ale czy na pewno?

Nie, jeszcze nie przebaczyłam. Zanim to się stanie, muszę mu powiedzieć o kilku sprawach".

Podnosi na mnie wzrok. Jego ciemne oczy w tym oświetleniu wyglądają jak płynny węgiel.

– Beth, jak wiesz, tego rodzaju związkami rządzą pewne zasady. Byłem bardzo butny. Kiedy ustalaliśmy podstawowe reguły, powiedziałem, że cię poznałem, potrafię odczytywać twoje sygnały i że będę wiedział, kiedy będziesz miała dość. Nie pozwoliłem ci, byś sama wyznaczyła granice, chociaż miałem świadomość, że nie podoba ci się loch. Teraz widzę, że od początku zamierzałem cię tam zabrać, bez względu na twoje odczucia. Ja... – urywa, twarz mu wykrzywia dziwny grymas. – Powiedziano mi, że zachowałem się tak, jak w swoich pozbawionych miłości dawnych związkach. Dotychczas uległe wobec mnie kobiety zjawiały się w moim życiu tylko po to, żeby mi dawać seksualną przyjemność. Ale tym razem, między nami, jest coś zupełnie innego. Wiem, że oddałaś się w moje ręce z miłości, nie dla własnego zaspokojenia. Wszystko się we mnie ścina na myśl, jak wziąłem ten cenny dar i wykorzystałem tak egoistycznie.

– Nie byłeś kompletnym egoistą – mówię łagodnie. – Wiele, a właściwie większość rzeczy, które mi robiłeś, była cudowna. Uwielbiałam to. Dałeś mi taką przyjemność, o jakiej istnieniu dotąd nie miałam pojęcia. Ale coś potoczyło się bardzo źle.

Potakuje.

– Myślę, że wiem, co to było. Ale mów dalej, powiedz mi.

Przygotowałam sobie to, co mam powiedzieć, przez kilka dni przetrawiałam to w myślach.

– Gdy stałeś się Dominikiem-panem, zatraciłeś wszelki ślad po poprzednim Dominicu. Ani razu nie pocałowałeś mnie z czułością i prawie wcale nie pieściłeś. Mogłam to znieść, gdy odgrywaliśmy sceny z fantazji, kiedy byłam uległa. Ale potem... To było bardzo dziwne. Czułam się tak tobie bliska, a jednocześnie tak dotknięta tym, co mi właśnie zrobiłeś, zwłaszcza jeśli to było bicie. I właśnie wtedy potrzebowałam twojej miłości, wsparcia i czułości. Twoich pocałunków, objęć i pocieszenia, że będzie w porządku. – Łzy mi napływają do oczu. – A nade wszystko potrzebowałam zapewnienia, że tak naprawdę nie jestem bezwartościową niewolnicą, tylko drogą ci dziewczyną.

– Nie mów już, Beth – przerywa mi ochrypłym głosem, jakby moje słowa sprawiały mu ból. – Wiem, że to było złe. Tak się zapędziłem w pieprzeniu... Trudno mi się do tego przyznać, ponieważ nigdy dotąd podczas odgrywania fantazji nie straciłem panowania nad sobą, naprawdę nigdy. Myślałem, że jestem w tym dobry, doświadczony, prawdziwy mistrz w sztuce. – Śmieje się ponuro. – Okazało się, że nie. Nie wiem, jak to się stało. Jedyne, co mi przychodzi do głowy, to że nie jestem przyzwyczajony do tak dużego zaangażowania emocjonalnego. – Wstaje, podchodzi do szafki, otwiera ją i coś wyjmuje. Wraca i kładzie to coś na moich kolanach. – Dlatego chcę, żebyś posłużyła się tym.

Wlepiam wzrok w bicz o dziewięciu rzemieniach – ten sam, którym mnie wychłostano w lochu. Robi mi się niedobrze.

– Dominic, nie, nie mogę...

– Proszę, Beth. Chcę tego. Nie wybaczę sobie, dopóki nie wycierpię choć odrobiny tego, co sprawiłem tobie. – Patrzy na mnie intensywnym, błagalnym spojrzeniem.

Mam ochotę rzucić tym przeklętym narzędziem przez pokój.

– Dlaczego nie możemy być normalni? – krzyczę. – Czemu nie możesz po prostu przeprosić? Dlaczego wszystko musi się wiązać z TYM?

– Bo to moja pokuta – mówi cicho, jakby powtarzał coś, czego się nauczył na pamięć. – Muszę ponieść karę.

Zdejmuje marynarkę, a potem koszulę. Jest nagi do pasa.

„Och, mój piękny Dominicu. Chcę cię kochać. Nie chcę bić".

– Nie – mówię prawie szeptem.

Wstaje, podchodzi do mnie i klęka u moich stóp, skłaniając głowę. Przesuwam oczyma po jego opalonych plecach, po miękkich ciemnych włosach na karku, po muskularnych barkach. Chcę go dotykać, poczuć pod palcami upajającą kompozycję twardych mięśni i miękkiej skóry, zmierzwić mu ręką włosy.

– Chcę cię przeprosić Beth – mówi miękko – za tę okropną, niewybaczalną rzecz, którą ci zrobiłem. Najważniejszym elementem naszego związku było zaufanie, a ja tak strasznie go nadużyłem. Tak bardzo, bardzo mi przykro.

– Wybaczam ci. Nie chcę cię karać.

– Beth, proszę… – Błagalnie podnosi wzrok. – Potrzebuję tego. Muszę znieść cierpienie tak jak ty. To jedyny sposób.

Znowu spoglądam na bicz leżący na moich kolanach. Wygląda tak nieszkodliwie, niemal niewinnie. Lecz napędzany ludzkim pożądaniem może się zmienić w narzędzie kaźni.

– Proszę. – Jedno słowo, a tak obciążone potrzebą.

„Jak mogłabym odmówić?".

Wstaję, biorąc do ręki pejcz. Ważę w dłoni jego ciężar. Zastanawiam się, czy to największa uległość, na jaką muszę się zdobyć. Mój piękny, dominujący, władczy Dominic chce, abym dała mu posmakować tego, co wcześniej sam mi narzucił. Żąda tego i ja posłucham.

– W porządku. Jeśli faktycznie tego chcesz.

Na jego twarzy maluje się ulga.

– Dziękuję – mówi niemal z radością. – Dziękuję.

Wstaje i podchodzi do białego skórzanego krzesła. Przypominam sobie swoją ekstazę, kiedy Dominic pomógł mi się wznieść na szczyty przyjemności. Teraz on leży plecami do mnie, ręce ma za siedzeniem i trzyma się ramy. Mam przed sobą wyeksponowany cały jego grzbiet, od karku po pas.

– Jestem gotowy – mówi.

Podchodzę i staję obok krzesła, czując w ręce ciężar bata. Rączka jest trochę za duża, żeby trzymało mi się ją wygodnie, i przypuszczam, że nie jest to instrument, od którego kochająca pani rozpoczęłaby chłostę. Pamiętam, że Dominic zawsze najpierw rozgrzewał mnie łagodnie delikatnymi smagnięciami i większymi materiałami, zanim sięgnął po twardsze narzędzia kary.

„Naprawdę zamierzam to zrobić?".

Mówię sobie, że on właśnie tego chce. Mimo wszystko przecież go kocham.

Podnoszę bicz i kolistym ruchem spuszczam go na plecy Dominica. Nieskuteczne machnięcie zaledwie go muska, ale wrażenie, jakie wywiera posługiwanie się biczem, jest tak dziwne, że nie potrafię przyłożyć prawdziwej siły. Próbuję znowu i jeszcze raz, lecz wciąż nie jestem w stanie zdobyć się na więcej. Obawiam się, że to dlatego, że nie chcę.

– Spróbuj innego zamachu – podpowiada Dominic. – Ramię do tyłu i poprowadź po prostej, tak żeby bat po mnie śmignął. I z powrotem tak samo. Nie skręcaj całego ciała, skup siłę w ramieniu i nadgarstku.

„Lekcja pobierana u mistrza" – myślę cierpko. Jednocześnie robię, jak każe, i na jego plecy spada pierwszy poważniejszy cios. Wyrywa mi się okrzyk, gdy czuję jego echo w ramieniu.

– Właśnie tak – mówi Dominic pewnym głosem. – Dalej. Mocniej.

Uderzam ponownie z tej samej strony, cofam bat i znowu okładam grzbiet. Widzę ciemniejące pasy skóry w miejscach, na które spada bicz. Zamierzam się z drugiej strony i spuszczam pejcz w to samo miejsce.

– Bardzo dobrze, Beth. Dobra robota. Proszę, nie przestawaj.

Przyzwyczajam się do ciężaru narzędzia i odnajduję rytm. Czuję, jak końcówki bicza smagają plecy Dominica. Wsłuchuję się w dźwięk tworzący podkład rytmiczny do mojego działania. Powoli zapominam, że trzask bicza wiąże się z zadawanym bólem, chociaż wiem, że o to właśnie chodziło.

Uderzenia są coraz silniejsze. Plecy Dominica czerwienieją, skóra obrzmiewa pod razami rzemienia. Uświadamiam sobie, że zaczynam rozumieć, jakie to daje poczucie władzy, jak narastające pragnienie chłostania ciała chętnej ofiary może stwarzać wrażenie ciemnej, prymitywnej siły. Może mimo wszystko jest we mnie jakaś brutalność.

„A może ta dominująca osoba potrzebuje nie kontroli nad kimś innym, tylko nad samą sobą. Jej pragnienia muszą podlegać temu, ile jest w stanie znieść uległy partner lub partnerka".

Rozumiem teraz, jak to jest, że Dominic zawiódł się sam na sobie. I zawiódł mnie.

Gdy tak rozmyślam, wszelkie pragnienie rozkoszowania się zadawanym bólem znika. Widok zaczerwienionej skóry i biało-czerwonych pasów pozostawianych przez bicz wywołuje okropny żal, na pewno nie jest w stanie mnie podniecić.

Ale kontynuuję.

Instynkt podpowiada mi, żeby zmienić pozycję, staję więc niemal z boku Dominica i do wymierzania razów odsuwam ramię w tył, jakbym w tenisie stosowała zamaszysty forhend. Tuż przed wylądowaniem rzemieni powstrzymuję nieco impet, tak że wytracają go całkiem na skórze, nie przenosząc siły w głąb ciała.

Przy pierwszym takim smagnięciu Dominic krzyczy. Jego głos rozdziera mi serce. Znów krzyczy, i znowu. Ze skóry na grzbiecie sączy się przeźroczysty płyn. Na ten widok do oczu napływają mi gorące, gorzkie łzy. W piersi narasta szloch. Czuję, że przełamuje mi się przez gardło, ilekroć zadaję cios. To dla mnie zbyt wiele, ale zaciskam zęby i chłoszczę dalej.

Dominic zbiera się w sobie i opanowuje. Oczy ma zamknięte, ale widzę, jak mocno zwiera szczęki i walczy z sobą, aby wchłonąć mękę i nie krzyczeć. Wiem, że każde smagnięcie go oczyszcza, przynosi odkupienie, którego tak pragnął.

„Nie wiem tylko, jak długo sama to wytrzymam. To bezlitosne, barbarzyńskie".

– Nie przestawaj – rozkazuje Dominic przez zaciśnięte zęby.
– Jeszcze.

„Jeszcze?". Łzy skapują mi z twarzy, ale posłusznie biorę zamach i z trzaskiem spuszczam pejcz na jego grzbiet. Na opuchniętych, czerwonych plecach nie widać już pojedynczych pręg. Ze skóry sączy się przeźroczysty, lepki, lśniący płyn.

– Nie mogę – mówię. – Nie mogę. – Szloch dusi mnie, odbiera mowę.

I wtedy widzę je – przez powierzchnię umęczonej skóry przedzierają się rubinowe kropelki i wybuchają niczym miniaturowe wulkany. Występują na wierzch, po czym zaczynają ściekać. Krew.

– Nie! – wołam i opuszczam bicz. – Nie, nie mogę już więcej. – Zaczynam płakać na dobre. – Twoje biedne plecy krwawią.

Pokonana wrażeniami ponad siły osuwam się na podłogę, pejcz wymyka mi się z dłoni, głowa opada, z oczu płyną łzy. Jak do tego doszło? Biję do krwi człowieka, którego kocham.

Dominic podnosi się wolno. Jest sztywny z bólu, a gdy odwraca się, żeby na mnie spojrzeć, widzę, że też ma mokre oczy.

– Beth, nie płacz. Nie rozumiesz? Nie chcę ci sprawiać bólu.

To taka gorzka ironia, że szlocham jeszcze bardziej.

– Hej, kochanie, moje kochanie. – Wstaje i podchodzi do mnie, klęka tuż obok i bierze mnie za ręce. – Nie płacz.

Jego twarz jest jednak pełna smutku, w oczach lśnią łzy. Nie mogę go nawet objąć, ma zbyt obolałe plecy. Wyciągam więc ręce i biorę w nie jego ukochaną twarz.

– Jak do tego doszło? – pytam szeptem. Następnie wolno wstaję. – Nie mogę tego dłużej robić. Wiem, że chcesz odpokutować winę czy jakieś inne pieprzone uczucie, ale ja nigdy więcej nie będę dla ciebie instrumentem. Za bardzo mnie to rani. Przykro mi.

Potem odwracam się, idę do drzwi i zostawiam go samego. Nie chcę go tak opuszczać, ale wiem, że jeżeli teraz nie wyjdę, serce mi pęknie.

Rozdział dwudziesty

W pracy James traktuje mnie łagodnie. Widzi, jak jestem rozchwiana emocjonalnie i że się zmagam z czymś ważnym. Chyba żałuje, że mnie zatrudnił; odkąd zaczęłam, jestem dla niego tylko ciężarem.

Udaje mi się jednak zająć umysł pracą. Naprawdę pomaga – organizując wystawę, zapominam o wczorajszym wieczorze. Kiedy mimo wszystko tamta scena staje mi przed oczyma, jawi się niczym niepojęty horror. Czuję się jak złapana w jakiś koszmar, w którym miłość i ból są ze sobą mocno, nierozerwalnie powiązane. I po raz pierwszy nie wiem, czy nie przerasta to moich sił.

Myślę o Adamie – spokojnym, przewidywalnym Adamie – który czeka na mnie w rodzinnym mieście. Może to jest zresztą odpowiedź. Może jednak nie jestem stworzona do świata wielkich namiętności i prawdziwych dramatów.

Ale wygląda na to, że nie ma rozwiązania: czekają mnie żal i rozczarowanie, jeśli to pociągnę dalej, i to samo, jeżeli się wycofam.

Po południu James przynosi mi filiżankę herbaty i oznajmia:

– Mam wiadomości od Salima.

Salim to stały asystent Jamesa; jak się zdążyłam zorientować, bardzo zorganizowany i efektywny pracownik.

– W przyszłym tygodniu wychodzi ze szpitala – ciągnie dalej James trochę jakby nieśmiało. – A potem zapewne wróci do swoich obowiązków.

– Wiedziałam o tym od początku – odpowiadam. – Nigdy tego nie ukrywałeś.

James wzdycha i zdejmuje okulary.

– Wiem, Beth, ale bardzo mi miło mieć cię obok siebie. Przede wszystkim wnosisz do mojego życia odrobinę urozmaicenia. Chciałbym znaleźć jakiś sposób na to, by cię tu zatrzymać.

– Nie martw się – mówię z uśmiechem. – I tak w przyszłym tygodniu będę musiała opuścić mieszkanie Celii. Przecież wiedziałam, że to tylko tymczasowe życie.

– Och, Beth. – Kładzie mi rękę na ramieniu. – Będzie mi cię brakowało. Mam nadzieję, że zawsze będziesz mnie uważała za przyjaciela.

– Oczywiście, że tak. Zbyt łatwo się mnie nie pozbędziesz! – Bardzo się staram, żeby to brzmiało normalnie, lecz w środku aż skręca mnie z niepewności. Co, u licha, będę teraz robić? Nawet jeżeli Laura zechce mnie na współlokatorkę od jesieni, tymczasem będę musiała wrócić do domu. Skoro nie mam miejsca do zamieszkania ani pracy, co mnie tu zatrzyma?

„Dominic?".

Na tę kwestię zamykam swój umysł. Zbyt dotkliwa jest myśl o alternatywie: i bycie z nim, i życie bez niego będzie jednakowo bolesne.

– Jeśli się znajdzie coś odpowiedniego dla ciebie, dam ci znać – obiecuje James.

– Dziękuję, James. Doceniam to.

– Jak ci się układa z Dominikiem? – pyta ostrożnie. – Jakaś zmiana?

Przez chwilę milczę, zastanawiając się, ile mu mogę powiedzieć. Potem mówię:

– Nie sądzę, żeby to miało szanse powodzenia. Raczej nie pasujemy do siebie.

– Ach. – W tonie jego głosu słychać zrozumienie. – Obawiam się, że to trochę przypomina sytuację, w której kobieta zakochuje się w geju. Możesz myśleć, że go zmienisz, lecz rzeczywistość temu przeczy. – Znowu pocieszającym gestem kładzie mi dłoń na ramieniu. – Przykro mi, skarbie. Na pewno znajdziesz kogoś innego.

Nie wiem, czy dam radę spokojnie odpowiedzieć, więc tylko kiwam głową. Potem muszę się pochylić nad danymi klientów, żeby nie zauważył łez w moich oczach.

Gdy wracam z pracy do domu w piątkowe popołudnie, Londyn tętni weekendową radością. Mimo że słońce zdecydowanie kryje się za grubą, gęstą zasłoną chmur, wciąż jest gorąco, a powietrze wydaje się wyjątkowo rozrzedzone.

Jadąc windą do góry, czuję, że coś się zmieniło, a gdy przekręcam klucz w zamku drzwi wejściowych, jestem pewna, że w mieszkaniu panuje inna atmosfera niż dotychczas. Po raz pierwszy De Havilland nie wychodzi mi naprzeciw z wysoko uniesionym ogonem. W przedpokoju dostrzegam dwie duże walizki.

– Wiiitaj! – rozlega się czyjś głos i zaraz w drzwiach salonu staje elegancka starsza kobieta. Wysoka, zadbana, ubrana w niebieską drukowaną kopertową sukienkę. Skórę ma pokrytą zmarszczkami, lecz miękką, a siwe włosy zgrabnie krótko obcięte. To Celia.

Wlepiam w nią wzrok w zdumieniu.

– Wiem, wiem – mówi, idąc do mnie z otwartymi ramionami. – Powinnam była zadzwonić, ale kiedy chciałam, telefon mi nie działał, a kiedy zadziałał, byłam zbyt zajęta odprawą na lotnisku, i oto jestem.

Wciąż przetwarzam w głowie nowinę, podczas gdy ona ściska mi dłonie i całuje mnie w oba policzki.

– Czy coś pomyliłam? – pytam. – Zrozumiałam, że wracasz, ciociu, w przyszłym tygodniu.

– Nie, masz rację, ale nie mogłam znieść tego nędznego „ustronia" ani dnia więcej! Nigdy nie byłam przez tak długi czas uwięziona w jednym miejscu z tyloma przerażającymi nudziarzami. A wyżywienie… – Wznosi oczy ku niebu. – Kochanie, muszę być chyba rozpieszczona, ale uważam, że nie ma moralnego imperatywu, który nakazywałby nam odżywiać się tak koszmarnie! Tak się składa, że czuję się znacznie lepiej, jeśli mogę trzy razy dziennie zjeść smaczny posiłek. Proszę, nie bądź rozczarowana moim wcześniejszym powrotem.

– Oczywiście, że nie jestem – odpowiadam, chociaż przeciwnie: jestem. To okropne.

– Nie musisz wyjeżdżać, możesz zostać do umówionego czasu, ale obawiam się, że zechcę odzyskać swoje łóżko. Siedemdziesięciodwuletnie staruszki nie obejdą się bez luksusowych materacy i góry poduszek. Ale mówiono mi, że moja sofa jest wygodniejsza niż niejedno hotelowe łóżko. Więc możesz ją zająć. – Uśmiecha się do mnie. Naprawdę ma zdumiewającą skórę: wygląda na miękką niczym chusteczka.

– Cóż, jeśli nie będziesz miała, ciociu, nic przeciwko temu – mówię z wahaniem. Bądź co bądź, nie mam się gdzie podziać, a został mi jeszcze tydzień pracy u Jamesa. Może w przyszłym tygodniu uda się coś załatwić, choć nie mam pojęcia jak.

– Oczywiście, że nie mam nic przeciwko temu. Mieszkanie jest cudownie zadbane, a De Havilland aż promienieje. Widać, że się dobrze zajmowałaś moim małym aniołkiem. Czy masz jakieś plany na wieczór, czy może pozwolisz mi się zaprosić na kolację?

Nie mam żadnych planów prócz tego, że chciałabym zobaczyć Dominica w oknie naprzeciwko. Zdaje się, że to może na razie zaczekać.

– Kolacja byłaby uroczym pomysłem, ciociu, dziękuję – mówię radośnie.

– Znakomicie. Pójdziemy do Monty's Bar. Mają tam wyśmienite jedzenie, a ja naprawdę zasługuję na nie po tym, co wycierpiałam.

I bar, i serwowane w nim dania okazują się wspaniałe, ale nie umiem odegnać od siebie pragnienia, by być z powrotem w cichym mieszkaniu i zaglądać w sąsiednie okno. Celia jest bardzo interesująca i zabawna, zadaje mnóstwo pytań o mój pobyt w Londynie i o pracę w galerii, ale ja czuję, że powinnam teraz być gdzie indziej. Kiedy wracamy do domu, jest już późno i gdy w końcu mam okazję zerknąć w stronę okna Dominica, jego mieszkanie tonie w ciemności.

Celia urządza mi na sofie posłanie z pościeli, koca i poduszki. Moszczę się na nim wygodnie, lecz długo nie mogę zasnąć. Umiem tylko spoglądać w ciemne okno naprzeciwko i zastanawiać się, gdzie on jest i co robi.

W sobotę z oczywistych powodów Celia chce zostać w mieszkaniu, uporządkować swoje rzeczy i zadomowić się na nowo, toteż wyruszam wcześnie rano, by spędzić ten dzień samotnie w mieście.

Prawie jakbym wróciła do punktu, w którym się to wszystko zaczęło – spaceruję po Londynie tak jak inni turyści, stoję w kolejce do British Museum i do Victoria and Albert. Co pół godziny sprawdzam telefon, żywiąc płonną nadzieję, że Dominic skontaktuje się ze mną. Najwyraźniej nie mam na co liczyć. Przypuszczalnie uznał mnie za beznadziejny przypadek i dał sobie ze mną spokój. Teraz, kiedy już odbył swoją niepojętą pokutę, pewnie mnie nie potrzebuje.

Wciąż nie mogę się pożegnać z nadzieją na to, że chce o mnie walczyć, może nawet się zmienić. Mija jednak godzina za godziną, a żadna wiadomość nie przychodzi.

Wracam do mieszkania późnym popołudniem, zgrzana i zmęczona. Celia czeka na mnie, teraz spokojna i zrelaksowana po tym, jak się rozpakowała.

– Napijesz się herbaty, jak sądzę – ogłasza i przygotowuje imbryk earl greya, który podaje z pysznymi morelowymi ciasteczkami. Kiedy sączymy herbatę, rozmawiając o tym i owym, Celia nagle przerywa:

– O, właśnie sobie przypominam… Gdy wczoraj weszłam do mieszkania, na wycieraczce w przedpokoju leżał list do ciebie. Położyłam go na stoliku i zamierzałam ci od razu wręczyć, ale zupełnie zapomniałam. Zobaczyłam go dopiero dzisiaj już po twoim wyjściu.

Odkładam szybko filiżankę i pędzę do przedpokoju. Znajoma kremowa koperta jest zaadresowana do mnie pismem Dominica. Rozdzieram ją szybko drżącymi rękami. W środku znajduję odręcznie zapisaną kartkę.

Droga Beth,

Twoja odwaga i hart ducha wzbudzają we mnie ogromny podziw i szacunek. To, o co poprosiłem poprzedniej nocy, wymagało od Ciebie wielkiego poświęcenia. Wiem, że popchnąłem Cię na granice Twoich możliwości, i doskonale rozumiem, że dalej nie mogłaś się już posunąć. Jeżeli któreś z nas powinno się wyrzec swoich potrzeb, to ja, Beth, a nie Ty. Zachowywałem się bardzo egoistycznie i dostałem nauczkę, że nie przybliża mnie to do tego, czego najbardziej pragnę, to znaczy do Ciebie.

Miałem swoją szansę, wiem o tym. Wytrwałaś przy mnie dłużej niż jakakolwiek inna kobieta. Ale i tak to spieprzyłem. Po tym, co się wydarzyło między nami, nie śmiem mieć na nic nadziei, ale gdybyś chciała porozmawiać, będę u siebie dziś wieczorem.

Jeśli nie dostanę od Ciebie wiadomości, zrozumiem, że nie życzysz sobie dalszego kontaktu, i uszanuję to.

Mam nadzieję, że Ty i Adam będziecie razem szczęśliwi.

Uściski,

Dx

PS Buduar jest do Twojej dyspozycji. Korzystaj z niego, jak długo Ci będzie potrzebny.

Zamieram ze zgrozy. Czekał na mnie *zeszłego wieczoru*. Kiedy jadłam kolację z Celią, on był u siebie, mając nadzieję, że przyjdę porozmawiać.

A z listu wynika, że chce się zmienić, wyraża gotowość pójścia inną drogą.

„O mój Boże. Czy już za późno?".

Śpieszę do salonu i patrzę do mieszkania naprzeciwko. Półprzeźroczyste zasłony są zasunięte, ale widzę, że ktoś się tam porusza.

„Jest u siebie. Jeszcze zdążę".

Zwracam się do Celii, która siedzi na sofie i obserwuje mnie z niejakim zdziwieniem.

– Muszę wyjść. Nie wiem, kiedy wrócę.

– Skoro musisz, kochanie – mówi, głaszcząc De Havillanda zwiniętego na jej kolanach. – Do zobaczenia.

Wychodzę w takim pośpiechu, że nawet się z nią nie żegnam.

Rozdział dwudziesty pierwszy

Kilka oszalałych minut, żeby się dostać z jednej części budynku do drugiej, i oto pędzę korytarzem w stronę mieszkania Dominica. Dobijam się do drzwi.

– Dominic, jesteś tam? To ja, Beth!

Dręcząca chwila oczekiwania, a potem słyszę zbliżające się kroki. Drzwi otwierają się na oścież, ukazując wysoką, smukłą postać Vanessy.

„Co ona tu robi?!".

– A, Beth – mówi chłodno. – No, no.

– Gdzie jest Dominic? – wysapuję. – Muszę się z nim zobaczyć.

– Trochę na to za późno, nie sądzisz? – Odwraca się na pięcie i wchodzi do środka. Idę za nią, wciąż walcząc z zadyszką.

– Co to znaczy?

Zwraca się w moją stronę i przeszywa mnie twardym spojrzeniem.

– Czy nie narobiłaś już dość kłopotów? – pyta zimnym tonem. – Przewróciłaś wszystko do góry nogami. Zanim się pojawiłaś, było porządnie poukładane.

– Ja… nie… nie rozumiem… Co takiego zrobiłam?

Vanessa przechodzi do salonu, a ja za nią. Okropnie jest znaleźć się tu bez Dominica. Jakby brakowało niezbędnej iskry życia.

– Cóż, oczywiście spowodowałaś problem, oto co zrobiłaś. – Wbija we mnie wzrok. – Dominica nie ma. Wyjechał.

– Wyjechał? – Krew odpływa mi z twarzy. Zaraz zemdleję.

– Dokąd?

– To naprawdę nie twój interes, ale jeśli już musisz wiedzieć, jest w drodze do Rosji. Wezwał go szef i niewątpliwie zabawi tam jakiś czas.

– Jak długo?

Vanessa wzrusza ramionami.

– Tygodnie. Miesiące. Nie wiem. Zawsze stawia się na wezwanie szefa. Z Rosji może polecieć do Nowego Jorku albo do Los Angeles, Belize czy na koło podbiegunowe. Kto wie?

– Ale… on mieszka tutaj.

– Mieszka tam, gdzie to konieczne. A jeśli musi być gdzieś indziej, na pewno się tam nie nudzi. – Chodzi po pokoju, zbierając jakieś rzeczy i wkładając je do płóciennej torby. – Tak że wygląda na to, iż twój wakacyjny romansik dobiegł końca.

Gapię się na nią, wciąż nie ogarniając sytuacji. Ile ona wie o tym, co zaszło? Są sobie bliscy z Dominikiem, ale czy aż tak, by się jej zwierzał z naszych intymnych spraw?

Vanessa zatrzymuje się i odwraca do mnie. Twarz ma kamienną, gdy kładzie rękę na biodrze i stwierdza:

– Myślę, że jesteś głupia, jeśli mogę wyrazić swoje zdanie. Był gotów zrobić dla ciebie więcej niż dla kogokolwiek innego. Chciał się spróbować zmienić. A ty to odrzuciłaś.

– Ale to pomyłka – mówię bez tchu, wreszcie odzyskując głos. – Pomyślał, że jestem z powrotem z Adamem, a to nieprawda. I miałam się z nim spotkać wczoraj wieczorem, ale dostałam wiadomość dopiero teraz.

Vanessa wzrusza ramionami, jakby te szczegóły były dla niej zbyt nużące.

– Mniejsza o powody, straciłaś szansę. – Uśmiecha się ponuro. – Ptaszek definitywnie odleciał. Większość kobiet zrobiłaby wszystko, by go zdobyć, bez względu na jego słabostki. Nie sądzę, żebyś dostała drugą szansę.

Jej słowa przeszywają mnie boleśnie. Czy naprawdę byłam aż taka głupia?

Nagle nachyla się ku mnie z niemal życzliwym wyrazem twarzy. Oczy jej łagodnieją, gdy mówi:

– Wracaj do domu i zapomnij o nim. Dla własnego dobra, naprawdę. To nie miało szans powodzenia, tyle jest oczywiste. Miałaś swoje chwile radości. Wracaj tam, gdzie twoje miejsce.

Kiedy tak patrzę na nią, nagle ulatuje ze mnie duch walki. „Pewnie ma rację. Zna Dominica lepiej niż ktokolwiek inny". Gdyby było nam pisane wspólne szczęście, nie wdarłby się w to taki zamęt. Sposób, w jaki wiadomość się zapodziała... to musi być przeznaczenie. Jaki sens miałaby dalsza walka teraz, gdy on wyjechał?

– W porządku – mówię cicho. – Rozumiem. Czy możesz mu powiedzieć... Powiedz mu, że chciałabym, aby ułożyło się nam inaczej. I że nigdy nie będę żałować tej znajomości. To, co razem przeżyliśmy, wiele dla mnie znaczy.

– Oczywiście. – Uśmiecha się do mnie, jakby zadowolona, że nasza rozmowa się kończy. – Do widzenia, Beth.

– Do widzenia. – Odwracam się i wychodzę z mieszkania Dominica. Jak sądzę, po raz ostatni.

Gdy wracam do Celii, ona czyta książkę, sącząc białe wino przy dźwiękach muzyki Haendla. Na widok mojej twarzy natychmiast napełnia drugi kieliszek i wręcza go mnie.

– Biedna Beth – mówi ze współczuciem. – Życie bywa przykre, prawda? Zdaje się, że chodzi o miłość.

Kiwam głową, wciąż mocno wstrząśnięta docierającą do mnie z wolna wiadomością o wyjeździe Dominica.

– Nie musisz mi opowiadać wszystkiego, kochana, ale gdybyś mnie potrzebowała, jestem.

Siadam i pociągam spory łyk wina. Jego chłód i mineralny posmak przywracają mnie trochę do życia.

– Myślałam… Myślałam, że będę z kimś, ale nie wyszło. Wyjechał.

Celia kręci głową.

– O, kochana. Czy to wszystko z powodu nieporozumienia?

Znów kiwam głową, oczy mnie pieką. Z całych sił staram się zdusić w sobie emocje. Nie chcę tracić panowania nad sobą, nie jestem pewna, czy je potem odzyskam.

– Tak mi się wydaje – mówię. – Ale nic już nie wiem. Myślałam, że zbyt bolesne będzie życie z nim, a teraz chyba nie dam rady żyć bez niego.

– O, kochana – wzdycha Celia. – Tak, na to wygląda.

– Na co?

– Na miłość, kochana. Wielu ludzi woli unikać miłości. Zastępują ją czymś łatwiejszym, mniej wyczerpującym, nie tak niebezpiecznym. Bo, jak zauważył Szekspir, gwałtowne uniesienia mają gwałtowne zakończenia. Wielka namiętność niesie z sobą ból. Lecz życie bez niej… cóż, czy byłoby czegoś warte? – Rzuca mi jasne spojrzenie. – Nie jestem pewna. Nie każdemu z nas dane jest poczuć fascynującą namiętność do innej osoby czy też mękę, jaka się z tym wiąże. Miałam szczęście zaznać jej niejeden raz i dlatego teraz spokojnie żyję sama. Wiedząc, że kosztowałam trunku z tego cudownego pucharu, wolę raczej polegać na wspomnieniach niż szukać czegoś innego.

Patrzę na nią, wyobrażając sobie tamtą młodą Celię, porwaną uniesieniem dla swojego kochanka, żyjącą – tak jak ja ostatnio – na krawędzi rozkoszy i rozpaczy.

– To było bardzo dawno temu – mówi z przebłyskiem uśmiechu. – Zapewne trudno ci uwierzyć, że taka staruszka jak ja czuła kiedyś to, co ty teraz.

– O, nie, oczywiście, że nie – wtrącam szybko.

– Nie zadowalaj się spokojnym życiem. – Nachyla się w moją stronę. – Młodość wyślizguje się nam szybciej, niż sobie zdajemy sprawę. Zbierz siły, energię i całą pasję życia, uchwyć je, ciesz się nimi, poczuj to. Nawet ból przypomina ci, że żyjesz, bez niego nie wiedziałabyś, czym jest przyjemność. Nie zapominaj, że „Kominiarczyka, dworzanina – to samo czeka: piach i glina"[10]. Bardzo długo będziemy leżeć w grobie.

Jej słowa poruszają coś we mnie.

„Ma rację, wiem o tym". Fakt, że chciałam odrzucić Dominica oraz wszystko, co mi dał i co mi pozwolił odczuwać, wydaje się teraz absurdalny. Zaszliśmy za daleko, ale wiem z absolutną pewnością, że on nigdy by nie dopuścił, aby się to powtórzyło. Był gotów mnie wysłuchać i pójść na kompromis. Teraz to widzę. Ale ta szansa wymknęła mi się. Nie ma go.

„Nie ma przyjemności bez bólu. Nie ma namiętności bez cierpienia. Wolę czuć się żywa niż bezpieczna.

Dominic, gdzie ty, u diabła, jesteś?".

Dopiero znacznie później, gdy leżę zwinięta w kłębek na sofie i próbuję zasnąć, przypominam sobie, co Dominic napisał o buduarze. Klucz znajduje się w kieszeni płaszcza Celii, toteż wymykam się do przedpokoju, żeby go wziąć. Po chwili trzymam w dłoni gładki, zimny przedmiot.

Dziwnym trafem jest teraz mój – tak długo, jak zechcę.

Nadzwyczajny gest, którego nie mogę przyjąć. Uświadamiam sobie jednak, że rozwiązałoby to mój dylemat zakwaterowania. Mogę tam pójść w każdej chwili, gdy mi przyjdzie na to ochota. Na przykład teraz.

---

[10] Piosenka z *Cymbelina*, akt IV, 2, „Nie spali cię już słońce lata", tłum. Stanisław Barańczak, w: *Od Chaucera do Larkina. 400 nieśmiertelnych wierszy...*, Kraków 1993.

Problem w tym, że wszystko jest jeszcze takie świeże. Nie mogę się tam przenieść od razu, wiedząc, że to ostatnie miejsce, w którym widziałam Dominica, i pamiętając, co wtedy robiliśmy. Czy te rzeczy wciąż tam są? Bielizna, zabawki, białe krzesło? Nie wiem, czy zniosłabym ich widok. Chowam klucz do torebki. Później coś postanowię.

Następnego dnia nad Londynem rozpętuje się burza. Pada ulewny deszcz, nad miastem przetaczają się grzmoty, niebo przecinają błyskawice. Zbierało się na to od wielu dni i teraz żywioły uwalniają nagromadzoną energię.

Zostaję w domu, patrząc na strugi deszczu i zastanawiając się nad losami buduaru. Będę musiała powiedzieć o nim Celii, a ona zapewne zapyta, jak zdobyłam dostęp do innego mieszkania w tym samym budynku. Przypuszczalnie powie o tym moim rodzicom, to zaś doprowadzi do dalszych kłopotliwych pytań. Nie chcę też jednak kłamać.

Wtem dzwoni mój telefon, więc pośpiesznie odbieram, z nadzieją, że to Dominic. Ale odzywa się James.

– Witaj, skarbie. Przepraszam, że cię niepokoję w weekend, lecz zdarzyło się coś, o czym, jak sądzę, powinnaś się dowiedzieć. Czy możemy się spotkać?

– Tak… Czy wszystko w porządku?

– Jak najbardziej, ale chciałbym się z tobą zobaczyć, jeśli można. Spotkajmy się w Patisserie Valerie przy Piccadilly za godzinę.

Wychodzę z parasolką i brnąc przez mokre ulice, przedzieram się do Piccadilly. To zaledwie kilka minut spaceru, ale i tak mam okazję cieszyć się wiszącą w powietrzu wyraźną niedzielną atmosferą. Na ulicach panuje wprawdzie ruch, lecz nie ma takiego szaleńczego pędu jak zazwyczaj w dni robocze.

James czeka już na mnie – gdy przybywam, siedzi z nosem utkwionym w gazecie, a przed nim łagodnie paruje espresso. Kiedy podchodzę, podnosi na mnie wzrok i uśmiecha się.

– A, jesteś. Znakomicie. Pozwól, że ci zamówię kawę.

Po chwili siedzę nad swoim latte i francuskim zawijańcem z czekoladą, a on zagaja:

– Wiem, że to dziwne, ale po prostu musiałem się z tobą zobaczyć. Miałem dziś w porze śniadania spotkanie ze szczególnie interesującym klientem. Nazywa się Mark Palliser i tak się składa, że jest osobistym marszandem naprawdę bogatego człowieka. Miałem z nim do omówienia sprawy, a jest to bardzo zajęty człowiek, który czasami wydaje w mojej galerii mnóstwo pieniędzy, więc naturalnie znalazłem dla niego czas mimo niedzieli.

Zanurzam moje francuskie ciastko w kawie i skubię je, pozwalając, by rozpływało się na języku. Jak na razie nie za bardzo rozumiem, co to wszystko ma wspólnego ze mną.

– Zjedliśmy czarujące śniadanie w jego domu w Belgravii. Mark, jak się można spodziewać, ma wyjątkowy gust. Napomknął, że szuka asystentki, a ja mu wspomniałem o tobie. Byłby znakomitym szefem, wiele byś się od niego nauczyła.

– Naprawdę? – To interesujące. Możliwość znalezienia pracy, wspaniała wiadomość. Ale czy to dlatego chciał mnie zobaczyć już teraz? Nie mógł z tym poczekać do poniedziałku?

James ciągnie dalej:

– Omawialiśmy biznesowe sprawy, gdy zjawił się inny gość i Mark poprosił, żebym zaczekał chwilę w sąsiednim salonie. Ten salon jest połączony z pokojem śniadaniowym pięknym otwartym łukiem, widziałem więc, kim jest ta osoba, i słyszałem, o czym mówiono. – Patrzy wprost na mnie. – To był Dominic.

Dech mi zapiera.

– Dominic? Ale to niemożliwe... on wyjechał. Poleciał do Rosji.

– Jeszcze nie – mówi James. – Zdaje się, że wylatuje dziś wieczorem. Zabiera go prywatny odrzutowiec. Z tego, o czym rozmawiali z Markiem, wynika, że zostanie tam jakiś czas.

Serce mi uderza mocno i oddech przyśpiesza.

– Myślałam, że już go nie ma. Tak mi powiedziała Vanessa.

– Właśnie się zastanawiałem, czy wiesz. Otaczająca go tego ranka aura przygnębienia kazała mi żywić przeczucie, że pewnie nic ci o tym nie wiadomo. – James uśmiecha się do mnie. – Beth, długo i intensywnie nad tym myślałem, zanim postanowiłem ci powiedzieć. Wiesz, że mam obiekcje co do tego, jak Dominic stosuje się do zasad BDSM. Ale wiem także, że to nie do mnie należy decyzja o tym, co powinnaś zrobić, a czego nie. Kochasz go, widzę to, i muszę powiedzieć, że moim zdaniem nie można cię pozbawić możliwości wyboru. Ale i tak chcę, żebyś na siebie uważała. Rozumiesz?

– Oczywiście, że będę uważać i bardzo dziękuję, że mi powiedziałeś. Ogromnie doceniam twoją troskę. Ale czy on cię nie widział?

James potrząsa głową.

– Nie sądzę. Chyba nawet nie wiedział, że ktoś jest w drugim pokoju, a poza tym oddzielał nas ogromny chiński wazon, akurat na linii jego wzroku. No, przynajmniej starałem się, żeby mnie przesłaniał.

Biorę głęboki wdech, otwieram szeroko oczy.

– Ale, James, co ja mam teraz zrobić?

– Chcesz się z nim zobaczyć, zanim wyjedzie?

Kiwam głową, do oczu napływają mi łzy. Na samą myśl o tym, że miałabym szansę porozmawiać z Dominikiem, powiedzieć mu, jak się czuję, i wyznać, że popełniłam błąd, zostawiając go tamtej nocy, serce mi przyśpiesza, a w żyłach krąży adrenalina.

James nachyla się do mnie.

– Nie wiem, czy to pomoże, ale przypadkiem wspomniał, że dziś o trzeciej po południu wstąpi do swojego mieszkania. Kierowca zabierze go stamtąd na lotnisko.

– Dziękuję, James. Ogromnie ci dziękuję!

– Nie ma za co. Chciałem widzieć twoją twarz, gdy będę ci przekazywał nowinę. A teraz idź i sprawdź, czy potrafisz zmienić cętki tego niegrzecznego lamparta.

Rozdział dwudziesty drugi

Śpieszę z powrotem na Randolph Gardens, zatrzymując się po drodze tylko w sklepie papierniczym, żeby kupić kremową kopertę i pasującą do niej kartkę. Nie mam zbyt wiele czasu, żeby wprowadzić w życie swój plan.

Deszcz nie wydaje się już taki ponury i przygnębiający. Radośnie rozpryskuję kałuże, nie dbając o to, że zmoknę, ponieważ i tak nie rozłożyłam parasolki. Nieważne, co będzie, mam szansę znów spotkać się z Dominikiem, ukraść mu kilka chwil i powiedzieć to, co rozpaczliwie pragnę przekazać.

Pukam do drzwi jego mieszkania. Ku mojej uldze, nikt nie odpowiada. Vanessa musiała sobie pójść.

Zastanawiam się, dlaczego mnie okłamała i czemu tak wyraźnie chce się mnie pozbyć, ale nie mam czasu teraz tego roztrząsać. Pędzę na górę do buduaru. Dziwne uczucie – otwierać drzwi i wiedzieć, że nikogo nie ma w środku. Zapalam światło. Przedpokój wygląda tak samo jak przedtem – skromnie i zwyczajnie. W pokoju zaszły zmiany. Nie ma skórzanego krzesła, a szafka jest zamknięta na kluczyk. Z szafy zniknął sprzęt służący do BDSM, została jednak koronkowa bielizna i peniuar. Dominic usunął wszystko, co mogłoby rzucać światło na niecodzienne sprawy, które się tu odbywały, ale zostawił rzeczy, które – jak sądził – mogłyby mi się spodobać.

„Hmmm. Cóż, z tym, co zostało, też da się coś zrobić… Bądź co bądź, wykonywane na zamówienie sprzęty to nie jedyna opcja…".

Zanim cokolwiek zrobię, piszę notkę do Dominica. Zaledwie kilka krótkich słów:

Natychmiast przyjdź do buduaru. To pilne.
B

To powinno wystarczyć, myślę, i zabieram liścik na dół. Wsuwam go w szparę pod drzwiami, po czym wracam do buduaru, żeby się przygotować.

O trzeciej jestem kłębkiem nerwów chodzącym tam i z powrotem po mieszkaniu. Miałam już czas, żeby się rozejrzeć i stwierdzić, że to prosto umeblowane, ale bardzo funkcjonalne mieszkanko, mniejsze od tamtych na niższych piętrach, ale dla jednej osoby wystarczające. Czy naprawdę mogłabym z niego skorzystać?

Postaram się pamiętać i zapytać o to Dominica, ale za bardzo jestem roztrzęsiona oczekiwaniem, żeby skupić umysł na takiej rzeczy. Mam na sobie piękną czarną bieliznę (wzięłam ją z szafy), wysokie szpilki, które założyłam podczas drugiej tu spędzonej nocy, oraz płaszcz Celii – pożyczyłam go, wybierając się na spotkanie z Jamesem. Upięłam włosy i zrobiłam, co mogłam z twarzą, zważywszy, że miałam w kieszeni jedynie błyszczyk do ust i puder. Oczy mi lśnią, policzki są naturalnie zaróżowione z podekscytowania. Patrzę na swoje odbicie i mówię do siebie:

– Powodzenia.

Dziesięć po trzeciej rozlega się głośne stukanie do drzwi. Podskakuję z przejęcia i aż wstrzymuję oddech. A więc przyszedł, jest tutaj. To moja ostatnia szansa. Cokolwiek się wydarzy, muszę to dobrze rozegrać.

Biorę głęboki wdech, starając się za wszelką cenę opanować szalejący w brzuchu nerwowy zamęt. Idę do drzwi wejściowych i otwieram je. Za progiem stoi Dominic. Jest w pięknym czarnym garniturze, ale wygląda na przygnębionego, włosy ma zmierzwione, a oczy pełne niepokoju.

– Beth? Wszystko w porządku? Dostałem twój liścik. – W jego głosie słychać wyraźne zaniepokojenie.

– Wejdź – mówię stanowczym, ale neutralnym głosem.

Przestępuje próg, marszcząc brwi.

– O co chodzi? Powiedz mi tylko, czy nic ci nie jest…

Zatrzaskuję za nim drzwi i opieram się o nie w ciemności.

– Owszem, coś mi jest – mówię cicho.

– Co? Co takiego?

– Jestem na ciebie bardzo… ale to bardzo… zła – wygłaszam to ze stalową nutką w głosie.

– Co? – Zdaje się, że go zaskoczyłam. – Ale… Beth, ja…

– Cicho – przerywam. – Ani słowa. Jestem na ciebie wściekła, bo zamierzałeś wyjechać, nie powiadamiając mnie o tym. Doskonale wiem, co planujesz. Za chwilę ktoś po ciebie podjedzie, zabierze cię na lotnisko i polecisz prywatnym odrzutowcem do Rosji.

– Skąd o tym wiesz, u licha? – Teraz jest wyraźnie zdumiony. Zaskakuję go na każdym kroku.

– Nie zadawaj niepotrzebnych pytań. Sęk w tym, że uciekasz ode mnie bez pozwolenia i z tego powodu jestem bardzo, bardzo zła. – Zaglądam mu w twarz, żeby lepiej widzieć, jak odbija się na niej uzmysłowienie faktów. – A teraz zamierzam się upewnić, że nigdy, ale to nigdy więcej nie zrobisz czegoś takiego po raz drugi. Rozumiesz?

Wpatruje się we mnie przez chwilę, a potem mówi cicho:

– Tak, rozumiem.

– Dobrze. Chodź za mną. – Idę przodem do sypialni, gdzie wcześniej zaciągnęłam żaluzje i zapaliłam świece. Odwracam się i powoli zsuwam z ramion płaszcz, ukazując się w samej bieliźnie.

On wciąga powietrze, a jego oczy wędrują od moich pełnych piersi okrytych czarnym jedwabiem w dół na brzuch i biodra oraz jedwabne majtki.

– Podoba ci się? – pytam.

Wolno potakuje głową, patrząc mi prosto w oczy.

– Znakomicie. A teraz rozbieraj się.

– Beth…

– Słyszałeś. Ściągaj ubrania.

Wygląda, jakby chciał zaprotestować, ale się powstrzymuje, przez chwilę stoi nieruchomo, a potem posłusznie wykonuje polecenie. Zdejmuje marynarkę, spodnie i wszystko, co miał pod spodem, aż do bokserek. Widzę, że penis już napiera od środka na bawełnę, a erekcja zaczyna rosnąć.

– Och, mój drogi. Czy nie powiedziałam, że masz zdjąć ubranie? A bokserki nie zaliczają się do ubrań?

Kiwa głową.

– W takim razie zdejmij je, już.

Zsuwa majtki i odkłada je na bok. Teraz pokazuje mi się w całej okazałości, z nagą szeroką klatką piersiową, płaskim brzuchem i długimi, muskularnymi nogami. Wbija we mnie gorący wzrok, a jego męskość jest teraz twarda i długa.

– Zaraz zrozumiesz, co to znaczy, gdy twoja pani jest na ciebie zła. Do łóżka.

Odwraca się do mnie tyłem i o mało nie wyrywa mi się głośny okrzyk. Jego plecy są pokryte nieregularną siecią czerwonych pasów, które dopiero zaczęły się goić. Mam ochotę podbiec do niego, całować ledwie zabliźnione rany, posmarować je chłodzącym kremem i zadbać o nie jak najlepiej. Lecz nie ma tego w moim planie, nie teraz. Chcę mu pokazać, że potrafię zadać mękę innego rodzaju.

– Kładź się na plecach – rozkazuję, mając nadzieję, że powie mi, jeśli będzie zbyt mocno bolało.

On jednak nic nie mówi ani nie wygląda na obolałego, gdy się kładzie. Podchodzę do łóżka z jedwabnym paskiem od peniuaru, biorę jego nadgarstki i związuję je razem, po czym mocuję pasek do metalowego wezgłowia.

Dominic patrzy na mnie, spojrzenie ma coraz bardziej intensywne, gdy czuje, że poddał się mojej władzy.

Kładę się obok niego na łóżku i dotykam go delikatnie, przebiegam palcami po klatce piersiowej, zataczam kręgi wokół brodawek sutkowych i przemieszczam się niżej, na brzuch. Czuję teraz jego zapach, słodki piżmowy aromat z cytrusową nutką. Och, jest wspaniale. Jakby gdzieś w moją głębię wlewano płynne pożądanie, gorące i cudowne.

– Chcę cię ukarać moją własną torturą – szepczę. – Dobrze się zastanowisz, zanim mnie znów opuścisz.

Teraz oddaję się jego ciału, całuję każdy centymetr, aż do stóp, gdzie ssę i skubię jego palce, a następnie z powrotem w górę. Zupełnie pomijam nabrzmiałą erekcję – głaszczę i pieszczę całą resztę ciała, delikatnie drażnię tam, gdzie jest najbardziej wrażliwe, całuję i miękko szarpię sutki. Oddech mu przyśpiesza. Gdy jest gotowy na nieco więcej, podnoszę się i siadam okrakiem na jego brzuchu. Powoli odpinam stanik, pozwalam mu opaść i pochylam się, podając piersi Dominicowi do ust. Przyjmuje je chętnie, bierze sutki kolejno i ssie mocno, przygryza, aż się stają różowe i sztywne. Potem długo, leniwie całuję mu szyję i szczękę, przygryzam płatki uszu i kusząco muskam usta swoimi, aż rozpaczliwie pragnie pocałunku, który mu w końcu daję, by wreszcie nasycił pragnienie.

Na długo pozostawiłam jego cudowną męskość samej sobie. Palę się, by jej zadać tortury z mojego repertuaru: palcami, ustami i językiem. Czeka na mnie, drży, gdy przybliżam usta; sztywnieje jeszcze bardziej, okazując cudowną gotowość do pieszczot. Przesuwam językiem w górę i w dół twardego penisa, palcami przebierając figlarnie w kępce włosów u jego podstawy. Łagodnie schodzę w stronę jąder, gdzie – jak wiem – kryje się wrażliwy punkt, dzięki któremu mogę sprawić, że Dominic stężeje, westchnie i zacznie jęczeć. Miękko przeciągam językiem wokół penisa, nie ruszając czubka, aby w udręce oczekiwał mokrego dotyku moich ust. Gdy w końcu sama już nie mogę dłużej czekać, owijam język wokół jego gorącej gładkości. Biorę główkę do ust i jednocześnie pocieram intensywnie dłonią całą długość jego męskości. Dominic pragnie teraz większego natężenia, intensywniejszego nacisku, nasilenia wspaniałych wrażeń, jakie mu daję.

Wszystko to wywiera też wpływ na mnie. Sama domagam się uwagi, moje ciało, pobudzone i mokre, również pragnie fizycznego uwielbienia.

Spuszczam swoje koronkowe bokserki i kładę się obok niego, przyciskając piersi do jego klatki, a brzuch – do jego męskości. Dominic jęczy i mówi:

– Beth, jesteś taka piękna. Kocham cię właśnie taką, uwodzicielską, kuszącą, cudowną...

– Chcę, żebyś mnie kochał – odpowiadam. – Dużo się pieprzyliśmy, to było niesamowite pieprzenie. A teraz pora na kochanie. Rozwiążę ci ręce i chcę, żebyś mi pokazał, jaka jestem piękna, jakie uczucia wzbudza w tobie moje ciało.

Sięgam ręką, pociągam jedwabny pasek i uwalniam Dominicowi nadgarstki. On bierze w dłonie moje pośladki i jęczy, czując pod palcami ich miękkość. Pociera je, ściska i wzdycha:

– To takie fantastyczne... Nigdy nie będę miał dość twojej pupy.

– Zrób, jak powiedziałam – szepczę. – Wiesz, czego chcę.

– Twoje życzenie jest dla mnie rozkazem – odpowiada. Oczy mu błyszczą, gdy się przewraca na bok. – Otwórz się dla mnie, Beth.

Rozkładam nogi, żeby zobaczył, co tam na niego czeka. Natychmiast schyla głowę, całuje nabrzmiałe wargi i liże, przebiegając językiem po wrażliwej łechtaczce. Wzdycham od rozkosznego wrażenia.

– Smakujesz jak miód – mruczy. – Słodko…

Kiedy łakomie czekam na dalsze cudowne lizanie i skubanie, on zmienia pozycję i wciąga mnie pod siebie. Silnym, władczym ruchem rozsuwa swoim ciężarem moje uda jeszcze szerzej i zajmuje między nimi pozycję.

– Chcesz mnie? – pyta między jednym a drugim gorącym pocałunkiem w usta.

– Tak – odpowiadam z tęsknotą.

– Obejmij mnie.

Dotąd nie chciałam dotykać jego pleców, lecz teraz posłusznie to robię, czując pod opuszkami palców szorstkość zabliźniających się ran.

– Od razu mi lepiej – szepcze. Potem przywodzi główkę penisa do mnie i zaczyna ją wpychać do środka. – Od twojego słodkiego kochania naprawdę mi lepiej.

Nie mogę nic mówić, ponieważ wszystko jest we mnie skupione na błogim odczuwaniu jego męskości napierającej wolno na moje wejście i wypełniającej mnie od środka. Unoszę biodra, wypycham je naprzeciw, nalegając, żeby wszedł głębiej. Przez długie minuty zatracamy się w jednym rytmie, gdy jego biodra spotykają moje, penis maksymalnie zagłębia się w moim wnętrzu, plecy wyginają się w łuk, a języki splatają się w pocałunku.

Wtem, nic nie mówiąc, obydwoje przyśpieszamy, dźgnięcia stają się dłuższe i mocniejsze, ogarnia nas pragnienie szczytowania. Obejmuję go nogami i w ten sposób jeszcze silniej przyciągam do siebie, aż mnie wręcz miażdży, doprowadzając do najcudowniejszego orgazmu, który mną wstrząsa i w środku, i na zewnątrz.

Nie mamy zamiaru dochodzić równocześnie, ale narastające w nas podniecenie udziela się nam nawzajem, przenosząc oboje na wyższy poziom. Dominic oddycha ciężko, szczęki zaciska w taki sposób, jakby jego orgazm był już bardzo bliski.

– Dominic – mój głos brzmi niczym jęk – proszę, tak, nie przestawaj tak robić...

– Chcę, żebyś doszła, moja piękna.

Tylko tego mi trzeba. Sztywnieję wokół niego, szyja mi się wygina, głowa opada w tył, usta otwierają się i krzyczę w uniesieniu. Wiem, że on też szczytuje, uwalnia swój gorący orgazm w moim wnętrzu. Wiję się i wstrząsam, przechodzi fala za falą, aż w końcu odpływa ostatnia, zostawiając mnie oszołomioną i pozbawioną tchu. Dominic opiera się twarzą o moją klatkę piersiową. Ciężko dyszy po swoim orgazmie.

Kiedy oboje odzyskujemy oddech, mówi:

– O, mój Boże, Beth, to było zdumiewające. – Śmieje się i obsypuje pocałunkami moją twarz i szyję. Po raz pierwszy od długiego czasu sprawia wrażenie naprawdę szczęśliwego. – Dziękuję.

– A ja tobie. – Patrzę na niego i wiem, że błyszczą mi oczy.

Znowu się śmieje.

– To niesamowicie nieoczekiwana przyjemność. Nie wiedziałam, że czeka tu na mnie moja mała zdeterminowana pani.

– Nie musisz już teraz wyjeżdżać, prawda? – pytam, wtulając się w niego i rozkoszując jego cudownym ciałem. – Nie czeka na ciebie kierowca?

Dominic zerka na zegarek i wzdycha.

– Tak, nie mam ochoty wyjeżdżać. Chcę zostać tutaj z tobą.

Rozlewa się po mnie rozkoszne, ciepłe uczucie. Tego właśnie od niego chcę – miłości, która załagodzi ból.

– Ale... nie mogę. Przykro mi, kochanie. Muszę za minutę wyjść.

Serce we mnie zamiera.

– Naprawdę musisz?

– Tak. I nie wiem, kiedy wrócę.

– Więc… co to znaczy… dla nas?

Przesuwa po mnie spojrzeniem.

– Zdaje się, że nie jesteś z powrotem z Adamem?

– Nie, nie! – potrząsam głową. – Nigdy nie byłam. Przyjechał, żeby się ze mną zobaczyć, i powiedziałam mu, że z nami koniec!

Dominic przez chwilę wpatruje się w sufit, a potem mówi wolno:

– Wiesz, Beth, trudno mi to wszystko ogarnąć. Godzinę temu myślałem, że wszystko między nami skończone, i starałem się z tym jakoś uporać, a także z tym, co się wcześniej wydarzyło. Wiem, że dużo przez to wycierpiałaś, ale ja też. – Odwraca się na bok i patrzy na mnie. – Prawdę mówiąc, wciąż cierpię. To, co się działo między nami, i co zrobiłem… Cóż, to naprawdę mną wstrząsnęło.

Wyciągam rękę i gładzę go po włosach.

– Ale… już w porządku, co? Teraz wiesz, że nadal cię kocham?

Zamyka moją dłoń w swojej i śmieje się łagodnym, niemal smutnym śmiechem.

– Och, Beth. Chciałbym, żeby to było takie proste. Widzisz, byłem przerażony tym, co ci zrobiłem. Nie miałem pojęcia, że jestem do tego zdolny, że mogę aż do tego stopnia stracić panowanie nad sobą. Muszę się dowiedzieć, jak do tego doszło, zanim znów będę mógł sobie zaufać względem ciebie. Rozumiesz? – Przysuwa się bliżej i widzę, że jego oczy mają czekoladowy kolor, w ogóle nie czarny. Długie czarne rzęsy są takie piękne, nawet jeszcze bardziej, gdy oczy mają teraz smutny wyraz. – Jeżeli nie poznam przyczyny, która skłoniła mnie do takiego zachowania, wówczas będzie istniało bardzo realne niebezpieczeństwo, że mogę to znowu zrobić, a to byłoby… cóż, nie zniósłbym tego. Muszę być pewien, że będziesz bezpieczna, jeżeli się ze mną zwiążesz.

– Oczywiście, że będę!

– Twoja wiara we mnie głęboko mnie porusza. Ale nie wiem, czy ją podzielam.

Wybucha we mnie niepokój.

– Co masz na myśli? Co zamierzasz zrobić?

– Nie jestem pewien. Lecz zanim tu wrócę, muszę stawić czoło swoim demonom i pokonać je. Uważam, że trzeba uleczyć tkwiącą we mnie mroczną siłę.

Marszczę brwi.

– Masz na myśli potrzebę dominacji? To jest ta mroczna siła?

Kręci głową.

– Nie, to nie takie proste. Jest tak skomplikowane, że sam nie potrafię tego zrozumieć. Seks i miłość przez tak długi czas były dla mnie oddzielne, że połączenie ich w jedno dało wręcz sejsmiczny efekt. Coś we mnie dogłębnie poruszyło. Muszę się upewnić, że droga jest bezpieczna, zanim znowu w nią ruszę. – Wzdycha. – Widzisz, nawet kiedy skłoniłem cię, żebyś mnie ukarała, zrobiłem to wbrew tobie. Teraz to rozumiem i trudno mi się pogodzić z tą prawdą. Impuls popychający mnie do dominacji jest tak silny, że panuje nade mną, pozbawiając mnie samokontroli. – Śmieje się miękko z tej ironii. – Mam nadzieję, że mówię z sensem. Niełatwo to wyjaśnić. Nie chcę ci składać obietnic, Beth, ale jeżeli zaczekasz na mnie do czasu, gdy dojdę z tymi sprawami do ładu, może odkryjemy razem, że jest dla nas jakaś przyszłość.

– Oczywiście, że zaczekam – mówię, choć ledwie mogę znieść myśl o rozłące. – Ale jak długo?

Palcem rysuje na mojej dłoni jakiś wzór.

– Nie wiem. Możesz poczekać, Beth?

– Tak. Tak długo, jak będzie trzeba.

– Dziękuję. – Całuje mnie w czoło. – Będziemy w kontakcie podczas mojej nieobecności. Uważaj na siebie, dobrze?

Kiwam głową. A więc mimo wszystko rozstanie. On wyjeżdża gdzieś daleko, dokąd nie mogę za nim podążyć. Może wróci zmieniony. Jeżeli pokona mroczną siłę, której się tak obawia, czy wciąż będzie tym samym Dominikiem? A może kimś całkiem innym? Obejmuję go, nagle przerażona.

– Nie idź! Proszę.

Całuje mnie bardzo długo i bardzo słodko.

– Chciałbym zostać. Ale będziemy znowu razem, obiecuję. – Potem łagodnie uwalnia się z moich objęć. Podnosi się i patrzy na mnie tymi pięknymi, pełnymi czułości oczyma. – Wrócę, Beth. Nie zapomnij o mnie, dobrze?

„Zapomnieć o tobie? Jakżebym mogła?".

– Nigdy o tobie nie zapomnę – szepczę. – Do widzenia.

Potem zamykam oczy, ponieważ zbyt wielkim bólem byłoby patrzeć, jak się ubiera i wychodzi. Czuję, jak wstaje z łóżka, słyszę, jak się porusza po pokoju, zbierając swoje rzeczy i ubierając się. Pod powiekami pojawia się bolesne pieczenie. Wiem, że to łzy, i staram się z nimi walczyć. Kiedy Dominic jest gotowy do wyjścia, podchodzi do łóżka i przyklęka. Bierze moją dłoń i zamyka w swojej, potem przykłada policzek do mojego. Robię rozedrgany wdech, spod zaciśniętej powieki wymyka się łza i spływa mi po nosie.

– Nie płacz, moja Beth – mówi tak miękko i łagodnie, że muszę zebrać całą siłę woli, żeby się nie załamać. Zbiera moją łzę pocałunkiem, a potem muska mi usta swoimi. – Wkrótce się odezwę.

Nie mogę otworzyć oczu. Widok odchodzącego Dominica będzie zbyt bolesny. On puszcza moją dłoń, czuję, że się odsuwa od łóżka i wstaje. Potem wychodzi, a moje oczy otwierają się akurat w tym momencie, żeby zobaczyć jego szerokie plecy i ciemne włosy tuż przed zamknięciem drzwi. Potem słyszę, jak drzwi wejściowe zamykają się nieodwołalnie.

A więc stało się. Znowu zamykam oczy i wymazuję z wizji buduar. Przywołuję obraz Dominica w ogrodzie – stoi obok mnie silny, szczęśliwy i uśmiechnięty. Mówi, że coś mu powiedziało, że znajdzie mnie tutaj i – proszę – oto jestem.

Ale wyjechał.

A dla mnie zaczyna się oczekiwanie.

Podziękowania

Dziękuję wszystkim w wydawnictwie Hodder & Stoughton, szczególnie redaktorce prowadzącej, Harriet, i redaktorce językowej, Justine. Ich zachęta ogromnie mi pomogła.

Składam podziękowania mojemu agentowi i wszystkim w firmie David Higham Associates.

Czerpałam inspirację z historii ludzi, którzy mają odwagę i wyobraźnię, by żyć w taki sposób, jak pragną, i którzy robią to, ciesząc się szacunkiem innych. Wszyscy mamy wspaniały dar i możemy się nim cieszyć – róbmy to z beztroskim umiarem, rozsądnym uniesieniem i kontrolowaną przyjemnością.